D0585686

BRAVE MEIDEN

Karen M. Lutz

Brave meiden

the house of books

Oorspronkelijke titel
The Bachelorette Party
Uitgave
St. Martin's Press, New York

Vertaling
Ellis Post Uiterweer
Omslagontwerp
Marlies Visser
Omslagdia
Getty Images
Foto auteur
Walter Lutz
Opmaak binnenwerk
ZetSpiegel, Best

ISBN 90 443 1420 3
D/2005 8899/112
NUR 302

een

Niemand in Californië, op de aardbol of in het universum had minder zin om naar *Days of Our Lives* te kijken dan Zadie Roberts. Maar daar zat ze in de wachtruimte van Jiffy Lube aan Ventura Boulevard gedwongen naar Jack Cavanaugh te staren terwijl hij 'Nate Forrester' uitbeeldde: ruwe bolster, blanke pit. Ze zag hem zijn motorhelm afzetten en zijn weerbarstige zwarte haar uitschudden, aldoor met die smeulende blik. Ze stond op om de tv op een andere zender te zetten, maar een zwarte vrouw van middelbare leeftijd die haar nagels om en om in een andere kleur lakte – de ene nagel roze, de volgende rood – protesteerde. 'Als je het waagt... Die man is het enige wat het leven nog de moeite waard maakt.'

Met een zucht ging Zadie weer zitten. Ze had geen zin deze vrouw uit te leggen dat ze ooit met Jack Cavanaugh verloofd was geweest. Dat ze, gehuld in een enorme witte bruidsjurk, in het kerkportaal op Jack Cavanaugh had staan wachten. Dat ze de aan pillen verslaafde moeder van Jack Cavanaugh had horen zeggen: 'Nou lieverd, ik geloof niet dat hij nog komt.'

Zadie had een pestpokkenhekel aan Jack Cavanaugh.

Ze had Jack leren kennen toen hij nog geen soapster was, maar bij Chin Chin in de bediening werkte. Een ober met het soort blik dat zei: 'Het is een kwestie van tijd of ik heb je slipje uit en laat je genieten zoals je nog nooit hebt gedaan.' Door die blik had hij een rol bij *Days* gekregen. En door die rol in *Days* was zijn ego opgeblazen. En Zadie genoot niet meer.

Twee jaar had ze aan Jack verspild. Twee jaar en duizenden dollars. Ze had betaald voor de bruiloft die geen bruiloft was. Ze had betaald voor de acteerlessen waar hij smeulend had leren kijken. Zij, die zevenenveertig duizend dollar per jaar verdiende in een stad waar bijna iedereen die in een Escalades of SL500 over Sunset reed datzelfde bedrag per máánd verdiende. Op zijn minst. Dus was Jack wel de laatste naar wie ze wilde kijken terwijl haar Camry werd doorgesmeerd. Tenzij zijn personage een gruwelijke dood moest sterven.

Met een zucht keek ze op haar horloge. Ze had nog tijd genoeg voordat ze een afspraak met Grey had. Hij kwam nooit voor zevenen van kantoor, want hij was werkzaam in het 'vak'. En om de een of andere vreemde reden werkten mensen in het 'vak' – de entertainmentindustrie – elke dag van tien tot zeven. Maar als je Grey om negen uur op kantoor belde, zei zijn assistente dat hij in bespreking was. Advocaten in de entertainmentindustrie zijn altijd in bespreking, in gesprek of in een veel te duur restaurant met hun veel te dure cliënten aan het lunchen.

Voor iemand in het 'vak' was Grey een verbazingwekkend fatsoenlijke kerel. Toen Jack niet kwam opdagen, bleef Grey de hele nacht bij haar. Hij schonk tequila voor haar in en voerde haar Cheeto's. Grey liet haar op zijn kleed van zeegras kotsen. En nu was het Grey met wie ze een afspraak had voor hun donderdagse ritueel: bij Barney's Beanery op Santa Monica Boulevard gepofte aardappelen eten met Coors Light erbij. Het was er goedkoop en in de jukebox zaten nummers van Rick Springfield. Waar kon een meisje nog meer naar verlangen? Afgezien van een echtgenoot en een leuk huis in de Hills.

Zadie keek naar de stapel opstellen op haar schoot. Het was jammer dat er geen interessanter onderwerp was dan het gebruik van retoriek in het werk van Frederick Douglass, maar zo ging dat bij het vak Engels van de bovenbouw van Yale-Eastlake, een privéschool voor bijzonder intelligente en bijzonder rijke tieners. Toen ze nog met Jack verloofd was, hadden haar leerlingen haar een nachtjapon van La Perla gegeven voor op huwelijksreis. Toen ze de maandag na de bruiloft ongehuwd weer voor de klas stond, vonden ze dat zo rot voor haar dat ze haar auto opknapten en een dagje in een spa van Burke Williams regelden. Haar leerlingen waren dol op haar. Jack om de een of andere reden niet.

Vóór Jack had ze het normale aantal vriendjes gehad dat bij een aantrekkelijke vrouw van eenendertig hoorde. Ze had afspraakjes gehad, ze had het bed gedeeld, ze had met onbekenden onder de kapstok staan zoenen. Maar ze wilde geen onbekenden meer zoenen. Eigenlijk wilde ze sowieso niet meer zoenen. Ze wilde verdomme een biertje en een bord vol gepofte aardappelen met spek en gesmolten Zwitserse kaas.

Op het moment dat Jack (in zijn hoedanigheid van Nate Forrester) op het punt stond te gaan vrijen met een broodmager meisje met rood haar en geplukte wenkbrauwen, kwam de monteur Zadie vertellen dat ze het een of andere onderdeel moest laten vervangen. Er moest altijd iets worden vervangen. Zodra ze haar auto had afbetaald, moest ze elke maand precies hetzelfde bedrag als voor de maandelijkse afbetaling besteden aan de vervanging van defecte onderdelen. De autogoden hadden een hekel aan haar.

'Moet dat nu meteen?'

'Nee. Maar u kunt er beter geen weken mee wachten.' Het maakte hem geen klap uit of ze autopech kreeg. Dat voelde ze gewoon. Hij had die met steroïden volgepompte blik, zo van: ik wil naar de sportschool. Maar ze wilde geen minuut langer in de wachtruimte blijven, dus liet ze het maar aan het lot over. Liever pech op Mulholland dan kijken naar Jack die emoties voorwendde.

Ze was vroeg bij Barney's Beanery en nam plaats in een van de met rood kunstleer beklede zitjes. Het kitscherige decor met nummerplaten en andere onzin veranderde nooit. Net als de graffiti. Al zo lang ze hier kwam, stond er op de deur van het damestoilet: Ik heb Vince Vaughns ballen gelikt.

Grey kwam pas over een halfuur. Ze bestelde een Coors Light en slenterde naar de jukebox. Er klonk een nummer van Deff Leppard. Ze wierp er een dollar in en toetste het nummer van *Summer Nights* in, en daarna dat van *Jessie's Girl.* Toen de zoetgevooisde John Travolta uit de luidsprekers schalde, keek ze naar de motorbende aan de bar.

'Sorry jongens, ik heb een rotdag achter de rug.' Ze keken haar kwaad aan en richtten hun aandacht weer op hun bier. Dat kon Zadie niet schelen. Ze had behoefte aan rust. Ze had gedwongen naar Jack moeten kijken, en de herinneringen aan haar Dag van Vernedering kwamen allemaal boven: haar ouders vertellen dat de bruiloft niet doorging omdat Jack niet was komen opdagen. De medelijdende blikken van haar nichtjes. Jacks ouders die beschaamd naar de grond keken en stamelend hun excuses maakten. Beseffen dat Jacks getuigen ook niet waren komen opdagen, wat inhield dat hij zijn besluit vroeg genoeg had genomen om hen wel in te lichten, maar haar niet. Erachter komen dat de man van wie ze hield zo weinig waarde aan haar gevoelens hechtte dat hij niet de moeite had genomen haar deze marteling te besparen.

Zadie leegde haar glas en bestelde nog een biertje. Het kon haar niet schelen dat ze misschien aangeschoten was tegen de tijd dat Grey kwam. Grey had haar al erger gezien – snotterig, met uitgelopen mascara, toen na die misselijkmakende aanfluiting van een bruiloft. Grey had ieder weerzinwekkend detail van haar gezien en daarom was hij haar beste vriend. Een man die durfte te kijken terwijl je Cheeto's uitkotst, die moet je koesteren. En toen ze naar Tijuana reden om zich daar te bezatten en lol te trappen, vond hij het goed dat ze de hele soundtrack van *Grease* liet afspelen, hij maakte zelfs de bewegingen die bij *Greased Lightning* hoorden met haar mee, door het open dak. Vrienden zoals hij zijn met een lantaarntje te zoeken.

Ze had Grey leren kennen op het verjaardagsfeest van een van haar leerlingen die achttien was geworden. Het was zo'n veel te groots opgezet Hollywood-feest. De protestante vader vond dat hij meer uit de kast moest halen dan zijn beste vriend had gedaan voor de bat mitswa van zíjn dochter, dus had hij KC and the Sunshine Band ingehuurd om in de tuin van het huis in Bel Air op te treden, en hij had iedereen die zijn dochter of hij kende uitgenodigd, en ook iedereen op wie hij indruk wilde maken. Grey was zijn advocaat. En Zadie was de lerares van zijn dochter. Omdat ze allebei verder niemand kenden, stonden ze samen onder het koepeltje Jägermeister te drinken en elkaar over de gasten te vertellen. De echtgenote was wapenhandelaar en deed zich voor als een debutante uit San Marino. De zakenpartner was een pornosterretje die net deed of hij econoom was. Dat was allemaal uit de duim gezogen, maar het was wél leuk.

Na het feest gingen ze naar Mel's Diner om cheeseburgers te eten. Om twee uur 's ochtends reden ze op en neer over Sunset en wezen elkaar de hoertjes aan. Ze had in lange tijd niet meer zo gelachen. Ze was toen nog met Jack verloofd en Grey woonde samen met Angela, die agent was bij het William Morris Agency. Twee weken later betrapte hij Angela toen ze in de Viper Room met een Aziatische hiphopzanger zat te zoenen, en acht weken later liet Jack Zadie bij het altaar in de steek.

Als ze zielig waren geweest, waren ze met elkaar het bed in gedoken. Maar ze waren niet echt zielig, dus gingen ze samen drinken en eten. Vaak. En roddelen en klagen. Vaak. Allebei waren ze er zeer bedreven in. Grey had ook bepaalde dingen waar hij belang aan hechtte. Zoals een goede uitspraak. Voor iemand die surfte was zijn auto keurig; als je je lege fles water op de vloer legde, hield hij halt bij de stoep. Ooit had hij het uitgemaakt met een meisje omdat ze te veel koffie dronk. Hij had zo zijn stokpaardjes. Zij ging niet naar bed met mannen met problemen. Daar deed ze niet meer aan.

Toen Grey binnenkwam, zag hij eruit of hij tot moord in staat was. Dat wil zeggen, voor zover iemand als Richie Cunningham uit de tv-serie *Happy Days* tot moord in staat was. Hij zag er veel te evenwichtig uit om echt kwaadwilligheid uit te stralen. Hij plofte op het bankje neer, zette zijn aktetas op de grond en stak zijn hand naar Zadies biertje uit. Hij dronk het glas in één keer leeg en zette het met een klap terug op tafel.

'Waarom doe ik wat ik doe?' Hij kneep zijn blauwe ogen tot spleetjes, alsof hij hier de hele rit over had nagedacht.

'Omdat het goed betaalt.'

'Het betaalt niet goed genoeg om naar een acteur te moeten luisteren die vindt dat hij een miljoen zou moeten krijgen terwijl hij voor zijn laatste project maar drieëneenhalve ton heeft gekregen, en dat was bovendien een enorme flop. Ze hadden hem moeten terechtstellen. Ik heb een hekel aan acteurs.' Hij gebaarde de serveerster dat er meer bier moest komen. 'En toch ben ik hun slaaf. Er is iets goed mis in mijn leven.'

'Als je van mij wilt horen dat acteurs best meevallen, zit je met de verkeerde te praten.'

'Het is mijn eigen schuld. Ik had milieuzaken kunnen doen. Maar dan had ik nu geen huis. Of een auto. Dan had ik een leuk appartement en een openbaarvervoerkaart. Waarom houdt de keus tussen goed en kwaad een verlaging van levensstandaard in? Ik kan mijn *home entertainment system* niet missen. Ik kan niet zonder mijn zwembad. Maar om dat te kunnen veroorloven, word ik gedwongen naar mensen te luisteren die hun middelbare school niet hebben afgemaakt, die niet weten wat de correcte uitspraak van "corned beef" is. En zij hebben het lef mij te vertellen dat ze twintig miljoen per film zouden moeten verdienen.'

Toen het bier op tafel werd gezet, bestelde Zadie meteen gepofte aardappelen. Het zou een latertje worden. Zij had genoeg om over te klagen, maar als Grey zijn hart ging luchten, zaten ze hier tot sluitingstijd. Dat was een prettig idee. Beter dan naar huis gaan en naar *ER* kijken.

'Ik had vandaag een fantasietje over een van mijn leerlingen.' Ze vond het leuk om met iets schokkends te beginnen.

'Wat?'

'Hij is achttien, dan mag het. Hij is ook model voor Abercrombie & Fitch. Ik heb gemasturbeerd met hem in gedachten.'

Grey staarde haar aan, toen schoof hij haar glas bier naar haar toe. Ze proostten, daarna deed hij zijn jasje uit en maakte zijn das los. 'Geef me de details.'

'Hij heet Trevor. Hij staat op het omslag van de catalogus, zonder overhemd en met een kaki broek die zo laag hangt dat je die v-vormige spieren vanuit zijn kruis kunt zien. Daar moet ik toch wel naar kijken?'

Het scheen Grey hogelijk te amuseren. 'Krijg je de kriebels als je in de klas met hem praat?'

'Nee, daar ben ik te professioneel voor. Vandaag gaf ik hem zijn opstel terug en raadde hem aan *Dharma Bums* te lezen als hij *On the Road* leuk vond. Toen hij wegliep, keek ik naar zijn kontje.' Ze nam een slok bier. Koude Coors Light en sappige roddels. Een perfecte combinatie.

'En waar vond dat masturberen plaats?'

'Waar denk je? In de auto, op weg naar huis.'

Grey grijnsde. 'Ik aanbid je. Heb ik je dat al eens gezegd? Je bent de enige vrouw die ik ken die durft toe te geven dat ze masturbeert terwijl ze door Colwater Canyon rijdt.'

Ze sloeg haar blik ten hemel. 'Wacht maar even met die loftuitingen. Ik heb vandaag per ongeluk *Days of Our Lives* gezien.'

'En?' Hij keek bezorgd. Zadie vond het prettig als hij bezorgd om haar keek. Het was vriendschappelijke bezorgdheid, iets heel anders dan de bezorgdheid van haar ouders. Dat was meer een molensteen die af en toe haar wil om te leven onderdrukte.

'Ik zag Jack een ander kussen. Hij had net zo'n onbenullige uitdrukking op zijn gezicht als toen hij mij kuste en dat houdt in dat hij toen ook acteerde – dat heb ik altijd al gedacht.' Jack had altijd geacteerd. Toen hij twee weken na de afgelaste bruiloft eindelijk belde, zei hij dat hij in Mexico in de gevangenis had gezeten. Later gaf hij toe dat hij de moed niet had kunnen opbrengen en in Las Vegas was gebleven met de maten met wie hij zijn vrijgezellenfeest had gevierd. Hij vond dat hij applaus verdiende omdat hij dat had durven opbiechten, maar Zadie vond dat hij eerder een schop voor zijn hol verdiende. Daarna had ze hem nooit meer gesproken. Een keer waren Grey en zij langs zijn huis gereden en hadden een bierflesje naar zijn deur gegooid, maar daar was ze niet trots op. En ook niet op die keer dat ze op internet naar een site was gesurft waar je per post hondendrollen naar iemand kon sturen. Woede en gekwetste gevoelens konden vreemd gedrag veroorzaken.

Zodra de aardappelen op tafel werden gezet, tastte Grey toe. Ze had respect voor een man die bereid was na vijven nog koolhydraten tot zich te nemen. Die waren in LA moeilijk te vinden.

'In ieder geval heb je hem nooit betrapt.' Hij doelde op het incident in de Viper Room, iets wat hij als een flesje mentaal gif met zich mee droeg.

'Je bent uit met het leukste meisje van de wereld. Wat maakt het uit dat Angela je heeft bedrogen? Je hebt je er allang overheen gezet.' Ze deed dressing op haar aardappel. Met dressing is alles beter. Ze had een rotleven, maar zolang er dressing op zat, overleefde ze het wel.

'Degenen die je bedriegen, staan op je hersenvlies geëtst. Alsof ik jou dat hoef te vertellen.' Dat was waar. Zadie gaf niet graag toe dat Jack nog macht over haar had. Eigenlijk had hij dat ook niet. Althans niet over haar hart. Alleen over haar ego. Dat was flink gedeukt sinds ze haar sluier had afgelegd en zich verder groot hield.

'Heb je Helen trouwens nog gesproken?' Hij vroeg het achteloos, maar hij keek er gespannen bij, alsof hij last had van verstopping of iets voor haar achterhield.

'Zeg nou niet dat het uit is.' Helen was haar nichtje. Toen Helens zusje Denise afgelopen herfst ging trouwen, had Zadie Grey meegesleurd naar de bruiloft. Die had plaatsgevonden een maand na haar eigen in het water gevallen bruiloft. Zadie had hem nodig om het verdriet te verlichten. Maar het verdriet werd niet verlicht omdat Grey tijdens het feest met Helen op de dansvloer stond te zoenen. Mensen moesten niet trouwen als zij dat niet kon en mensen moesten elkaar niet versieren als zij niemand had. Maar het was geen versiertruc geweest. Grey en Helen hadden afspraakjes gemaakt. Ze waren verliefd geworden. Ze hadden een reisje naar Napa gemaakt. Je gaat niet met een meisje naar Napa als je daar niets mee voorhebt.

'Gedumpt worden tijdens een wijnproeverij is niet het ergste wat ik kan bedenken,' zei Zadie. 'In ieder geval kon je je verdriet in een lekkere merlot verdrinken.' Het was maar een grapje, maar ineens drong het tot haar door dat het een reële mogelijkheid was. Het speet haar dat ze het had gezegd. Grey was stapelverliefd, ze zou niet willen dat zijn hart gebroken werd, ook al was ze niet bepaald dol op Helen. Er waren vele redenen waarom ze niet dol op dit nichtje was, en de voornaamste reden was dat Helen nooit over de schreef was gegaan en daar iedereen geregeld aan herinnerde.

'We hebben ons verloofd.' Hij zei het terwijl hij een hap Zwitserse kaas in zijn mond stopte. Net alsof hij vertelde dat hij zijn Saab had ingeruild voor een Volvo.

Zadie staarde hem aan. 'Sorry, maar ik dacht dat je net zei dat Helen en jij verloofd zijn. Dat kan niet, want als het wel zo was, had je me meteen gebeld. Je zou het me niet pas vier dagen later vertellen terwijl we luisteren naar *Hurts So Good* op de jukebox.'

'Ik kon je vanuit Napa niet bellen, dat zou echt te zot zijn geweest. Ze zou het hebben gehoord en ik kan niet rustig met je praten als zij erbij is. Ze rukt altijd de hoorn uit mijn handen en kijkt me raar aan als ze me "loser" tegen je hoort zeggen.'

'Je bent verloofd. Met Helen. Jullie gaan trouwen.'

'Ja.'

Het gonsde in Zadies hoofd. Waarschijnlijk was het al dat bloed dat naar haar hoofd steeg om haar hersens dit nieuws te besparen. 'En wanneer is de gelukkige dag?'

'Al gauw. Ze zei dat ze meteen een reservering in het hotel had gemaakt zodra ik zei dat ik van haar hield. Ze heeft de jurk al gekocht.'

'Helen? Die heeft die jurk vast al gekocht toen ze achttien was. Vanaf haar twaalfde heeft ze al een bruidsalbum klaarliggen.'

Grey fronste. 'Je klinkt boos.'

'Waarom zou ik boos zijn? Mijn beste vriend gaat met mijn nichtje trouwen, en míjn liefdesleven bestaat uit het hunkeren naar een tiener die ik les moet geven. Waarom zou ik er overstuur van zijn?' Zadie wreef over haar slapen.

Grey vulde haar glas bij. 'Je overdrijft. Trouwens, ik wil je aan mijn vriend Mike voorstellen. Ik vraag hem als mijn getuige. Je vindt hem vast aardig.'

Nu werd Zadie echt kwaad. 'Als je het nog één keer over Mike hebt...'

'Hoezo? Hij is tof.'

'Dat zeg jij,' zei ze.

'Waarom wil je hem dan niet leren kennen?'

'Omdat ik niet uit medelijden gekoppeld wil worden. Ik wil niet aan jouw suffe vrienden worden voorgesteld alleen maar omdat jij denkt dat ik niet zelf iemand kan krijgen.'

Ze gebaarde de serveerster dat er meer bier moest komen. Het zou geen latertje worden. Misschien dronk ze genoeg om tegen tienen bewusteloos te raken. Ze stelde zich Grey voor die haar naar de auto moest dragen. En dan de trap op naar haar appartement in Sherman Oaks. Hij liet haar vast vallen omdat ze te zwaar was. Dan moest hij haar oprapen en door de deur duwen, en haar op haar buik op de bank leggen, met de rieten prullenmand van Bed Bath & Beyond bij haar hoofd. In een rieten prullenbak kun je niet kotsen. Dat lekt. Ze moest er niet aan denken, de half verteerde aardappel die op de vloer droop terwijl Grey en Helen bij hem thuis voor de open haard zaten te zoenen. Helen had altijd haar oordeel klaar. Ze hoorde het al: 'Waarom doet Zadie zich dat allemaal aan? Het is al een halfjaar geleden dat Jack haar liet zitten. Langzamerhand zou ze daar toch overheen moeten zijn. Hij is maar een soapacteur. En hij blijft niet eens in de serie, hij wordt eruit geschreven. Dus waar maakt ze zich druk om?'

'Ik koppel je niet uit medelijden. Ik koppel je omdat ik wil dat je gelukkig wordt.'

'Als je wilt dat ik gelukkig word, koppel je me niet.'

Uit de jukebox schalde *Glory Days*. Ze kon niet meer. Ze was niet jong meer. Ze had geen maatje 36 meer. Ze was geen meisje meer dat iets kon hebben met een man terwijl ze bang was dat hij haar in de steek zou laten. En ze was geen meisje meer met een beste vriend die voor haar zorgde. Hij had straks een vrouw die al zijn tijd in beslag zou nemen. De ideale vrouw. Een vrouw van achtentwintig met haar dat geen highlights nodig had.

'Dan zie ik je zeker nooit meer, hè?'

Onderzoekend keek hij haar aan. 'Waar heb je het in vredesnaam over?'

'Je zult meubels bij IKEA kopen en je kinderen bij de dagopvang inschrijven en dat soort dingen. We komen hier nooit meer, hè? Dit is mijn laatste gepofte aardappel. Dit is mijn laatste bier. Dit is mijn laatste leuke avond.'

'Oké, je bent aangeschoten. Normaal gesproken is dat niet zo erg, maar in die sombere bui lijkt het me niet verstandig.'

'Verdomme Grey, ik bén niet aangeschoten.' Met die woorden stond Zadie op, pakte haar tasje en stormde naar de deur. Niet dat ze nou zo nuchter was, maar dat hoefde ze nog niet van een ander te horen. In ieder geval niet van haar beste vriend die haar had verraden door zich te verloven terwijl zij niet verloofd was. Ze liep langs de motorbende. 'Zo goed? Ik ga weg.' Ze keken haar met een lege blik aan toen ze haar glas met een klap op de bar zette.

Eenmaal buiten hield de portier een taxi voor haar aan. Morgen belde ze de wegenwacht wel. Ze zou zeggen dat er een probleem met de pakking was en de auto naar Sherman Oaks laten slepen. Misschien was het wel een zegen dat ze Jack in de wachtruimte van Jiffy Lube op tv had gezien. Daardoor was ze gedwongen te vluchten. En misschien was het een zegen dat ze nog steeds single was. Misschien was het meisje dat Vince Vaughns ballen had gelikt nog in de stad, dan had ze iemand om mee rond te hangen terwijl iedereen die ze kende verdomme ging trouwen.

twee

Toen Zadie wakker werd, nam ze twee aspirientjes in, belde om haar auto te laten ophalen en zette een pot koffie. Altijd als ze een kater had vervloekte ze de school die zo verrekte vroeg begon. Haar leerlingen waren om acht uur 's ochtends ook niet helemaal helder. Waarom kon school niet tegen twaalven beginnen?

In haar appartement was het nu al warm door de zon die door de glazen schuifdeuren naar binnen scheen. Ze zette de deuren open om het eventuele briesje binnen te laten dat door de zeven cactussen in de kuipen op het balkon blies. Naast de cactussen stonden een strandstoel met een zongebleekte zitting van canvas en een roestige barbecue die ze nooit gebruikte. Haar moeder zei dat ze op een dag iets zou willen barbecuen, maar die dag was nog niet aangebroken. Zadie bestelde meestal eten van de Thai, of ze kocht salades bij de groenteboer. Waarom zou ze koken als daarvoor opgeleide mensen dat voor je kunnen doen?

De mottige kat van de buren sprong van de muur tussen hun balkonnetjes op haar strandstoel. Daarna liep hij haar appartement in om even rond te snuffelen. Zadie gooide een theedoek naar hem.

'Weg jij. Weg. Je hebt hier niets te zoeken.'

Zodra de kat alle vijfenvijftig vierkante meter had besnuffeld ging hij terug naar het balkon en klom over het muurtje. Zadie deed de deur achter hem dicht. Ze had geen hekel aan katten, maar deze had al minstens twee keer op haar strandstoel gescheten, en ze wilde liever niet dat hij dat op haar roomwitte bank deed. Die bank had ze gekocht met het geld dat ze voor haar verlovingsring had gekregen toen ze die verpatste. Dat hield in dat ze iedere keer dat ze ging zitten weer kwaad werd. Maar in ieder geval gaf woede energie. Niet dat ze door die woede iets ging dóén, maar die wekte meer energie op dan wanhoop.

Het feit dat haar gevoelens de laatste tijd bestonden uit woede, wanhoop of iets verdoofds, was iets wat ze wilde rechtzetten, maar hoe dat moest, wist ze niet goed. Iedereen zei dat er tijd overheen moest gaan. In het boek dat haar moeder haar had gegeven, *Hoe overleef ik een verbroken relatie,* stond dat ze een dagboek moest bijhouden waarin ze haar gevoelens op papier vastlegde. Waarom ze verdomme haar huidige gevoelens moest vastleggen ontging haar volledig. Had ze maar een indiaanse rookpot zoals die waarmee haar kamergenote op de UCLA haar negatieve energie kwijtraakte. Die zou ze in haar hoofd kunnen rondslingeren totdat alle gevoelens waren verbannen. Ze wilde zich er niet doorheen slaan, ze wilde niet dat de tijd de wonden heelde. Ze wilde alles *deleten.*

Vóór Jack had ze veel met romantiek op gehad. Ook al had ze nog zo veel op seks beluste rotzakken of moederskindjes gekend, ze had altijd geweten dat de Ware ergens moest zijn. Totdat ze hem vond en hij een hufter bleek te zijn. Het was niet erg aanlokkelijk nog eens op zoek naar de Ware te gaan. Wat moest ze met twéé banken?

Gelukkig was Jack nooit bij haar ingetrokken. In haar appartement waren huisdieren niet toegestaan en Jack had een labrador die hij uit het asiel had gehaald. Hij hield meer van dat beest dan van zijn moeder. En dan van Zadie, achteraf gezien. Zadie was nooit bij hem ingetrokken omdat hij in een soort krot woonde. Ze waren van plan geweest samen op zoek naar een appartement te gaan, maar een maand na hun verloving had Jack die rol in *Days* gekregen en een huis gekocht. Na hun huwelijksreis zou Zadie bij hem intrekken. Gelukkig maar dat ze de huur niet had opgezegd...

Toen Zadie bij de school kwam, zette ze haar auto op de parkeerplaats voor docenten en liep over het schoolplein, langs de zentuin met de onvermijdelijke waterval. Haar lokaal bevond zich in het door I.M. Pei ontworpen hoofdgebouw dat door een Fransman met een aapje op zijn schouder geheel feng-shui was ingericht. Waarschijnlijk had hij daar meer voor gekregen dan Zadie in vijf jaar verdiende.

De ramen van haar lokaal boden uitzicht op de voederplaats voor kolibries. Daar kwamen de gulzigste rotzakken uit het rijk der ornithologie. Daar weer achter was een canyon met verscheidene uitheemse boomsoorten en af en toe een landhuis. Het gaf haar troost dat als haar leerlingen zich tijdens de les verveelden, ze in ieder geval een fraai uitzicht hadden.

Toen Trevor in het zesde uur het lokaal binnen liep, deed Zadie haar best niet naar hem te kijken, maar hij droeg een strak wit T-shirt en zo'n leuk petje op zijn schouderlange, door de zon gebleekte haar. Het was een hel. Wat was er erger dan met een jongen van achttien willen vrijen? Het moest met hormonen te maken hebben. Vroeger had ze zich nooit tot leerlingen aangetrokken gevoeld. Bestond er misschien een pil tegen?

'*Grapes of Wrath.* Wat vonden jullie ervan?' Ze keek uit over de zee van goedverzorgde tienergezichten.

Danielle stak haar vinger op. 'Ik vond het nogal triest.' Danielle was de dochter van een grote tv-baas. De Dust Bowl stond ver van haar bed.

'Wat vond je zo triest?' Ze mocht Danielle wel en hoopte dat ze niet iets zou zeggen wat ze later bij een margarita aan de andere docenten kon vertellen.

'Ze waren dakloos. Ze konden geen werk krijgen. Ze hadden geen eten. Er was niets wat niet triest was.'

Gelukkig had ze niet gezegd: 'Ze hadden geen tassen van Prada.' Met rijke kinderen wist je het nooit. Sommigen hadden ouders die hun kinderen bijbrachten hoe het er in de echte wereld aan toe ging, en sommigen hadden ouders die hen in Malibu opsloten totdat ze zestien waren, oud genoeg om zelf in de buurt rond te rijden.

Na een discussie over armoede en het effect daarvan op de menselijke geest stuurde Zadie de klas weg met de opdracht in het weekend nog vijf hoofdstukken te lezen, zodat ze er maandag een schriftelijke overhoring over kon geven. Toen de bel ging, kwam Jorge naar haar toe.

'Mijn vader heeft vanavond een première en in het weekend gaan we skiën om het te vieren. Ik heb geen tijd om te lezen.'

Zadie was aan smoesjes gewend, sommige creatief, andere niet erg overtuigend. Maar Jorges vader was een bekend regisseur. Toen Jorge vijf was, waren zijn ouders gescheiden en sindsdien had Jorge drie stiefmoeders gehad. Het was belangrijk voor Jorge om naar de première te gaan. Hoe vaak kan een tiener trots op zijn ouders zijn? Het was ook heel bijzonder dat Jorge een weekend iets met zijn vader ging doen. Eerlijk gezegd was zijn vader een hufter die dol was op de jonge kinderen die hij bij zijn drie jonge vrouwen had verwekt.

'*Grapes of Wrath* kan wel wachten,' zei Zadie. 'Ga maar lekker iets leuks met je vader doen.'

Jorge grijnsde breed. 'Bedankt. Ik beloof dat ik het maandag zal lezen.' Hij haastte zich achter zijn klasgenoten aan. Alleen Trevor bleef achter.

Toen hij naar Zadie toe liep, streek ze snel met haar hand door haar haar. Het zou verboden moeten worden dat tieners een meter vijfentachtig werden.

'Bedankt dat u ons dit boek laat lezen. Het deed me beseffen dat ik eigenlijk niets te klagen heb,' zei hij.

'Iets in perspectief zetten kan nooit kwaad,' antwoordde Zadie. Wauw, dat was diepzinnig. Wanhopig probeerde ze iets anders te bedenken om te zeggen, maar hij grijnsde naar haar en haar hoofd was leeg.

'Mag ik mijn werkstuk over Steinbeck maken in plaats van over Kerouac?'

'Natuurlijk,' zei Zadie.

'Gaaf. Bedankt.' Hij liep het lokaal uit. Het viel Zadie op dat zijn rugspieren mooi uitkwamen onder het strakke t-shirt. Ze dwong zichzelf weg te kijken.

Na school liep Zadie naar haar auto en bleef daar tien minuten in zitten voordat ze wegreed. Ze schaamde zich dat ze de vorige dag had gemasturbeerd. En ook dat ze dat aan Grey had verteld. Dat ze dat als intro voor een van hun gebruikelijke leuke avondjes had gebruikt, maakte haar kwaad. Hoe kon hij haar laten leuteren over een Mrs. Robinson-fantasietje terwijl hij achterhield dat hij ging trouwen? Niet dat ze hem het geluk niet gunde. Niet dat ze niet wist dat hij verliefd was op Helen. Niet dat ze hoopte dat het uitraakte. Ze had er alleen niet op gerekend dat hij zich al zo snel zou verloven. Wat zag Helen toch in hem? Hij kon totaal niet dansen. Hij kon geen band verwisselen. Hij had een volant om zijn bed die bij het dekbed paste. Zadie hád niet eens een volant om haar bed. Wie had er nou verdomme een volant?

Toen ze thuis was, belde ze Helen op. 'Hoi. Gefeliciteerd.'

Helen was ook al zo uitbundig. 'Geweldig, hè? Hij vroeg me ten huwelijk toen we in een luchtballon over de wijngaarden zweefden.'

Kots. Had hij dat echt gedaan? Wat een cliché... Jack had haar ten huwelijk gevraagd toen ze soixante-neuf deden. Ze kon niet eens zijn gezicht zien. Ze had hem moeten loslaten voordat ze kon zeggen: 'Oké.' Achteraf gezien was het eigenlijk niet zo romantisch geweest.

'Echt geweldig.' Nee, het was niet geweldig. Het was weerzinwekkend. Het was onbegrijpelijk. Het was op en top John Tesh. Een luchtballon?

'Jij wordt natuurlijk mijn bruidsmeisje.' Oei. Zadie had zich echt zorgen gemaakt dat ze niet in een lelijke jurk van tafzijde naast Helen voor het altaar zou hoeven staan en net doen of ze in de wolken was. 'En maak je geen zorgen, ik zie erop toe dat er geen grote strik op je kont zit.' Ja hoor. Jammer dat ze dit gesprek niet kon opnemen om het later af te spelen wanneer ze in een gifgroene hoepelrok in de kerk stond.

'Heb je al een datum geprikt?' Natuurlijk had ze dat gedaan. Dit was Helen. Helen had haar menstruatiecyclus voor de komende tien jaar al geregeld.

'Memorial Day. Of 12 november, zei mijn numeroloog. Maar ik moet bruin zijn. Anders kan ik immers geen wit dragen.' Echt Orange County. Niet dat Zadie iets tegen zonneschijn had, ze stelde alleen haar garderobe daar niet op samen. Niet dat Helen niet in het wit mocht. Voor zover Zadie wist, had Helen nog nooit een penis gezien. En ze had er zeker nooit een gepijpt. Helen was maagd. God weet waarom, maar het was duidelijk dat Helen daar zo haar mening over had. Hoewel, blijven wachten was misschien niet eens zo'n slecht idee. Hoe anders kreeg je iemand zo ver dat hij al na vijf maanden een aanzoek deed? Die arme Grey zou nog doodgaan aan opgehoopt sperma.

'Goh, Memorial Day... Dat is al gauw.' Over een maand zou haar beste vriend getrouwd zijn met haar vervelendste nichtje. Leuk! Iets om te vieren! 'Dus je weet het zeker?'

Er viel een korte stilte. Toen zei Helen: 'Waarom zou ik het niet zeker weten?' Het klonk pinnig. Zo praten mensen die willen dat je je kop houdt, maar te beleefd zijn om dat in je gezicht te zeggen.

'Natuurlijk weet je het zeker. Zo bedoelde ik het niet. Het gaat alleen allemaal zo snel, het is zo onwerkelijk. Maar het is echt waar, dat weet ik.' Zadie voelde zich in een hoekje gedrukt, ze wilde daar weg. 'Ik vind het geweldig. Ik kan nauwelijks op de bruiloft wachten! O jee – een wisselgesprek. Ik bel je later nog, oké?' Het smoesje van het wisselgesprek. Zo doorzichtig. Zo onvolwassen. Het werkte altijd.

Nadat Zadie had opgehangen, ging ze naar de ijskast. Er stond een half opgegeten Wolfgang Puck Chinese kipsalade in, maar die stond er al een week en de dressing was op. Ze deden nooit genoeg dressing in dat kuipje. En witte kool is niets iets wat zonder smeermiddel gegeten kan worden. Ze moest Wolfgang maar eens schrijven.

Ze reed naar Ralph's en haalde daar supermarktsushi. Als ze meer geld had gehad, had ze echte sushi gekocht. Maar helaas was het salaris van de vorige maand al opgegaan aan de afbetaling van haar bruidsjurk. Het maakt Saks niet uit dat je voor het altaar in de steek wordt gelaten, Saks wil gewoon geld zien.

Toen ze thuiskwam met de plastic verpakking met Californische sushirolletjes van een dag oud, zette ze de tv aan om naar *The Bachelor* te kijken, het levende bewijs dat er nog vrouwen bestonden die zieliger waren dan zij. Het deed haar goed om bevende vrouwen te zien die wachtten of ze wel een roos kregen van een stupide, zelfvoldane jan lul die de meest belachelijke popi taal uitsloeg. Daar kreeg ze een gevoel van superioriteit van.

Tijdens de reclame probeerde ze dingen te bedenken die wél goed waren in haar leven. Haar werk. Dat ging allemaal prima. Ze mocht haar leerlingen en ze vond minstens twee derde van de boeken leuk die ze behandelde. Van lesgeven werd ze niet rijk, maar dat ambieerde ze dan ook niet. Haar appartement was schoon. Dat was ook prettig. Na drie maanden in een grote rotzooi gewoond te hebben was ze eindelijk gaan opruimen, en dat alleen maar omdat ze bang was dat Jack zou langskomen om haar om vergiffenis te smeken. Ze wilde niet dat hij zag dat ze van verdriet alles maar op zijn beloop liet. Niet dat hij echt langs zou komen; al die oude tijdschriften en pizzadozen stoorden haar bij het erover fantaseren. En haar haar. Ze had mooi haar. Het was lang en meestal glansde het. En dat was het dan wel zo'n beetje. Haar werk, haar tijdelijk schone appartement en haar haar.

Daar moest ze dan maar voor leven.

drie

Dinsdag lunchte Zadie op school met Nancy in de docentenkamer. Nancy gaf biologie en had enorme opgespoten lippen. Ze dacht ook dat strakke stretchtopjes haar goed stonden.

'Ik had toch bij de autowasstraat een man leren kennen? Toen we moesten wachten? Nou, hij vroeg of ik met hem uit eten wilde en toen zei ik ja. Niks bijzonders, hoor, gewoon Casa Vega. Ik bestelde de fajita taco. Maar híj niet.' Nancy zei het met een betekenisvolle blik. Alsof dit iets bijzonders inhield.

Zadie hapte. 'Wat is het probleem? Kun je niet zoenen met een man als hij enchilada heeft gegeten?' Zadie begreep niets van Nancy en de mannen met wie ze uitging. Ze ging met halve idioten uit en vertelde daar dan uitgebreid over. Zadie vroeg zich wel eens af of ze met die mannen uitging omdat ze dan daarna iets had om over te praten.

'Nee, hij bestelde niets. Hij jatte van mijn bord.'

'Oké, dat is inderdaad vreemd, dat moet ik toegeven,' zei Zadie.

'En toen vroeg hij of hij mijn gezicht met zijn servetje mocht afvegen.'

'Zat daar dan eten op?'

'Nee.'

'Een snotje?'

Nancy keek Zadie aan alsof die soms achterlijk was. 'Er zat geen snotje, mijn lippenstift was niet uitgesmeerd en ik kwijlde niet – hij is gewoon pervers.'

Zadie fronste haar wenkbrauwen terwijl ze daarover nadacht. 'Iemand die pervers is, wil meestal op je poepen of zo. Ik weet niet of iemands gezicht met een servetje afvegen wel pervers is.'

Weer keek Nancy haar zo aan. Zadie begon zich zorgen te maken. Was ze echt zo zielig dat ze niet meer wist wat pervers gedrag was en wat niet?

'Nou, laten we het zo zeggen: ik ga niet nog eens met hem uit,' zei Nancy.

Nancy ging haast nooit een tweede keer met iemand uit. Nancy was bijna veertig en dacht nog steeds dat ze ooit de Ware tegen het lijf zou lopen. Met iemand die niet de Ware was, ging ze niet nog eens uit. Waarom zou ze? Ze spoot haar lippen niet vol gifstoffen om mannen voor één nachtje aan te lokken. Die lippen waren voor een echtgenoot bestemd. Wie deze vrouwen ervan had weten te overtuigen dat bovenlippen voller dienden te zijn dan onderlippen, was de grootste grappenmaker ooit.

'En mocht hij je gezicht afvegen? Was het voor jou net zo lekker als voor hem?' Zadie had totaal geen medelijden met Nancy's droevige lot.

'Luister, als jij weer uitgaat, maak je over zoiets geen grapjes meer,' zei Nancy.

Zadie was na haar 'bruiloft' niet meer uitgegaan en ze keek daar ook niet naar uit. 'Wie zegt dat ik weer moet uitgaan? Jij bent met bijna iedere man van de stad uit geweest en je hebt ze allemaal in de vijver teruggezet. Ik ga niet vissen in jouw vijver vol losers.'

Net op het moment dat Nancy weer zo'n blik wilde opzetten, kwam Dolores erbij zitten. 'Probeert Nancy je weer te koppelen?'

Dolores was een zogenaamde oude vrijster. Halverwege de vijftig, peper-en-zoutkleurig haar, geen make-up, nooit getrouwd geweest, rokken en broeken met elastiek in de taille. Dolores belichaamde wat Nancy niet wilde worden. En Nancy belichaamde wat Zadie niet wilde worden. In een tijdperk waarin vrouwen verondersteld werden elkaar te steunen, was het echt verbazend hoe veel vrouwen wilden vermijden op de ander te gaan lijken.

Wat Nancy niet wist, was dat Dolores het helemaal voor elkaar had. Ze was bepaald niet dom. Na een paar martini's op het eindejaarsfeest had Dolores Zadie bekend dat ze vaak meeging op een cruise voor singles, of naar wilde weekendjes ging waar ze 'het' deed. Ze wachtte niet op de Ware. Ze wilde de Ware niet eens. Ze wilde in haar vakantie seks met onbekenden, en een eigen huis en flanellen pyjama's voor als het geen vakantie was. Wie wil er nou een echtgenoot die je dwingt naar ijshockey te kijken als *Dirty Dancing* op het andere net is? Dolores had een conciërge die de wc repareerde als die kapot ging, ze liet maaltijden bezorgen en had een schotelantenne. Ze was een gelukkige vrouw. Ze zei tegen Zadie: 'Als je niets verwacht, vind je vrede in jezelf.' Zolang je maar om de paar maanden naar Pomona reed voor een swingend feest waar je het bed in dook met een tapijtverkoper uit Bakersfield.

'Met gekoppeld worden is niks mis.' Nancy had minstens vier blind dates per maand. Haar moeder hing rond bij de stomerij en schoot iedere man aan die een pak kwam afgeven en geen ring droeg.

'Laat Zadie toch zelf een man leren kennen.' Dolores nam het altijd voor je op.

'Jawel, maar kijk nou eens waarmee ze thuiskomt.' Nancy sloeg haar blik ten hemel, alsof Zadie niet goed bij haar hoofd was omdat ze iets met Jack had gehad. Waarschijnlijk was ze ook niet goed bij haar hoofd, maar het was onbeleefd om dat recht in haar gezicht te opperen.

'Ja hoor, jij laat perverse klojo's je gezicht afvegen, en ik kom met de losers thuis.' Zadie liet vandaag niet over zich heen lopen.

In een poging ruzie te vermijden zei Dolores: 'Hebben jullie Trevor Larkin vandaag met dat T-shirt gezien?'

Zadie en Nancy staarden haar aan.

Dolores liet zich niet uit het veld slaan. 'Hoe lang denken jullie dat het duurt om hem van top tot teen af te likken?'

En met dat beeld voor ogen stond Zadie op.

vier

Met het gebruikelijke lawaai werd de zaterdagavond ingeluid – Zadies klok sloeg, haar magnetron piepte en het autoalarm ging af. Maar deze zaterdagavond was bijzonder. Ze ging naar het verlovingsfeest van Grey en Helen.

Onderweg stopte ze twee keer. Een keer op Hollywood Boulevard om in een van de souvenirwinkeltjes een foto van Steven Seagal te kopen, en een keer bij Aaron Brothers om een tinnen lijstje voor de foto te kopen. Dat was het verlovingscadeau. Ze wist zeker dat Helen de foto van Steven meteen uit de lijst zou halen om die te vervangen voor een foto van de luchtballon die ze ongetwijfeld na het aanzoek had gemaakt. Maar dat vond ze best. Op de avond dat Zadie en Grey elkaar leerden kennen, hadden ze Steven Seagal in Mel's Diner gezien. Hij was alleen en at een bord wafels en een tosti. Met een milkshake erbij. Grey had stiekem de rekening voldaan.

Toen ze in Newport Bay kwam, reed ze eindeloos rondjes, op zoek naar dat stomme restaurant. Normaal gesproken zou ze met Grey zijn meegereden. Maar dat kon niet nu Grey het feestvarken was. Nee, Grey was hier om tien uur 's ochtends al geweest om bij de voorbereidingen te helpen. In ieder geval hoefde ze zich geen zorgen te maken dat ze door herinneringen aan haar eigen verlovingsfeest zou worden overspoeld. Jack en zij hadden geen feest gegeven. Het was niets eens in hen opgekomen om een feest te geven. Was een bruiloft soms niet genoeg? Hoe vaak kun je van mensen verwachten dat ze bij elkaar komen om te vieren dat je van iemand bent gaan houden?

Toen ze het restaurant eindelijk had gevonden, kreeg ze de kriebels. Letterlijk. Ze droeg een nieuwe beha die werd verondersteld haar er in haar rode zonnejurkje kittiger te doen uitzien, maar de beha sneed alleen maar in haar schouders en aan de onderkant bobbelden haar borsten eruit. Ze bleef staan, stak haar handen in de cups en sjorde haar borsten erin voordat ze het restaurant in liep. De portier keek haar aan met een blik die het midden hield tussen begeerte en angst.

Het restaurant lag aan het water en keek uit over een jachthaven met peperdure jachten. Een meeuw had op een palm in een kuip bij de deur gepoept. Geen goed teken.

Binnen was het sobere Italiaanse restaurant in een zee van roze rozen veranderd. Iedereen wist dat Helens lievelingskleur roze was. En dat rozen haar lievelingsbloemen waren. En dat ze het liefst lachte.

'Zadie!' Helen spreidde haar armen en omhelsde Zadie zo stevig alsof ze net een schipbreuk had overleefd. 'Jezus, je ziet er geweldig uit!' Alsof de laatste keer dat Helen haar had gezien, ze er als iets uit de vuilnisbak uitzag. Dat was niet helemaal onmogelijk, want nadat Zadie bij het altaar in de steek was gelaten, liep ze vaak in haar pyjamabroek en T-shirt rond.

Natuurlijk zag Helen er spectaculair uit. Haar blonde haar in een pagekapsel. Een tandpastalach. Een platte fitnessbuik. Turkooisblauwe ogen. Zwart jurkje. Diamanten oorknopjes. Verlovingsring met een diamant. Allemachtig, Grey had zijn portemonnee eventjes getrokken, zeg. De diamant was gigantisch. Een heleboel karaat. De ring die Zadie van Jack had gekregen, was nooit voorbij het amoebestadium gekomen.

Zadie hield Helen ook stevig vast. 'Een stralende aanstaande bruid!' Waarom bestonden al die clichés rond een bruiloft? Iemand zou eens iets nieuws moeten verzinnen. Zoals 'ranzig' of 'mierzoet'.

Grey stond verderop. Hij zag er goed uit in een antracietkleurig pak met een roze roos in zijn knoopsgat. Hij praatte met Helens familie. Dat was trouwens ook Zadies familie. Ze zag maar één familielid met wie ze wel een babbeltje wilde maken: Denise. Helens zusje. Zadie had Denise altijd al de aardigste gevonden omdat ze ongeveer even oud waren en omdat Denise een echt feestbeest was. Maar er was een abrupt einde aan de feesten gekomen toen Denise zwanger werd. Nu zat ze in een afgescheiden hokje in een rap tempo calamares naar binnen te werken. Op de bruiloft van Denise hadden Helen en Grey elkaar leren kennen. Niemand wist toen nog dat Denise zwanger was, maar nu viel het niet meer te verhullen. Haar buik leek wel de voorkant van een Volkswagen Kever.

Zadie ging bij haar zitten en doopte een inktvisrondje in het marinara-sausje. 'En? Van wie is het?'

'Heel leuk.' Denise keek naar de bar, waar haar echtgenoot, Jeff, die een bierbuik had die niet voor Denises buik onderdeed, zich gezellig zat vol te gieten. 'Hij krijgt Corona en ik krijg zuiveringszout. Hij kan maar beter in de wachtkamer sangria zitten drinken terwijl ik dit ukkie eruit pers.'

'Het klinkt of jullie dolgelukkig zijn.' Goed, dat klonk nogal pinnig, maar Zadie was in zo'n bui.

'Ik ben een opgezwollen zeekoe. Geluk staat ver van mijn bed. Ik wil alleen maar eten, eten en nog eens eten.' Ze nam een stukje mozzarella en doopte dat in de zure room.

'Zeg, wat vind jij van de komende bruiloft?' Zadie keek naar Grey, die achter Helen was komen staan en zijn armen om haar middel sloeg. Hij lachte naar hun grootmoeder. 'Denk je dat ze gelukkig worden?'

Denise haalde haar schouders op en at stug door. 'Helen is altijd gelukkig. En Grey is geweldig. Waarom vraag je dat? Denk je dat het niet goed zal gaan?'

Zadie bleef naar hen kijken. Ze lachten, ze knuffelden. Uit iedere porie stroomde liefde. Ze moest toegeven dat ze er overgelukkig uitzagen. Grey straalde zo dat je zou kunnen denken dat hij iets had geslikt. Helen zweefde bijna. Ze waren een ideaal stel. Helen straalde licht en puurheid uit en Grey baadde daarin, dolblij dat hij een vrouw had gevonden die hem niet zou belazeren. Ook al had Zadie een humeur om op te schieten, toch was ze blij dat Grey gelukkig was. Nadat hij en Helen getrouwd waren, kon ze toch nog met hem blijven uitgaan? Helen ging toch zeker wel een paar keer per week naar een Tupperware-party? Een leesclubje? Vrijwilligerswerk?

Oma Davis had haar gezien en schuifelde in een wolk van perzikkleurig chiffon op haar af. 'Zadie, wat zie je er weer mooi uit.' Oma Davis was zo goed als blind. Een complimentje van haar was weinig waard. 'Maar Denise, je bent een heel stuk dikker geworden.' Misschien was ze toch niet helemaal blind.

'Ik ben zes maanden zwanger, oma.'

'Maar je bent pas een, twee...' Ze telde het op haar vingers af. 'Vijf maanden geleden getrouwd.'

Zadie sleurde oma mee naar het buffet voordat ze Denises reactie kon horen. 'Oma, hoe gaat het met u?' Oma was het afgelopen jaar gevallen en liep nog steeds bij de fysiotherapeut. Ze had naar een film met Ginger Rogers gekeken en toen geprobeerd om Ginger in haar woonkamer na te doen. Toen de film werd opgenomen, was Ginger dertig. Oma was tachtig. En om eerlijk te zijn had ze een glaasje op.

'Prima. Niks aan de hand.'

'Je hebt je heup gebroken, oma. Dat is niet niks.'

'Als Chester er was geweest, was ik niet gevallen.'

'Nou, ik weet zeker dat Chester je had opgevangen als hij niet eh... dood was.'

Oma omvatte Zadies gezicht met haar handen. 'Zie je nou wat er met alleenstaande vrouwen gebeurt, Zadie? Daarom moet je een man hebben.'

Net toen Zadie op het punt stond oma Davis een rechtse directe te verkopen, kwam Grey erbij. 'Oma, laat me eens naar u kijken!' Hij draaide haar in de rondte zodat haar rok wijd uitstond. 'Weet u zeker dat u niet hier bent om me van Helen te stelen?' Oma Davis giechelde terwijl Grey haar met zich meevoerde naar de schaal met de vleeswaren. Hij keek nog even achterom naar Zadie, met een blik van: ik kom terug zodra ik wat prosciutto in haar heb gekregen.

Terwijl Zadie stond te wachten, zag ze haar ouders binnenkomen. Nu was het feest compleet. Ze probeerde hen al sinds haar 'bruiloft' tevergeefs te ontlopen. Zij wilden haar in medelijden smoren, maar hun eigen teleurstelling sijpelde er zo opzichtig doorheen dat het Zadie aan het huilen maakte. Alsof zij hen had teleurgesteld omdat ze het meisje was met wie Jack niet wilde trouwen.

Haar ouders woonden in Ventura en daar was Zadie opgegroeid. Twee uur rijden van dit geweldige restaurant vandaan. Paps was een kalende boekhouder die in de weekends naar autoraces keek. Mam was verzekeringsagent. Ze vulde minstens vijftien kruiswoordraadsels per dag in en bracht veelvuldig bezoekjes aan de manicure. Een bezadigd leven voor een bezadigd echtpaar. Al zevenendertig jaar getrouwd. Ze hadden totaal geen benul van de problemen die een single vrouw in LA ondervond als ze op zoek was naar een man die niet met actrices naar bed wilde.

Zadie dacht dat Los Angeles als slechtste stad ter wereld uit de bus zou komen als er gestemd kon worden waar een single vrouw de meeste kans op een leuke man maakte. Elke cheerleader of lokaal schoonheidskoninginnetje uit heel Amerika komt naar LA om ontdekt te worden. Of ze nu over talent beschikte of niet. En wanneer ze erachter kwamen dat ieder meisje met een snelle stofwisseling en een gaaf huidje om dezelfde redenen naar deze stad was gekomen, zagen ze zich gedwongen een baantje te nemen in een cafetaria of een winkel in het Beverly Centre terwijl ze wachtten op de Man. De Man kende vele gedaanten: een casting director, een scout, Hugh Hefner, of een dik mannetje uit Iran met te veel geld. De meisjes zonder moraal zakken snel af. Ze doen pornofilms in de Valley, ze spelen een halfjaartje 'hostess' voor de sultan van Brunei, of ze zitten in een appartement in westelijk LA te wachten op de Man die de huur ophoest zodat hij eens per week met hen het bed in kan duiken terwijl zijn echtgenote haar bikinilijn laat waxen. Soms worden dromen over het sterrendom gemakkelijk ingewisseld voor een gestage geldstroom.

De ambitieuze schoonheden zijn moeilijker te krijgen. Tenzij je in de Industrie werkzaam bent. De mannen in de Industrie kunnen de jonge schoonheden met beloften verleiden. 'Zeg schat, ik zou je aan mijn vriend Richard de regisseur kunnen voorstellen. Hij begint volgende maand een film voor New Line te draaien.' Netwerken is moeilijk, dus als Kalende Kris Richard de Regisseur kent, en Mooie Molly een ster wil worden, komt Kalende Kris wel aan zijn trekken. Eenvoudig gezegd: mannen die in Topeka tot moord in staat zouden zijn om met je naar bed te mogen, kruipen in Los Angeles met de meest sexy meisjes tussen de lakens. Dus een gewoon meisje in een café moet het opnemen tegen een soort topmodel om een man te pakken te krijgen die misschien maar net een voldoende krijgt.

De single mannen in Los Angeles zijn een heel ander verhaal. Vooral de acteurs. Het ego van de mannelijke acteur heeft veel bevestiging nodig, dus als je een knap meisje bent dat bereid is iemand aan te moedigen, valt dat in zeer goede aarde. Toen Jack nog niemand was, had hij Zadies vleiende woorden nodig. Maar toen hij wel iemand was geworden, had hij daar zijn fans voor. En een agent. En een manager. En een advocaat. En een publiciteitsagent. En een producer. En een tegenspeelster. En ieder meisje dat hem in de Sky Bar herkende. Wat moet je met een echtgenote als dit allemaal tot je beschikking staat? Wat moet je met een echtgenote als de schoonheidskoninginnetjes voor je in de rij staan?

Natuurlijk waren er ook mannen die zeiden dat ze genoeg van de domme blondjes hadden en liever een aardige, intelligente lerares hadden om huisje, boompje, beestje mee op te zetten. Dat was gelul.

Zodra haar ouders naar haar toe liepen, kwam Grey bij haar staan. 'Meneer en mevrouw Rogers! Wat leuk dat jullie zijn gekomen!' Zadie staarde hem aan. Sprak hij ook al in uitroeptekens? Zou het besmettelijk zijn?

Zadies ouders hadden Grey leren kennen toen Helen vorig jaar iets had georganiseerd om Zadie uit haar huis te krijgen. Dat was geslaagd. Ze waren allemaal naar Jerry's Deli gegaan. Wat een lol.

'Hoe gaat het, kindje?' Haar vader keek om zich heen terwijl hij dat vroeg, in de hoop dat ze niet naar waarheid zou antwoorden.

'Prima, paps. En met jou?'

'Ik ben aan het bijkomen van het invullen van alle belastingformulieren.' Hij keek naar de bar en zag daar oma Davis een Bellini soldaat maken. 'Mavis, je moeder zit te pimpelen.'

Mavis Roberts (de vroegere Mavis Davis) duwde haar man in de richting van haar moeder.

'Doe er iets aan, Sam.' Alsof het zijn plicht als echtgenoot was te voorkomen dat haar moeder strontlazarus werd.

'Ik help wel.' Grey liep met Sam naar de bar, waar ze oma dwongen hapjes tot zich te nemen. O god. Zadie was alleen met haar moeder. Help!

'Je ziet er niet goed uit.' Altijd fijn om te horen. Maar Zadie wist dat Mavis nog niet klaar was. 'Zit je wel genoeg in de zon?' In de rest van de wereld werd zonnebaden als iets dodelijks beschouwd, maar voor de inwoners van Californië was een gebruinde huid een teken van goede gezondheid. Tenzij je in Beverley Hills woonde, daar zag je vrouwen met parasols in de weer om het huidje dat ze net van een zeehondje hadden gekocht tegen de felle zon te beschermen.

'Het gaat prima met me, mam. Ik heb alleen maar hard gewerkt.'

'Je bent om vier uur altijd vrij. Dan schijnt de zon nog.'

'Niet op mijn balkon.'

'Je kunt toch naar het strand?' Mavis en Sam hadden elkaar tijdens een barbecue in de jaren zestig op het strand leren kennen. Net als in een film met Sandra Dee. Mavis was ervan overtuigd dat Zadies lotsbestemming in het zand bij de pier van Santa Monica lag. Zelf trof Zadie in Santa Monica alleen dakloze mannen aan die het op haar kleingeld hadden voorzien. Laatst had ze een zwerver een dollar gegeven omdat hij had gezegd dat ze mooi was.

'Hou erover op, mam. Ik ga in de zomervakantie wel in de zon liggen.' Allemachtig, het wás al bijna zomer. Wat moest ze die drie maanden doen? Misschien kon ze een zomercursus geven. Een cursus creatief schrijven of zoiets. Misschien schreef Trevor zich er wel voor in en kwam hij zonder T-shirt opdagen. Ze leegde haar glas wijn en probeerde daar niet aan te denken. Gelukkig deed hij al eindexamen.

'Er zijn hier knappe mannen. Is je dat al opgevallen?' vroeg Mavis.

Zadie keek over het hoofd van haar moeder heen – iets wat niet zo moeilijk was, aangezien Mavis nog geen een meter zestig lang was – en zag een man met donker haar en een groen overhemd aan bij de bar staan. Hij zag er goed uit. Lang en met brede schouders. Sommige vrouwen hielden meer van het magere, androgyne popstertype, maar Zadie niet. Als vrouwen aan de maatstaven moesten voldoen die door Betty Boop waren geïntroduceerd, waren de mannen het hun verschuldigd spieren te kweken. Ze zag Groen Hemd een teug bier nemen en haar tante Josephine aan het lachen maken. Drie jaar geleden zou Zadie gewoon bij hem zijn gaan staan om een gevat gesprekje aan te knopen, maar nu leek dat weinig zin te hebben.

Ze keek haar moeder aan. 'Nee, dat was me niet opgevallen.'

Voordat Mavis iets kon zeggen, kwamen Zadies vader en Grey terug. Ze hadden oma Davis veilig aan een tafeltje gezet, samen met de ouders van Denise en Helen. 'Ze heeft nog maar één echte heup. Je zou toch zeggen dat ze beter weet dan op hoge hakken de tango te dansen.' Sam plofte op een stoel neer en hief zijn Guiness hoog.

Grey sloeg zijn arm om Zadies schouders en keek Mavis aan. 'Vinden jullie het erg als ik Zadie even leen?'

'Ga je gang.' Mavis vond dat Zadie niet goed wijs was omdat ze Grey nooit als potentiële echtgenoot had beschouwd. Toen Mavis en Sam Grey in Jerry's Deli leerden kennen, had Mavis Zadie apart genomen en gevraagd: 'Zo'n leuke man en je gééft hem gewoon aan Helen?' Zadie had willen uitleggen dat Grey ooit een cheeseburger drie keer naar de keuken had teruggestuurd, maar ach, wat deed het ertoe.

Grey nam haar mee naar het terras met uitzicht over de jachthaven. Zadie kwam gedwee achter hem aan. Ze was bereid helemaal naar Detroit te rijden om op dit moment aan haar familie te ontkomen.

Bezorgd keek Grey haar aan. 'Gaat het een beetje?' Wauw, wat een goede vraag... Had hij niet gewoon kunnen vragen hoe laat het was? Of wat ze van de situatie in Irak vond? Of hoeveel boertjes ze had gelaten nadat ze van de zalm had gegeten?

'Voor de vijfennegentigste keer, het gaat prima. En met jou, aanstaande bruidegom?' Ze zei het ironisch, maar niet té.

'Prima. Ik doe het bijna in mijn broek, maar verder gaat het prima.'

'Je ziet eruit of je je uitstekend vermaakt.' Dat meende ze. Zo zag hij eruit. Niet ironisch bedoeld.

'Doe ik ook. Ik snap niet waarom, maar ik mag jouw familie wel.'

'Nou, word maar geen lid van de fanclub. Er zijn geen andere leden.'

'Ik had je aan Mike willen voorstellen, maar volgens mij ben je daarvoor niet in de stemming.'

Even vroeg Zadie zich af of Mike soms de man met het groene overhemd was, maar het maakte niet uit. Ze had geen behoefte aan nadere kennismaking.

'Heel verstandig van je,' zei ze. 'Trouwens, dit is jóuw grote dag. Je hoort je vrienden nu niet te koppelen. Je hoort al je aandacht op je bruid te richten.'

'Helen lacht de hele tijd.' Daar leek hij trots op te zijn.

'Ik ken Helen niet zonder die lach. Ze lachte ook toen ik haar met een windbuks in haar knie schoot.' Dat was een fijne dag geweest. Basisschool. Een zomerse picknick. O, de wrede schoonheid van de jeugd...

'Heeft ze daar dat litteken van?' Grey keek oprecht bezorgd.

Zadie keek geërgerd. 'Jezus, heb je een landkaart van haar huidje getekend?'

'Vind je me zielig?'

'Nogal.'

Hij lachte naar haar. Ze proostten met hun bierflesjes en keken uit over de jachthaven. 'Helens vader? Een drugdealer. Colombiaan. Vijftig kilo per dag.'

Zadie lachte terug en deed mee. 'Mijn tante Josephine? Callgirl. En ze handelt ook in wapens.'

'Jouw oma Davis? Travestiet.'

Zadie proestte haar bier uit. Grey lachte hardop. Alles was weer in orde.

'Ik ben echt blij voor je. Heus. Helen zal je nooit bedriegen, ze blijft altijd mooi en gelukkig en jullie krijgen lachende kindertjes die nooit een beugel hoeven.'

'Denk je dat ze het zo lang met me uithoudt?'

'Ik geef je op een briefje dat ze zelf een volant wil uitkiezen, maar afgezien daarvan overleef je het wel.'

Hij sloeg zijn arm om haar schouder en trok haar even tegen zich aan terwijl ze over de jachthaven uitkeken. Aan het verre eind van de steiger piste een visser tegen een jacht aan. Het was een prachtige avond.

vijf

Toen Zadie maandag in haar lokaal zat, moest ze steeds denken aan wat Helen had gevraagd: of ze bang was dat ze tijdens de huwelijksvoltrekking moest huilen. Dus geen traantje wegpinken, maar echt janken. Zadie had tijdens haar eigen 'bruiloft' geen traan gelaten. Daarmee had ze gewacht tot ze thuis was, en waar Grey bij was had ze zich laten gaan. Dat Helen meende dat háár bruiloft Zadie aan het huilen zou brengen, maakte haar razend. Nee, ze ging niet janken. Kotsen misschien, maar niet huilen.

Echt iets voor Helen om ervoor te zorgen dat Zadie een nog grotere hekel aan haar kreeg, net toen Zadie zo haar best deed haar aardig te vinden.

Zadie had nooit een probleem met Helen gehad – dat wil zeggen, geen écht probleem – tot op de middelbare school. Toen Helen ging puberen, kreeg ze pronte borstjes. Niet te groot, niet te klein. Van die Phoebe Cates-tietjes. En die had ze nog steeds. Dit in tegenstelling tot Zadie, die cup C droeg. Zulke tieten leden veel meer onder de zwaartekracht. In bepaalde seizoenen hadden ze daar meer last van dan in andere. In de zomer, bijvoorbeeld. Wanneer Zadie een bikini aantrok, wezen haar borsten het zuiden aan.

De linker hing ruim een centimeter lager dan de rechter. Voor dat soort problemen had Victoria's Secret geen oplossing. Als ze behoefte aan sexy lingerie had gehad, had ze misschien een brief geschreven. Maar omdat ze zich toch elk weekend in haar appartement verborgen hield, maakte het haar niet veel uit. Behalve wanneer ze Helens borsten zag.

Zadie kon zich niet alleen kwaad maken over het feit dat Helen haar qua figuur de baas was. Helens attentheid vormde ook een steen des aanstoots. Helen had Zadie een jong poesje gegeven voor haar zestiende verjaardag. Helen gaf Zadie altijd verjaarscadeautjes. Zadie kon zich niet eens herinneren wanneer ze het filter in haar waterzuiveraar moest vervangen, laat staan wanneer ze verjaarscadeautjes voor haar nichtjes moest aanschaffen. Denise leek dat niet erg te vinden. Ze gaven elkaar nooit cadeautjes. Maar Helen stuurde Zadie er elk jaar een, net als een jaarlijkse verkoudheid. Dat herinnerde Zadie eraan dat ze zelf niet georganiseerd was, te achteloos om zelf ook cadeautjes te sturen.

Soms dacht Zadie dat Helen zo goed gemanierd was om anderen onder de neus te wrijven dat zij dat niet waren. Bovendien hadden Helens aardige gebaren nog meer nadelen. Het poesje had Zadies dekbed flink ondergepiest. De prachtige spiegel, omlijst door Italiaans mozaïekwerk, die Helen haar voor haar dertigste verjaardag had gegeven, zorgde ervoor dat ze zich schaamde omdat ze zo vaak onopgemaakt het huis uit ging. Waarom zou iemand iets geven wat aantoonde dat je tekortschoot? Waarom stuurde Helen haar niet gewoon een foto van zichzelf met een kaart erbij waarop stond: jij deugt niet en ik wel?

Aan het eind van het lesuur had Zadie knallende koppijn. Ze wist zeker dat Helen het verdiende om door een zwerm bijen te grazen te worden genomen. Vóór de verloving was de perfecte Helen slechts een doorn in Zadies vlees. Nu was het meer alsof er een dennenboom in haar kont zat.

Toen Trevor het zesde uur in het lokaal verscheen, zag ze zijn bilspleet. Een bouwvakkersdecolleté bij een man van middelbare leeftijd was voer voor *Saturday Night Live,* maar zo'n decolleté bij een achttienjarige jongen wiens kadetjes onder die spleet opbolden was iets aanbiddelijks. Zadie had een keer bij de cola-automaat achter hem gestaan en zich voorgesteld hoe het zou zijn om haar lippen in zijn hals te drukken – die gave huid, zo bruin, zo zacht. Zou hij een zucht slaken? Zou hij zich omdraaien en haar op de mond zoenen? Zou hij een stijve krijgen? Ze keek weg. Het zien van zijn kontje maakte haar beschaamd. Nee, nee, nee. Trevor was niet om te likken. Waarschijnlijk smaakte hij niet eens lekker.

Terwijl ze afleiding in de absentielijst zocht, liep hij naar haar tafel toe. 'Mevrouw Roberts, denkt u dat u me kunt voorstellen aan iemand die me een plaatsje op Stanford kan bezorgen? Ik sta op de wachtlijst.'

Zadie keek op en probeerde hem niet aan te kijken. 'Heb je het er met de decaan over gehad?'

'Hij kent niemand.'

'Waarom denk je dat ik wel iemand ken?'

'U bent tof. U kent vast iemand.' Dat de leerlingen haar tof vonden omdat ze ooit met Jack verloofd was geweest, was iets waaraan ze geen waarde hechtte. Maar nu drong het tot haar door dat Trevor daardoor misschien een hogere dunk van haar had dan hij anders zou hebben. Deze ontdekking was om te huilen en te lachen tegelijk, en haar hoofdpijn verergerde.

'Ik kan het proberen. Maar ik kan niets beloven.'

Hij lachte naar haar. 'Bedankt. U bent helemaal te gek.' Dat was ze inderdaad. Zo gek dat ze hem van alles wilde bijbrengen. Hij zou met een uitgebreide kennis over de clitoris naar Stanford gaan.

Eigenlijk bewees ze hem een dienst. En de meisjes van Stanford ook. Maar zij zou moeten leven met de gedachte dat ze een tiener had ontheiligd, en dat was een naargeestige gedachte. Ook al was ze zo gek als een deur, haar geweten sprak nog.

In de lunchpauze zwaaide Nancy naar haar vanaf een picknicktafel buiten, maar Zadie liep door en stapte in haar auto. Ze had iets te doen. Ze reed over Ventura en parkeerde bij de ingang van de Sportsman's Lodge. In *Soap Opera Digest* had ze gelezen dat daar een lunch voor fans van *Days of Our Lives* werd gehouden. Ze ging niet naar binnen. Zo zielig was ze nu ook weer niet. Ze wilde hem alleen zien langslopen. Om er zeker van te zijn dat hij haar niets meer deed. Eigenlijk zou ze *Soap Opera Digest* niet meer moeten lezen, maar haar abonnement liep eindeloos door. Het blaadje lag steeds weer in de brievenbus. Op de omslag had ze een kop gezien: QUICHE ETEN MET DE MANNEN VAN *DAYS*! Ze was heus geen stalker. Ze wilde alleen het bewijs hebben dat hij een windbuil in een leren broek was.

Op de dag dat Zadie besefte dat ze van Jack hield, regende het pijpenstelen. Dat lag aan El Niño, en regen die aan El Niño lag, leek natter dan gewone regen. Jack lag op zijn buik in de modder bij Laurel Canyon haar band te verwisselen. Auto's raasden langs en water gutste van de heuvels. Straks kwam er nog een overstroming. Maar Zadie zat warm en droog in haar auto terwijl Jack met moeren en bouten worstelde. De meeste mannen zouden de wegenwacht hebben gebeld. Tenminste, de meeste mannen uit LA. De meeste mannen zouden haar hebben uitgefoeterd omdat ze tegen de stoeprand was gereden en de band aan een hek had opengescheurd. Maar Jack zei: 'Wacht maar, ik regel het wel.' Hij was uitgestapt om de band te verwisselen. Dat hij dat überhaupt kon, was al een pluspunt. Dat hij het wilde doen, was helemaal top. Zadie werd overspoeld door een vloedgolf van liefde. Ze had het raampje naar beneden gedraaid en haar hoofd naar buiten gestoken om hem dat te vertellen. Hij was op zijn knieën gaan zitten, had haar gekust en verteld dat hij ook van haar hield. Ze kenden elkaar toen twee maanden.

Zadie keek op haar horloge. Ze wachtte al een halfuur. Als ze hier niet gauw wegging, miste ze het achtste uur. Net toen ze de motor startte, zag ze een Porsche halt houden. Jack stapte uit en slenterde het restaurant binnen. Hij zwaaide naar de gillende huisvrouwen die zijn aandacht wilden trekken.

Hij had een zonnebril op.

Het was bewolkt.

Die zonnebril was nergens voor nodig.

Zadie reed weg. Ze voelde niets. Behalve een misselijk gevoel en woede.

Zodra ze weer over Ventura reed, zag ze een dronken zwerver onder de overkapping van een donutwinkeltje zitten. Hij hield een bekertje op. Ze stopte en deed het raampje naar beneden.

'Zeg, ik heb een klusje voor je.'

De zwerver keek op, verscheurd door blijdschap en ontzetting. 'Wat dan?'

Zadie haalde een biljet van twintig dollar uit haar portemonnee en gaf hem dat. 'Zie je daar die parkeerplaats? In de laatste rij staat een zilverkleurige Porsche Boxster. Daar moet je tegenaan pissen.'

'Ik moet tegen een auto pissen?'

'Ja, tegen de kruk op het portier aan de kant van de bestuurder.'

'Van wie is die auto?'

'Van Osama bin Laden.'

'Echt? Moeten we er dan niet iemand bij roepen?'

Verdomme. Een dronkelap met verantwoordelijkheidsgevoel. 'Hij is van mijn ex.'

'Behandelde hij je rot?'

'Ik heb heel lang om hem moeten huilen.'

De zwerver fronste, en knikte toen. 'Oké.' Hij stopte de twintig dollar in zijn zak en terwijl hij naar de Sportsman's Lodge liep, deed hij zijn gulp open.

Zadie reed weg in het volste vertrouwen dat hij dat klusje goed zou klaren.

zes

Toen Grey Zadie zaterdag kwam ophalen om te gaan surfen, was ze net bezig de stank uit haar wetsuit te krijgen. Die had ze na de vorige keer in de kofferbak laten liggen, en daar had het ding een maand lang liggen schimmelen. Het rook nu als iets waaraan iemand met boulimia zou willen ruiken om te moeten kotsen.

'Klaar? De golven zijn een meter hoog. Prima zee.'

Ze was er absoluut klaar voor. Ze had er zin in, zin in dat gevoel dat je kreeg wanneer je gemakkelijk bleef staan en een mooi ritje naar het strand maakte. Het had iets betoverends om in de zonneschijn over de zee te glijden, je kreeg dan echt het idee dat je cool was. En al was het niet cool geweest, toch zou ze hebben gesurft, al moest ze toegeven dat ze meer het soort zondagssurfer was. Ze vond het niet leuk om met haar surfplank te sjouwen, en in de andere moeizame handelingen die bij de sport hoorden schepte ze ook geen behagen, zoals het naar de aanrollende golven peddelen of met de stroming worstelen om op koers te blijven. Ze had gehoord dat je in Waikiki gewoon het strand kon op lopen en een plank huren, samen met een stevige Hawaïaan die je naar de golven duwde. Dat was nog eens een droomscenario. Ooit zou ze zichzelf op die manier verwennen.

Ondertussen was ze een kwartier bezig haar plank op Greys auto vast te binden. Ze gingen naar het zuiden, naar Bolsa Chica in Huntingdon Beach. Dat was een mooi strand met mooie golven, mits je de pijlstaartroggen wist te vermijden. Ze zeiden dat als je met je voeten door het zand ploegde, de pijlstaartroggen werden verjaagd. Zadie ploegde zo grondig door het zand dat het leek of ze een klompendans deed. Als je op een pijlstaartrog trapte, moest je je voeten in kokend water onderdompelen. Leuk!

Toen ze er kwamen, bleken de golven slechts een halve meter hoog te zijn. Wat had je aan de voorspelling? Maar het was makkelijk om door golven van een halve meter te peddelen, dus daar hoorde je haar niet over klagen. Grey had haar eens meegenomen naar San Clemente op een dag dat de golven anderhalve meter hoog water. Toen had ze zich drie kwartier door de branding in het gezicht laten slaan, en al peddelend had ze de aanrollende golven niet kunnen bereiken. Op dat soort dagen vroeg ze zich af wat er nou zo leuk aan surfen was. Het was moeilijk. Het was frustrerend. Maar nu peddelde ze door het groene, ijskoude water. Eenmaal uit de branding gekomen, bleven ze samen met nog zo'n twintigtal surfers zitten wachten.

'Ik hoorde dat Helen een vrijgezellenfeest wil geven,' zei Grey.

Zadie rolde met haar ogen. 'Volgens mij wordt dat niet het soort feest waar ze met opblaasbare penissen rondlopen.' Helen had een afkeer van alcohol, hoe kon haar feest leuk zijn? Het zou tam en pijnlijk worden, en het stoorde Zadie dat ze werd gedwongen ernaar toe te gaan.

'Wil je er alsjeblieft voor zorgen dat ze lol heeft? Dat ze de teugels een beetje laat vieren?'

Zadie trok een wenkbrauw op. 'Moet ik erop toezien dat ze een condoom gebruikt?'

'Leuk hoor. Wacht, een golf. Peddelen!'

Zadie keek naar de golf van een meter hoog die achter haar

kwam aanrollen. Ze bevond zich in een ideale positie, vlak bij de kop. Ze ging op haar plank liggen en peddelde stevig door terwijl ze wachtte totdat de golf haar optilde. Toen dat gebeurde, richtte ze zich op. Ze stond in perfecte balans midden op haar surfplank. Een wonder. De eerste golf en het ging meteen goed. Meestal ging het de eerste drie golven mis, dan verdween de neus van haar plank onder water, zodat ze eraf viel. Maar hier stond ze lachend overeind, en met haar buik keurig ingetrokken reed ze met de golf mee. Het leven was dik in orde. Toen ze de golf had uitgereden, liet ze zich terugvallen op haar plank en keerde die om terug te peddelen.

'Goed gedaan.' Grey zat nog op een golf te wachten. 'Je had je voet vooruit gezet. Dat was wat er de vorige keer misging.'

Toen Zadie nog midden in haar depressie zat, had Grey erop gestaan dat ze met hem mee ging surfen. Ze was daar natuurlijk voor teruggeschrokken. Waarom iets nieuws proberen waarin ze toch niet goed zou zijn? Niet dat ze niet sportief was. Op de middelbare school had ze aan softbal gedaan. Ze deed aan fitness. Ze stond haar mannetje bij beachvolleybal. Een paar keer per jaar ging ze tennissen. Maar bij surfen moest je in één vloeiende beweging van liggen naar staan gaan. En dat op een stuk fiberglas dat over de oceaan voortraasde. Op een zaterdag kon je wel iets beters doen. Toch was surfen leuker dan alweer naar *American Gladiator* op TNN kijken, ook al was Nitro nog zo sexy.

De eerste keer surfen was een ware marteling. Peddelen was stomvervelend. Haar zonnebrandcrème loste in het water op en liep in haar ogen. Haar wetsuit woog zwaar en voelde als een soort korset. Zadie vond een beha al onplezierig zitten. Waarom was ze hieraan begonnen? Ze was ervan overtuigd dat Grey haar om zeep wilde helpen, maar ineens stond ze rechtop. Op een golf. Wel tien hele tellen. En alles was anders. Nu ze het eenmaal had gedaan, moest ze het nog eens proberen. En al dat peddelen en het zoute water in haar ogen maakte niet meer uit. Ze moest een volgende golf bedwingen.

'Beloof me dat jij het vrijgezellenfeest regelt als het al te vreselijk wordt.'

Zadie keek op naar Grey terwijl ze op haar plank zat. Ze zat met haar gezicht naar de oceaan. Nooit met je rug naar de golven, dat had ze al snel geleerd. Dat, en dat je onder water je mond dicht moest houden. De Stille Oceaan smaakt niet lekker en is ook niet voedzaam.

'Klinkt daar iets van schuldgevoel door? Ben je zelf van plan een orgie te houden en wil je er zeker van zijn dat Helen in ruil een goede pedicurebehandeling krijgt?'

'Je weet best wat ik bedoel. Helen is niet zoals jij. En haar vriendinnen ook niet, denk ik.'

'Nou, bedankt dat je me er even aan herinnert dat ik een met alcohol doordrenkte lellebel ben. Helaas ga ik me daarvoor niet verontschuldigen.'

'Dat hoeft ook niet. Ik wil alleen maar...'

'Golf.' Zadie wees naar de golf die achter hem kwam aanrollen, en Grey begon te peddelen. Hij ging rechtop staan en haalde toeren uit totdat hij de golf had uitgereden. Grey was er goed in. Als je hem zomaar ergens zag lopen, zou je niet zeggen dat hij geweldig kon surfen. Je zou eerder denken dat hij na ieder ritje naar het strand met de kruimeldief in de weer zou zijn, en dan had je groot gelijk. Maar anaal gefixeerd of niet, de man kon surfen. Toen hij terug kwam peddelen, wachtte Zadie hem op.

'Je ging weg net toen je wilde zeggen dat Helen puur is en ik een hoertje.'

'Jij een hoertje? Toen je met Jack ging, dook je alleen met hem het bed in, en sindsdien heb je niemand meer gehad.'

Daar moest Zadie even over nadenken. Hij had gelijk. Ze kroop alleen in haar fantasie met jongens van achttien tussen de lakens, ze probeerde alleen in haar fantasie de monteur te versieren die haar afvalcompactor kwam installeren.

'Ik wil alleen maar dat Helen een beetje lol heeft. Soms lijkt ze nogal... nogal ingetogen.'

'Omdat ze niet met je naar bed wil?'

'Nou ja, dat speelt wel mee.'

'Maak je geen zorgen. Het komt er vast wel van als jij rozenblaadjes op het huwelijksbed strooit.'

Grey keek geërgerd. 'Waarom denk je dat ze de boot zo lang afhoudt? Ze is niet erg godsdienstig.'

'Sommige meisjes hebben zich iets in hun hoofd gehaald. Bij Helen is dat haar maagdelijkheid behouden. Anders was ze gewoon een mooi meisje uit Orange County dat modeartikelen verkoopt.'

'Kom nou toch! Ze is bedrijfsleider van een boetiek! Daar hoeft ze zich niet voor te schamen. Ze is goed in haar werk.'

'Natuurlijk is ze daar goed in.'

Grey ging weer zitten en liet een prima golf voorbij gaan. 'Weet je, soms klinkt het net of je haar niet mag.' Hij keek haar recht aan zodat het moeilijk voor haar werd om te liegen.

'Dat is soms ook zo.'

'Ze is je nichtje. Ze is mijn verlóófde. Je moet haar wel aardig vinden.' Hij zag er overstuur uit. Kennelijk vond hij het belangrijk. 'Ze is het liefste meisje dat ik ken. Waarom zou je haar niet aardig vinden?'

'Ik vind haar heus wel aardig. Natuurlijk vind ik haar aardig. Ik hou van haar. Dat moet ook wel, ze is familie. Ik vind het alleen niet prettig dat ze me soms een rotgevoel bezorgt.'

'Golf.' Hij wees naar de ideale golf achter haar. Ze begon te peddelen, blij aan dit gesprek te kunnen ontsnappen. En ze viel, verdomme. Ze was te gespannen om te kunnen surfen. Door Grey was ze gaan onderzoeken waarom ze Helen niet mocht. Ze vond het vervelend haar gevoelens aan een nader onderzoek te onderwerpen. Omdat ze dan gevoelens moest toestaan. Ontkenning en repressie, dat waren de enige gevoelens die ze toestond.

Ze peddelde terug nadat ze het zeewater van haar gezicht had geveegd. 'Zullen we het verder niet meer over Helen hebben? Door haar kan ik niet meer surfen.'

'Hoe bedoel je dat Helen je het gevoel geeft dat je niet deugt? Hoe kan dat nou?' Grey luisterde niet erg.

'Dat zei ik niet.'

'Niet met zoveel woorden, maar dat is wel wat je bedoelde.'

Zadie zuchtte eens. Het had geen zin een onderwerp proberen te vermijden als Grey erover wilde uitweiden. Daar was ze op hun vierde avondje uit achter gekomen toen hij erop stond dat ze uitlegde waarom ze een afkeer had van mannen die open sandalen droegen. Slippers vond ze geen bezwaar, het ging haar om leren sandalen waar hun tenen uit staken. Daar had ze iets tegen.

'Soms denk ik dat Helen perfect is en me laat voelen dat ik dat niet ben.'

Grey keek haar aan of ze gek was geworden. 'Dat klinkt aardig psychotisch.'

'Waarom kan ik je rustig vertellen hoeveel vingers ik in me prop, maar als ik iets over mijn nichtje zeg, vind je dat schandelijk?'

'Helen kan je niet het gevoel geven dat je zus of zo bent. Gevoelens komen uit jezelf.'

'Dank je, Oprah. Zullen we nu gewoon gaan surfen?'

Grey keek haar even aan en wees toen naar de golf achter haar. 'Peddelen.' Ze ging op haar surfplank liggen en peddelde stevig door. Ze had de golf te pakken en ging staan. Daarna viel ze links van haar plank. Totaal uit balans. Die stomme Helen ook!

zeven

De maandag begon redelijk voor Zadie, maar werd snel minder. Nicole, de dochter van een aan alcohol verslaafde actrice die in de jaren tachtig een rol in een serie van Aaron Spelling had gehad, kwam het lokaal in met kleren aan die enkel in een winkel voor hoertjes konden zijn gekocht. Omdat het al moeilijk genoeg was Tsjechov te behandelen zonder de extra afleiding die Nicoles tepels de klas bezorgden, hield Zadie er halverwege maar mee op en liet de klas een opstel over dualisme schrijven.

Toen ze thuiskwam, merkte ze niet alleen dat ze de balkondeur had laten openstaan, maar dat de kat van de buren over het muurtje was geklommen en in haar cactussen had zitten graven, waarna hij zijn modderige poten aan de bank had afgeveegd – iets wat een heel nieuwe betekenis aan aardetinten gaf. En ze wist ook zeker dat zij het dode musje op de salontafel daar niet zelf ter decoratie had neergelegd. Te geërgerd om schoon te maken plofte ze op de poef neer en opende de post. En ja hoor, de uitnodiging was gekomen. Ook dat nog. Lichtblauwe letters op geschept papier met een geelgeruit randje:

HELENS VRIJGEZELLENFEESTJE
Een dag vol vermaak!!!!

9.00 ontbijten bij Barney Greengrass (mmm!!!!)
11.00 Kundalini-yoga bij Golden Bridge
(je leven is nooit meer hetzelfde!!!)
13.00 Een tonic bij Elixir (je gaat uit je dak!!!)
14.00 Shoppen bij Fred Segal (de hobby van iedereen!!!)
16.00 Thee in de Peninsula (chic!!!)
18.30 Diner in de Ivy (vegetarische salade!!!)

Met een onheilspellend gevoel las Zadie het door. Het onheilspellende gevoel dat je krijgt wanneer je ergens naartoe moet waar de conversatie hoofdzakelijk zal bestaan uit uitroepen als: 'Wat enig!', 'Je raadt nooit wat Courtney/Zachary vanmorgen heeft gedaan!' en: 'Hier zitten toch geen koolhydraten in, hè?'

De vrouwen die op het feestje zouden komen waren over het algemeen van het soort dat Zadie het liefst uit de weg ging. Saaie vrouwen. Vrouwen die ellenlange gesprekken over de inhoud van de luiers van hun kinderen konden voeren. Vrouwen die uitsluitend merkkleding droegen. Vrouwen die binnenhuisarchitecten in de arm namen. Hoe kon je iemand anders je huis laten inrichten? Je zou naar iets moeten kunnen wijzen en zeggen: 'Dat heb ik in een Toscaans winkeltje gekocht' of: 'Uit een hippietent in Santa Fe' of: 'Op een Mexicaanse rommelmarkt.' Niet: 'O, vind je het mooi? Bedankt. Ik heb het niet zelf uitgezocht en het heeft voor mij geen enkele betekenis.' Zielloze vrouwen.

Misschien overdreef ze. Denise zou er zijn. Denise mocht ze graag. Toen ze pubers waren, gingen ze zeven weekenden achter elkaar naar *About Last Night* omdat ze het zo leuk vonden Rob Lowes blote billen te zien. Toen ze allebei vijfentwintig waren, won Denise van het lokale radiostation een serie lessen in zweefparachutespringen en nam Zadie mee. Na een dag van instructies aanhoren sprongen ze zij aan zij met een parachute op hun rug van een rotswand. Nog maanden daarna voelden ze zich helden. En toen Zadie en Jack nog een stel waren, hadden ze een paar keer met Denise en Jeff een trektocht gemaakt. Op Denise kon je rekenen dat ze met Zadie mee dronk tot ze bewusteloos raakte, want alleen op die manier kon Zadie in het woud de slaap vatten. Jack vond kamperen leuk, zij niet. Meestal lag Zadie naar het tentdoek boven zich te staren en hoopte dat het gauw licht zou worden.

Maar nu was Denise zwanger en zoals Zadie op het verlovingsfeest al had gemerkt, was ze niet erg in voor een lolletje. Zwangere vrouwen hadden het over extra vitamines en groter wordende tepels.

Greys zus Eloise zou er ook zijn, en dat was nog een reden om liever niet te gaan. Eloise vond dat als Zadie en Grey dikke maatjes waren, zij en Zadie ook automatisch dikke maatjes moesten zijn. Ze stond er helemaal niet bij stil dat ze vervelend was. Eloise troefde je altijd af. Als jij het ergens leuk had gehad, had zij het elders nog veel leuker gehad. Als jij iets rots had meegemaakt, had zij iets veel ergers meegemaakt. Ze zei altijd: 'Zoiets heb ik ook beleefd, maar...' Iemand moest echt eens tegen Eloise zeggen dat ze weerzinwekkend was.

De andere vrouwen waren waarschijnlijk Helens collegaatjes, klanten en studiegenootjes. Zadie kreeg er nu al hoofdpijn van.

Om iets tegen de vloedgolf opgewekte vrouwen te doen waarin ze ongetwijfeld zou verdrinken, belde ze Dorian, haar beste vriendin van de middelbare school en haar getuige. Nu ja, ze had getuige moeten zijn... 'Ik ben uitgenodigd voor een vreselijk vrijgezellenfeestje.'

'Kan nooit erger zijn dan dat van jou.'

'Dat was gemeen.' Gemeen, maar wel waar. Zadie en haar vriendinnen hadden een strandtent bij Firefly afgehuurd en waanzinnig veel cocktails besteld. Helaas nam de mannelijke stripper die Dorian had ingehuurd zijn lunch mee uit de mobiele kantine op de bouwplaats waar hij overdag werkte. De burrito bleek bedorven te zijn en in combinatie met tequila kon hij die niet binnenhouden. Hij kotste de tafel waaraan de vrouwen zaten helemaal onder. 'Ik had dat als een Teken moeten opvatten.'

'Waarom heb je niet teruggebeld? Ik heb je wel drie keer gebeld!' Dorian draaide er nooit omheen.

'Ik had het druk. Het schooljaar loopt ten einde.' Jezus, dat was een stomme smoes. Vooral omdat de vakantie pas over een maand begon.

'Nonsens. Je ontloopt me.'

Dorian had gelijk. Zadie ontliep haar. En ook de andere bruidsmeisjes. Eerst vond ze het prettig dat iedereen zo verontwaardigd was. Er werd flink op Jack afgegeven. Er werd over castratie gesproken. Maar na een maand begon het te vervelen. Ze was niet meer strijdlustig. En met Dorian en de anderen praten maakte dat des te duidelijker. Zadie dacht niet graag aan zichzelf als aan iemand die bij de pakken neerzit.

'Laten we gaan lunchen,' zei Zadie. 'Ik kom zaterdag bij je.' Er waren ergere dingen dan op zaterdag naar Santa Barbara gaan en op de pier krabcocktail eten.

'Ik kan niet. Lissy heeft een voorstelling.' Dorian had op haar zesentwintigste een tweeling gekregen. Dat was misschien nog een reden waarom Zadie haar niet meer zo vaak zag. Het was zo'n gedoe met kleine kinderen. 'Heb je gehoord dat Olivia's vriend getrouwd is?'

'Heeft Olivia een vriend?' Ze moest echt vaker terugbellen.

'Wat doe je vanavond?'

'O, niks.'

'Stap dan in de auto en rij als een speer hiernaar toe. Kom eten. Ik kan niet goed met je bellen. Je klinkt altijd of je ondertussen tv kijkt of zo.'

'Nee hoor.' Zadie loog. Ze had een herhaling van *Melrose Place* opstaan. Die herhalingen zonden ze elke dag uit, het was onmogelijk om niet te kijken.

'We eten lasagne.'

Zadie fronste. 'Heb jij die gemaakt of Dan?' Dorian was geen keukenprinses.

'Zadie?'

'Ja.'

'Stap in de auto!'

Tegen de tijd dat ze in Santa Barbara was, werd het al donker. Ze reed de heuvel op en parkeerde op Dorians oprit, achter het busje. Ze pakte de fles chianti die ze onderweg had gekocht en wilde net op de deur kloppen toen ze werd aangevallen door twee wezentjes met clownspruiken en tiara's op. Dorians kinderen. Ze kwamen uit het huis gestormd en omhelsden Zadies knieën.

'Josh, Lissy! Laat Zadie binnen.' Dorian hing in een badstof joggingpak in de deuropening. Ze zag er moe en geïrriteerd uit. Zo zag ze er al uit sinds deze twee bundeltjes energie uit haar waren gefloept.

Zodra Zadie los was, liep ze langs de kinderen heen en zette koers naar de keuken. 'Ze worden steeds groter.'

'Misschien moet ik ze maar geen eten meer geven.' Dorian plukte stukjes Play-Doh uit haar haar en trok de fles wijn open. Ze schonk twee glazen in. Zadie ging aan de keukentafel zitten en schoof de potloden en onthoofde Barbies opzij. De kinderen renden als dolle honden in de speelkamer rond.

'En, heb ik je al verteld dat Grey en Helen gaan trouwen?'

Met een klap zette Dorian haar glas neer. 'Nee! Vind je dat niet erg?'

'Ik geloof niet dat ik er iets over te zeggen heb.'

'Wat een rotstreek!' Dorian kon iets altijd een belediging laten lijken. 'Hoe moet je gezellig doen met Grey als Helen erbij is?'

'Dat was ook al in me opgekomen.'

'Geen wonder dat je depri bent.' Dorian viste met een vork een stukje kurk uit haar glas en keek Zadie bezorgd aan.

'Ben ik depri?' vroeg Zadie. 'Dat was me anders niet opgevallen.'

'Je belt niet terug, dus ben je depri.' Dorian stond op om de lasagne uit de oven te halen. 'Shit, aangebrand. Nou ja, dan eten we maar om de zwarte stukjes heen.'

Toen kwam Dan binnen met op zijn rug de ene helft van de tweeling en om zijn buik de andere, net een riem. 'Ruik ik het eten al?' Hij was zo'n man op wie de uitdrukking 'potig' van toepassing was. Hij boog om Zadie een kus op haar wang te geven. 'Hoe was het verkeer?'

'Geen probleem.' Zadie begreep nooit waarom mannen altijd zo door het verkeer waren geobsedeerd.

Dorian keek Dan aan en gebaarde met haar hoofd naar de kinderen. 'Zet ze maar op hun stoelen. Hoe eerder ze eten, des te eerder kunnen ze in bad.'

Het viel Zadie nu pas op dat Lissy onder de viltstift zat. Josh had iets op zijn gezicht dat ze maar niet nader determineerde. Terwijl Dorian aangebrande lasagne opschepte, trok Dan de kinderen los en zette ze op hun stoel. Josh staarde Zadie strak aan. Er zat hem duidelijk iets dwars. 'Wat heb je op je ogen?'

Zadie had geen flauw benul. Had er een vogeltje op haar gepoept?

Dorian legde het uit. 'Dat is make-up, lieverd.' Schouderophalend keek ze Zadie aan. 'Hij ziet me nooit met make-up op.' De enorme hoeveelheden eyeliner die Dorian op school ophad in aanmerking genomen, vond Zadie dat erg grappig.

'En Zadie, hoe gaat het op school? Nog vervelende tieners dit jaar?' Dan was als altijd beleefd, het kon hem totaal niet schelen hoe haar leerlingen waren, maar toch vroeg hij er altijd naar.

'Ze vallen wel mee. Ze gedragen zich redelijk en hun drugs zijn van goede kwaliteit. Dat is altijd een pluspunt.' Het was maar een grapje, maar zodra ze het had gezegd, kon ze haar tong wel afbijten.

'Mammie, wat zijn "drugs"?' vroeg Lissy.

'Dat is iets voor grote mensen, Lissy. Zadie maakte een grapje voor grote mensen.' Dorian wierp haar een bestraffende blik toe. Geen grapjes voor grote mensen meer. 'Vertel Zadie maar over je balletvoorstelling.'

O ja, graag.

'Ik word later ballerina.'

'Geweldig, Lissy. Wat voor kleur is je tutu?' Hoe vaak kreeg je de kans iemand naar de kleur van haar tutu te vragen? Zo'n kans moest je met beide handen aangrijpen.

'Roze!'

'Laat je me je dansje eens zien?'

Lissy stond op en draaide een paar keer wild rond, ook al had ze een vork lasagne in haar hand. De lasagne spetterde door de keuken.

Meteen boog Dan zich om het op te vegen. 'Hebbes.' Hij was een goede vader. En een goede echtgenoot. Dorian bofte maar die dag dat ze bij economie naast hem ging zitten. Mensen die op school al hun echtgenoot leren kennen zouden iets in een fonds moeten storten voor mensen die dat geluk niet ten deel valt.

Na het eten zaten Zadie en Dorian in de houten tuinstoelen op de veranda. Ze ademden de geur van bloeiende jasmijn in en dronken wijn terwijl Dan de kinderen in bad stopte. Het verbaasde Zadie altijd dat je hier de sterren kon zien. Een paar althans. En de oceaan in de verte.

'Ik vind dat je moet uitgaan,' zei Dorian.

'En waarom precies denk je dat dat goed voor me is?'

'Ik denk dat het goed voor je is om eindelijk eens een keer uit dat klote-appartement te zijn.'

'Dat appartement weet nauwelijks meer wat kloten zijn. Dat is gedeeltelijk ook het probleem.' Zadie was al zeven maanden niet meer met een man naar bed geweest. Wijselijk had ze Jack twee weken voor de bruiloft uit haar bed verbannen om de huwelijksreis bijzonder te maken.

'Vrij dan met een man,' zei Dorian.

'Ik zal er meteen werk van maken.'

'Je bent een mooie meid! Je hoeft alleen maar naar een café te gaan en ja te zeggen.'

'Ik denk dat je me overschat.'

Dorian schonk nog eens in. 'Onzin. Ik wed dat de helft van de jongens in je klas fantasietjes over je hebben. Zo verloor Dan zijn onschuld, weet je. Hij moest nablijven bij een docente en later pakte ze hem in de docentenkamer.'

'Zulke dingen moet je me niet vertellen.' Trevor, Trevor, Trevor. Nee, geen sprake van.

'Ik bedoel niet dat jij ook zoiets moet doen. Ik zeg alleen maar dat je nog heel aantrekkelijk bent en best een man kunt krijgen als je dat wilt. Maar misschien wil je wel niet.'

Zadie haalde haar schouders op. 'Misschien niet.'

'Waarom niet?'

Josh en Lissy renden bloot en druipend naar de openslaande deuren en drukten hun neusjes plat tegen het glas.

'Mamma! Mamma!' Giechelend renden ze weg toen Dan hen met de badhanddoek achterna zat.

Zachtjes zei Zadie: 'Ik kan het niet over mijn vleselijke behoeften hebben als er blote kinderen rondlopen. Dat is niet gepast.'

Dorian keek om naar het huis. 'Ze kunnen je niet horen.'

'Ik weet niet of rampzalige seks het antwoord is op mijn rampzalige bruiloft.' Jezus, ze klonk net als haar therapeut.

'Wie zegt dat het rampzalige seks zal zijn?'

'Nou, omdat ik niet ga vrijen met een van mijn kennissen, moet ik dat met een onbekende doen. En als het een onbekende is, ga ik met hem mee naar huis, want ik wil hem niet bij mij thuis. En in zijn huis ga ik me afvragen of de lakens wel schoon zijn en of hij de vorige avond niet met een ander tussen die lakens lag. Of misschien zelfs dezelfde middag nog, en ook al doet het vrijen me goed, ik zal me er toch voor gaan schamen en verpletterd worden door schuldgevoelens omdat ik naar bed ben gegaan met iemand die ik nauwelijks ken.'

'Daar bestaat een simpele oplossing voor: ga naar bed met iemand die je kent.'

'Ik heb de laatste tijd echt weinig van me laten horen, anders zou je wel weten dat er geen mannen in mijn leven zijn.' Afgezien van Trevor kende ze geen man die nog vrij was en ook nog min of meer aantrekkelijk. Dat met die monteur was maar een spelletje geweest. Die woonde met zijn verloofde van Latijns-Amerikaanse afkomst in het appartementencomplex en die verloofde was niet iemand van wie je haar vriend stal. Ze had een gepeperd temperament.

'Oké, dan duik je niet het bed in. Maar je kunt toch wel uitgaan? Je moet je gezicht weer eens laten zien. Wanneer heb je voor het laatst een afspraakje gehad? Voordat je Jack leerde kennen?'

Daar moest Zadie even over nadenken. Ze herinnerde zich vaag ene Bill met wie ze naar een Marokkaans restaurant was geweest waar de buikdanseres hem bijna had verleid. Hij was met de danseres in haar glitterkostuum gaan flirten terwijl Zadie zwijgend toekeek en iets at wat op een pitabroodje met modder leek. 'Ik ken niemand met wie ik nog eens uit zou willen.'

Dorian fronste diep. 'Waar had je Jack ook alweer leren kennen?'

'Hij was de ober. Natuurlijk vond ik hem meteen leuk. Hij gaf me te eten. Denk eens wat een verdriet me bespaard zou zijn gebleven als ik niet zo dol op Chinees was geweest.'

'Nou, een ezel stoot zich in het algemeen... Ga uit eten en flirt met de ober.'

'O nee! Obers willen eigenlijk altijd iets anders worden, en als ik iets met iemand ga hebben, wil ik dat het met iemand is die al *ís* wat hij wil worden.' Goh, dat was diepzinnig.

'Dat slaat nergens op.'

Parels voor de zwijnen... 'Ik ben moe, ik ga naar huis.'

'Oké.' Dorian draaide zich om en keek weer in het huis naar binnen. 'Nu de kinderen slapen, kunnen Dan en ik naar een pornofilm kijken.'

'Meen je dat?' Ineens kreeg Zadie weer respect voor het huwelijk.

Dorian lachte hardop. 'Nee, daar meen ik niets van. Het is tijd om het snot uit mijn trui te wassen en naar bed te gaan. Echt, je mist niet veel, hoor.'

Zadie slaakte een zucht. 'Behalve liefde en kameraadschap.'

'Ja, dat wel.'

acht

De volgende morgen werd Zadie wakker in het besef dat ze haar therapeut al twee maanden niet had gesproken. Dat kwam doordat ze dat actief had vermeden. Het was sowieso belachelijk om iemand voor het luisteren naar haar problemen te betalen terwijl haar vriendinnen dat gratis en voor niets deden. En het was vooral belachelijk omdat Zadie helemaal niet over haar problemen wílde praten. Maakte het haar problemen niet eerder erger? Was het niet beter om net te doen of er niets aan de hand was en te hopen dat ze alles zou vergeten?

Zich tot een therapeut wenden was iets wat ze niet zelf had verzonnen. Haar moeder had erop gestaan, en Mavis Roberts kon eindeloos doordrammen. Ze stelde dat Zadie niet de luxe had de breuk in de relatie op een normale manier te verwerken. Normaal gesproken leerde je elkaar kennen, je maakte afspraakjes, het ging niet meer lekker en je maakte het uit. Bij haar ging het van klaarstaan om over het middenpad naar het altaar te lopen naar een rampzalig einde. Net toen ze zielsveel van Jack hield, moest ze hem gaan haten.

Om een eind aan Mavis' gezeur te maken ging Zadie naar dr.

Reed. Zeven keer was ze geweest. Tegen die tijd had ze schoon genoeg gekregen van: 'Wat denk je zelf?' Ze had er geen bal aan.

Maar op deze ochtend had Zadie de behoefte haar hart bij een goed opgeleide zielenknijper te luchten. Iemand die het opviel dat ze zo diepzinnig was omdat ze daarvoor werd betaald. En belangrijker nog, ze wilde van haar horen dat ze niet uit hoefde te gaan als ze dat niet wilde.

Ze reed over de heuvel naar Sunset en zette haar auto weg in de ondergrondse parkeergarage. Konden ze geen parkeergarages bouwen die niet eng waren? Het bord waarop stond dat de staat Californië giftige stoffen in de garage had aangetroffen die het ongeboren kind schade konden berokkenen, bracht haar altijd van haar stuk. Waar moest ze dan parkeren als ze zwanger was? In elke parkeergarage van de stad hing dat verdomde bord.

Bij dr. Reed lag altijd het tijdschrift *In Style* in de wachtkamer, dus terwijl je wachtte om je ziel te zuiveren van de onrechtvaardige klappen die het leven je had uitgedeeld, kon je erachter komen met welke shampoo Debra Messing haar haar waste. Aan de muur hingen ingelijste natuurfoto's, kennelijk om je tot rust te brengen. Maar Zadie werd nooit tot rust gebracht door het zien van een regendruppel op een lelie.

Nadat de dokter haar de spreekkamer in had geroepen, deed ze haar schoenen uit en ging opgekruld op de bank zitten. Ze deed altijd of ze gewoon twee vriendinnen waren die tijdens een kopje koffie hun hart luchtten. Dat was beter dan een dokter en een verwarde patiënt.

'Ik dacht dat je niet meer wilde komen.' Dr. Reed glimlachte kalm. Zoals gewoonlijk droeg ze een keurig geperst zijden pakje van Casual Corner.

'O? Ben ik beter?'

'Interessante woordkeus.'

'Daar gaan we weer...' Zadie sloeg haar blik ten hemel.

'"Beter" houdt in dat je eerst ziek was.'

'Nee, ik geloof niet dat ik ziek ben.' Zadie pakte een caramel van het schaaltje op de salontafel.

'Mooi zo. Hoe zou je je gevoelens nu omschrijven?'

'Geërgerd.' Ze stopte de caramel in haar mond.

'Waarom denk je dat je geërgerd bent?'

O god. Een keur aan gevoelens welde in haar op. Net waar ze zo'n hekel aan had. Waarom was ze hiernaar toe gegaan? 'Omdat iedereen wil dat ik weer afspraakjes maak. Alsof dat de oplossing is.' Grey, Nancy en Dorian. Net een zeurderig liedje dat maar door je hoofd blijft spoken. Haar vrienden waren in Kylie Minogue veranderd.

'En je bent het niet met hen eens?' vroeg dr. Reed.

'Nee, absoluut niet. Ik denk dat het me alleen maar zal ergeren. Ik heb het vast niet leuk en krijg spijt dat ik niet gewoon thuis een boek zit te lezen.'

'Dus je saboteert het afspraakje nu al omdat je hebt besloten dat het toch niks wordt?' Oei, dat was niet best. Was dr. Reed die ochtend met het verkeerde been uit bed gestapt? Kunnen therapeuten ruzie met hun man hebben?

'Het wórdt niks. Daar bestaat geen twijfel over. Of hij vindt mij niet leuk en dat is niet erg opbeurend, of ik vind hem niet leuk en dan wordt het allemaal erg pijnlijk.'

'Stel dat jullie elkaar nu wel leuk vinden en het allemaal geweldig is?'

Stel dat Jack achter haar auto ging liggen zodat ze over hem heen kon rijden? Maar zulke toffe dingen gebeuren nu eenmaal niet.

Dr. Reed boog zich naar haar toe. 'Je hebt op het ogenblik een laag zelfbeeld. Dat is ook begrijpelijk. En al klinkt het nog zo pijnlijk, uitgaan kan je zelfvertrouwen geven.' Wat? Stond ze soms aan hun kant?

'Of... uitgaan kan mijn zelfvertrouwen een ongekende knauw geven.'

'Ik kan je geen garantie geven, maar er zijn dingen die je kunt doen om de kansen in jouw voordeel te vergroten.' Dr. Reed sloeg haar benen over elkaar en leunde naar achter.

'Zoals?'

'Ga met iemand uit bij wie je je op je gemak voelt. Iemand die niet intimiderend is.'

'Moet ik met een lelijkerd uit?' vroeg Zadie. Betaalde ze hiervoor?

'Dat zeg ik niet, maar als je knappe mannen intimiderend vindt, is een minder goed uitziende man een optie.'

'Knappe mannen intimideren me niet, ik erger me alleen aan hun gebrek aan menselijkheid,' zei Zadie terwijl ze nog een caramel pakte.

'Ik denk dat je je woede jegens Jack op andere mannen projecteert. Dat één knappe man achteraf geen goede keus is geweest, wil nog niet zeggen dat ze allemaal niet deugen.'

'Ho ho! Geen goede keus? Dat houdt in dat ík iets verkeerds deed door afspraakjes met hem te maken.' Zadie legde de caramel weer neer, te kwaad om die te eten.

'Zadie, je hebt niets verkeerd gedaan. Soms valt onze keus op mensen die niet bij ons passen. Soms valt onze keus op mensen die heel goed bij ons passen.'

'Mm-mm. Toch ligt de schuld dan nog steeds bij mij. Want mijn keus viel op een man die achteraf een rotzak bleek te zijn.' Jack wás aardig geweest. Anders was ze niet zo van hem gaan houden. Dat vond ze nog het ergste – dat díe Jack niet meer bestond. Want die miste ze.

Dr. Reed knikte. 'Mensen veranderen. Dat is een feit.'

'Dus het is niet mijn schuld,' merkte Zadie op. Het wás haar schuld niet.

'Dat hij veranderde? Nee, natuurlijk is dat jouw schuld niet.'

'Omdat het klonk alsof ik daar verantwoordelijk voor was of zoiets.'

Dr. Reed nam een slokje thee. 'Wil je er verantwoordelijk voor zijn?'

'Nee.' Waarom zou ze dat willen?

'Soms nemen mensen de verantwoordelijkheid voor andermans daden op zich omdat dit hun het gevoel geeft de situatie op die manier in de hand hebben. Bijvoorbeeld een kind van wie de ouders gaan scheiden. "Pappie ging weg omdat ik stout was". Op die manier voelen ze zich minder hulpeloos. Het lag aan hén. Maar wat als een gevoel van macht begint, verandert later vaak in een schuldgevoel over iets wat toch al hun schuld niet was.'

'Denk je dat dat bij mij het geval is?' vroeg Zadie.

'Wat denk je zelf?'

Deed ze dat? Ze had altijd ontkend dat het haar schuld was dat Jack zich als baarlijke duivel had ontpopt, maar geloofde ze dat zelf ook? Overstemde ze daarmee niet juist de stemmetjes in haar hoofd die zeiden dat het aan haar lag? Had zíj hem afgestoten? Of had ze er zichzelf van overtuigd dat ze hem had afgestoten omdat ze zich dan deelnemer aan de vreselijke gebeurtenissen kon voelen in plaats van het slachtoffer daarvan?

Ze slaakte een zucht. 'Ik weet het niet.'

'Zo komen we ergens.' Met een glimlach schreef dr. Reed iets op haar klembord.

Zadie kreeg hoofdpijn. En haar koffie was koud geworden. Waar ze ook waren gekomen, ze had er nu geen zin in.

'Toen Jack niet kwam opdagen, moet je het gevoel hebben gehad dat je de situatie niet in de hand had.'

'Precies.'

'En dat machteloze gevoel was vermengd met verdriet en woede, en ook met andere negatieve gevoelens die je op dat moment over jezelf had.'

'Dat zal best.' Er zaten ook moordzuchtige gevoelens bij, maar daar kon ze het misschien beter niet over hebben.

'Het is heel natuurlijk om het akelige gevoel van machteloos zijn ondergeschikt te maken aan schuldgevoelens. Want zo heb je weer controle over de situatie. Je overtuigt jezelf ervan dat het jouw schuld is dat Jack je liet zitten en meteen heb je de situatie weer in de hand. Het lag aan jou, jíj liet het gebeuren.'

Zadie leunde met haar hoofd tegen de muur. 'Hier word ik pas echt depri van. Bedoel je te zeggen dat ik mezelf er de schuld van geef om me daardoor beter te voelen?'

Dr. Reed leunde naar voren. 'Maar je voelt je niet beter. Je voelt je nog rottiger.'

'Ja.' Ze voelde zich inderdaad rot. Aldoor.

'Daarom moet je het loslaten.'

'Wat moet ik loslaten?' vroeg Zadie terwijl ze de dokter aankeek.

'Het valse gevoel van macht.'

'Oké.'

'Geef jezelf niet langer de schuld voor wat Jack uithaalde. Er zijn andere manieren om weer macht over je leven te krijgen. Constructieve manieren.'

'Zoals?' vroeg Zadie.

'Ga uit.'

Terug bij af.

negen

Toen Zadie op school kwam, ging ze naar de docentenkamer om haar lunch in de ijskast te leggen. Er was nog maar één plekje vrij, naast een Tupperware-bakje vol noedels dat er al zolang stond als ze hier les gaf. Waarschijnlijk leefde er nu een kolonie insecten in, of een revolutionaire schimmel die hét middel tegen kanker was, alleen durfde niemand het deksel eraf te halen.

Terwijl ze een kopje groene thee aan het zetten was, kwam Nancy binnen. Ze straalde. Ze had lippenstift met parelmoerglans op haar dikke neplippen. 'Het afspraakje van gisteren was helemaal te gek.'

'Niks zeggen... Hij liet zijn piemel zien in het restaurant?'

Nancy keek geërgerd naar Zadie. Daar gaf ze mee aan dat ze veel te verstandig was om met een potloodventer uit te gaan. 'Nee, hij was op en top heer. Het beste vervolgafspraakje ooit.'

'Een vervolgafspraakje? Gefeliciteerd! Hoe heet hij?' Zadie was niet onder de indruk en ook niet geïnteresseerd, maar dat merkte Nancy niet.

'Darryl.'

Zadie beet op haar lip. Besefte Nancy wel dat er in de wereldgeschiedenis nog nooit een leuke man had bestaan die Darryl heette?

'En zijn broer is ook single. Die heet Doug, mocht je geïnteresseerd zijn.'

Er was maar weinig waar Zadie minder in geïnteresseerd was dan in Doug. Misschien een tandvleesbehandeling. Of hoeveel kilometer haar auto per liter reed. Het liefdesleven van J.Lo.

Nancy zette haar lunch in de ijskast en duwde die heupwiegend dicht. Ze was duidelijk in een opperbeste stemming. 'Hij is vijfendertig en ontwikkelt software.'

Net toen Zadie voor de eer wilde bedanken, bedacht ze dat Doug nogal onschadelijk klonk en dat ze misschien wel met hem uit eten kon. Dan hielden Grey, Dorian en dr. Reed meteen op met zeuren over uitgaan.

'Nog zichtbare defecten?'

'Ik heb hem niet gezien, maar als hij op Darryl lijkt, bof je.'

Dolores stond op van de tafel waaraan ze een kom Lucky Charms had zitten eten. 'Denk je er echt over?' Ze zei het niet veroordelend, het was meer een echo van wat Zadie zelf dacht. Dacht ze er echt over?

'Misschien. Misschien wordt het tijd.' Allemachtig nee, het werd geen tijd, maar ze kon wel net doen of het tijd werd om degenen die vonden dat het tijd werd van hun ongelijk te overtuigen.

Opgetogen klapte Nancy in haar handen. 'O, dit wordt enig! We gaan met zijn vieren uit eten!'

Zadie overwoog om tegen te sputteren, maar toen besefte ze dat het misschien wel goed uitkwam. Het zou pijnlijk zijn te zien hoe Nancy zich tijdens een afspraakje gedroeg, maar in ieder geval hoefde ze niet helemaal zelf het gesprek gaande te houden. 'Oké.'

'Kun je zaterdag?'

'Helaas wel.'

Verwonderd schudde Dolores haar hoofd. 'Ik dacht dat de dag nooit zou komen.'

Zadie was er zeker van geweest dat de dag nooit zou komen.

Maar nu die toch was gekomen, leek het universum een beetje uit balans.

'Ik bel Darryl wel in de lunchpauze, dan kunnen we alles regelen.' Nancy kneep in Zadies schouder, blij dat ze de instigator mocht zijn van iets wat absoluut tot een goed huwelijk moest leiden.

Met een angstig gevoel liep Zadie haar lokaal in. Ze wist niets van Doug. Hij kon afzichtelijk zijn, maar ook een stuk. Hij kon op het eerste gezicht een afkeer van haar hebben. Ze kon ineenkrimpen bij het horen van zijn stem. Waarom al die moeite om haar vrienden de mond te snoeren? Ze was veel te meegaand.

De bel ging en de leerlingen gingen zitten. Jessica Martin stak haar vinger op, waarschijnlijk om haar gelakte nagels te laten bewonderen. 'Goed, ik snap dat William Faulkner een soort genie is, maar ligt het aan mij of zijn de eerste drie hoofdstukken van *As I Lay Dying* echt zo onsamenhangend? Wie zijn al die personages? Waar hebben ze het over? En waarom zeggen ze alles twee of drie keer?'

Zadie moest oppassen met wat ze antwoordde. Ze was het helemaal met Jessica eens, maar het was niet politiek correct om dat te zeggen. 'Nou, je moet goed bedenken dat het een verhaal is over mensen uit andere tijden en plaatsen.'

'Maar waarom schrijft Faulkner dan over hen? Ze zijn saai.'

'Denk er maar aan als aan een raam waardoor je een blik op menselijk gedrag werpt die je anders nooit zou krijgen,' antwoordde Zadie.

'Oké, maar misschien kunt u volgende keer een interessanter boek uitzoeken. Het maakt me niet uit waar die lui hun moeder begraven. Het is ranzig.'

'Ik zal mijn best doen.'

Zadie had kunnen uitleggen dat het hoofd van de vakgroep de boeken koos, maar waarom zou ze eigenlijk? Ze had net aan dr.

Reed uitgelegd waarom ze geen afspraakjes wilde en nu ging ze toch uit. Mensen luisteren niet. Dus waarom moeite doen? Ze horen alleen wat ze willen horen, ze slaan totaal geen acht op je.

Het drong tot haar door dat dit misschien niet de juiste instelling voor een docent was.

Zaterdagochtend besloot Zadie naar het fitnesscentrum te gaan. Ze was al een maand niet meer geweest en het leek haar een goede voorbereiding op het afspraakje. Het zou haar in ieder geval afleiden van het feit dat ze binnenkort moest zeggen: 'En, heb je nog hobby's?'

Ze trok een uitgelubberd T-shirt en een korte broek aan en belde Grey om daar met hem af te spreken. Hun fitnesscentrum beschikte over een paar miljoen cardioapparaten die allemaal voor het raam met uitzicht over Ventura Boulevard stonden, alsof al dat langsrazende verkeer inspirerend werkte. Terwijl ze naast elkaar op hun hometrainer zaten, bood Grey haar een Red Bull aan.

'Ik ben trots op je.'

Zadie dronk het blikje gulzig leeg. Ze hoopte dat de 'taurine' (wat het ook mocht wezen) het trainen minder vervelend maakte. 'Wat heb ik dan gedaan?'

'Je gaat uit. Volgens mij zal dat je goed doen.'

'Ja, Doug lijkt vast op een dosis tarwekiemolie.' Ze zette de fiets in een hogere stand. Als ze toch hier was, wilde ze ook zweten.

'Ga je het met hem doen?' vroeg hij plagerig.

'Natuurlijk. In de auto onderweg naar het restaurant, in het restaurant en na het eten ook nog eens op de parkeerplaats. Maar alleen als we het tegen een afvalcontainer aan kunnen doen.' Ze hijgde nu. En niet van het beeld van Doug bij de afvalcontainer.

'Niet dus,' zei Grey. Hij liet de trappers sneller rondgaan.

'Er is meer kans dat Helen en jij het gaan doen dan Doug en ik.'
'Ik zie Helen vanavond niet eens.'
'Zie je nou wel?' Ze zette de fiets in een lagere stand. Haar hart ging wild tekeer. Genoeg getraind. Grey transpireerde nog niet eens. 'Wat is er aan de hand? Bedriegt Helen je nu al?'
'Ze gaat met haar moeder de bruiloft bespreken.'
'Hebben ze al een rijtuig met paarden besteld?'
Grey keek bezorgd. 'Hoezo? Zijn ze dat van plan?'
Met een lach keek ze hem aan. 'Grapje. Ze droomde er altijd van aan de oever van een meer te trouwen en dan aan te komen in een door zwanen getrokken boot.'
'Ha ha.'
'Je kunt maar beter komen opdagen.'
Onvoorstelbaar, Helen die bij het altaar in de steek wordt gelaten.
'Dat ben ik ook van plan.' Grey was de enige man die Zadie vertrouwde dat hij zich aan zijn woord hield. Hij had iets puurs. Een fatsoenlijk mens, zonder verrassingen. Ze dacht altijd dat ze van verrassende mannen hield, totdat ze er zo eentje ontmoette.
Zadie stapte van de fiets en trok het T-shirt uit zodat het niet tegen haar bezwete borsten plakte. 'Ga je mee naar de dijtrainer?'
Grey liep achter haar aan naar het apparaat en hielp haar de gewichten op hun plaats te leggen. 'Hoeveel?'
'Vijfentwintig aan elke kant.' Ze vertelde hem maar niet dat als ze op de goede manier haar dijen tegen elkaar perste, ze een orgasme kreeg. Hoe meer gewichten, des te beter dat ging. Niet dat hij dat niet mocht weten, ze wilde alleen niet dat hij haar zag klaarkomen. Zo intiem waren ze nu ook weer niet.
'Zeker weten?'
'Doe nou maar.' Ze ging liggen en begon te oefenen. Ze luisterde naar Greys gebabbel terwijl hij zijn veters strikte. Hij had geen flauw benul dat ze zichzelf behaagde.

'Ik laat het regelen van de bruiloft aan Helen over. Gedeeltelijk omdat ik daar toch geen tijd voor heb, maar vooral omdat het me geen bal uitmaakt. Of is dat onaardig?'

'Nee hoor, zo hoort dat.' Ze luisterde nauwelijks, maar ze moest natuurlijk wel reageren. Ze vroeg zich af of alle vrouwen op de hoogte waren van het geheim van dit toestel. Of werkte het alleen bij haar?

'Zeker weten?'

Jezus, waarom ging hij er maar op door? 'Vraag het haar dan. Als ze wil dat jij ook een steentje bijdraagt, zegt ze dat heus wel.' Eerst verpest Helen het surfen en nu staat ze het orgasme in de weg...

'Wat is er?'

'Niks.' Waarom bleef hij maar praten? Waarom keek hij naar haar? Hij kon beter naar de gewichten kijken.

'Je ziet zo rood.'

'Waarschijnlijk omdat ik met vijftig kilo in de weer ben.' En omdat er een golf van genot door haar lichaam was getrokken.

'Waarom rol je met je ogen?'

'Dat doe ik altijd met die gewichten.'

Grey fronste. 'Ik denk dat je voor het trainen beter geen Red Bull kunt drinken.'

Hij hielp haar opstaan toen ze klaar was en deed meer gewichten op het apparaat voordat hij zelf aan de slag ging. 'Ik heb mijn vriend Mike over je verteld.'

Zadie fronste. 'Wat heb je hem over mij verteld?'

'Dat je niet goed bij je hoofd bent, maar waarschijnlijk wil hij het toch met je doen.' Hij ging liggen en begon te trainen.

'Leuk hoor.'

'Grapje. Ik vertelde hem dat je sexy bent... dat je grappig bent...' Hij zei het op het ritme van de oefeningen. 'En dat je helemaal top bent.' Hij stond weer op.

'Leuk als je net als de vroege Keanu praat.' Ze haalde de gewichten van het apparaat zodat dat weer voor haar niveau geschikt was. 'Toch laat ik me niet koppelen. Dat afspraakje van vanavond is al traumatisch genoeg.'

Grey gebaarde naar de cardioapparaten. 'Er staat een man op de StairMaster naar je te kijken.'

Zadie keek niet eens om. Waarom zou ze?

'Rood T-shirt, zwarte broek. Kijk maar,' zei Grey.

Met een geërgerde zucht keek ze om, alleen maar om Grey tevreden te stellen. Een redelijk knappe man in een rood T-shirt en een zwarte broek was in een tijdschrift verdiept.

'Hij kijkt helemaal niet.'

'Nu niet, maar daarnet wel.'

Zadie ging weer op het apparaat liggen en begon aan de gewichten te hijsen. 'Je poging me voor mijn afspraakje meer zelfvertrouwen te geven is doorzichtig, maar ik waardeer het.'

'Daarnet keek hij weer.'

'Hou op!'

'Wat nou? Ik breng alleen maar verslag uit.'

Zadie sloot haar ogen. De tweede keer klaarkomen was altijd minder. Het ging te snel voorbij.

'O shit.' Grey keek nog steeds naar de cardioapparaten, maar nu met een frons.

'Wat is er?' vroeg Zadie.

'Die man op de loopband... Volgens mij is het Jack.'

De gewichten zoefden naar beneden. 'Wát?'

Er klopte een ader bij Greys slaap, alsof hij zich voorbereidde op een gevecht. 'Gaan we weg of sla ik hem verrot?'

Zadie raakte in paniek. Wat moest Jack hier? Ze zag er vreselijk uit. Ze had zich zo vaak voorgesteld dat ze hem tegenkwam en uit de hoogte iets tegen hem zei, een beetje zoals Bette Davis, maar nooit dat ze een rode kop en een paardenstaartje had en een T-shirt droeg dat ze op de universiteit al had.

'Zorg dat hij me niet ziet.' Ze verstopte zich achter Grey, ze klampte zich aan hem vast of hij een schild was. Wat moest ze zeggen als hij naar haar toe kwam? Hoi, ken je me nog? Ik ben het meisje met wie je zou trouwen. Mag ik alsjeblieft mijn hart terug?

'Kijk even of hij het wel echt is voordat ik hem een dreun verkoop,' zei Grey.

'Je mag hem niet slaan.' Ook al had Zadie graag gezien dat Grey Jack met een dumbbell de hersens insloeg, ze wilde niet dat hij wegens geweldpleging werd gearresteerd. Jacks gezicht was zijn bestaan, hij zou er zeker een rechtszaak van maken.

'Daar komt hij. Hij gaat naar de buiktrainer.'

Zadie vermande zich en keek over Greys schouder. Ze zag een man met warrig zwart haar en een wasbordje op de buiktrainer plaatsnemen en naar voren buigen.

Het was Jack niet.

Ze durfde weer te ademen en stompte tegen Greys schouder. 'Jezus, doe dat nooit weer!'

'Is het hem niet?'

'Nee, gelukkig niet.' Grey en Jack hadden elkaar maar twee keer gesproken. Toen het nog aan was tussen Grey en Angela waren ze met zijn allen bij Koi gaan eten. Jack had meteen een hekel aan Angela gekregen omdat ze nog voor het voorgerecht iets neerbuigends over acteurs had gezegd en daarom had hij de hele verdere avond zitten mokken. De tweede keer was toen het al uit was met Angela. Grey had met Zadie en Jack in de Cat & Fiddle afgesproken. Het was de bedoeling dat Jack Grey aan een van zijn medespeelsters voorstelde, maar de avond daarvoor had ze op een première George Clooney ontmoet en ze lag nog in zijn bed. Jack voelde zich schuldig en probeerde de barmeid in Grey te interesseren, maar Grey was naar huis gegaan met de visagiste van *Six Feet Under* die de lijken er wasachtig liet uitzien. Beide keren was Grey niet erg onder de indruk van Jack geweest, hoorde Zadie later. Maar hij had niet voorzien wat Jack later zou uithalen. Hij had alleen gedacht dat Jack zich erg druk maakte over wat anderen van hem vonden, en hij vond hem ook te knap.

'Sorry.' Grey kneep in Zadies schouder. 'Het was niet mijn bedoeling je bang te maken.'

'Kom, we gaan,' zei Zadie. 'Je bent me een drankje schuldig.'

Klaar met de fitness.

tien

Sommige vrouwen vinden het prettig allerlei kleren te proberen. Andere vrouwen pakken het eerste stel dat er wel aardig uitziet. Zadie koos voor het eerste wat ze kon vinden en wat ook schoon was – een spijkerbroek en een turquoise bloesje. Ze koos ook voor een glas wijn terwijl ze haar haar föhnde en daardoor zag ze er blozend uit. Misschien was een blos tegenwoordig wel sexy.

Terwijl ze zich opmaakte probeerde ze zich niet voor te stellen hoe de avond zou verlopen. Ook al ging ze alleen maar uit om iedereen de mond te snoeren – iets wat kennelijk bij haar moeder niet hielp, want die had haar over Doug de oren van het hoofd gevraagd voordat Zadie kon ophangen – was ze toch een beetje misselijk bij het vooruitzicht aan een man te worden gekoppeld.

Toen ze nog jong was, vond ze afspraakjes spannend. Ze gaven haar hoop. De belofte van een nieuwe, ideale relatie hing om haar heen wanneer ze met iemand iets ging drinken of eten. Bij haar eerste afspraakje met Jack waren ze een tocht met zijn hond door Runyon Canyon gaan maken. Toen de hond te moe werd, droeg Jack hem verder. Zadie wist toen dat ze met hem kinderen wilde.

Al die hoop en beloften...

Ze had met Nancy, Doug en Darryl bij de Pinot Grill aan Ventura afgesproken, een niet erg trendy bistro dicht bij huis. Het was daar niet duur. Toen ze naar binnen liep, zat Nancy al aan een tafeltje te zwaaien. Doug en Darryl draaiden zich om om haar aan te kijken, en ze wist niet of ze opgelucht of teleurgesteld moest zijn. Ze konden er allebei mee door. Niks om nat van te worden.

'Hoi, ik ben Zadie.'

De twee mannen stonden op toen ze op de stoel naast Nancy ging zitten. De man tegenover haar stak zijn hand uit.

'Ik ben Doug. Leuk kennis met je te maken.'

Ze lachte naar hem. 'Insgelijks.' Niet echt, maar het was niet nodig om onbeleefd te zijn. Ze bekeek hem van over de rand van haar glas water. Rossig haar. Iets te bleek. Te kleine ogen. Smalle schouders. Geen watje, maar ook niet het type man dat je uit brandende gebouwen redt.

'Nancy vertelde dat je docente Engels bent.'

'Dat klopt. En jij doet iets met computers?'

'Ik schrijf code.'

'O.' Reclamecode? Pincode? Streepjescode?

Hij grijnsde breed. 'Ik was op school heel slecht in Engels.'

'Nou, je hebt vast andere kwaliteiten.' Waarschijnlijk verdiende hij vier keer zoveel als zij. Wat maakte het uit dat hij niet door *Tale of Two Cities* kon komen?

Nancy zei: 'Doug is prima geslaagd.'

Blozend pakte Doug een stukje stokbrood uit het broodmandje. 'Ik heb haar omgekocht om dat te zeggen.'

Hij was bescheiden, dat was een pluspunt. Ze had een hekel aan mensen die je hun dure auto lieten zien. Mannen die trots hun gele Ferrari showden. Wie koopt er nou voor honderdvijftigduizend dollar een auto in een piskleur?

Ze bestelden een fles rode wijn en bestudeerden de kaart. Zadie koos de in mosterd gestoofde kip. De frieten die daarbij geserveerd werden, waren zo lekker dat het haar niet uitmaakte hoe het afspraakje verliep. Tot nu toe was het trouwens niet pijnlijk, Doug leek best aardig.

Nancy boog zich naar Zadie toe en terwijl Doug en Darryl de bestelling plaatsten, fluisterde ze in haar oor: 'En?'

Hier was Zadie op voorbereid. 'Ik ken hem nog maar net, ik weet het nog niet.'

'Maar hij ziet er leuk uit, hè?'

'Gaat wel.' Als ze hem op straat was tegengekomen, was hij haar niet opgevallen. Maar ze was hier niet om een nieuwe liefde te ontdekken, ze was hier om iets te bewijzen.

Nadat de mannen hadden besteld, richtte Darryl zich tot Zadie: 'En, Zadie, is Nancy voor haar leerlingen net zo streng als voor mij?'

Help! Bedoelde Darryl dat Nancy een SM-meesteres was? Als dat zo was, wilde Zadie het niet weten.

Nancy gaf Darryl een klapje en giechelde. 'Luister maar niet naar hem, hij is kwaad dat hij het restaurant niet mocht uitkiezen.'

Darryl speelde het spelletje mee. 'Met Hooters is anders niks mis.' Hij kreeg weer een klapje. Als een schild hield hij zijn servetje op.

'En, Darryl, wat doe jij voor de kost?' vroeg Zadie uit beleefdheid, want eigenlijk kon het haar geen moer schelen.

'Ik ben tandarts.' Geen wonder dat Nancy in alle staten was. Darryl was een Geschikte Huwelijkskandidaat. In Nancy's ogen, natuurlijk. Zadie prefereerde een gevoelige blik boven een dik inkomen. Haar moeder had bijna gehuild toen ze haar vertelde dat Jack ober was.

'Hij heeft twee praktijkruimten.' Nancy straalde van trots, alsof die van haar waren. Zadie maakte een geluidje dat moest aantonen dat ze onder de indruk was, en deed haar best zich er niet van bewust te zijn dat Doug haar aanstaarde.

'Ben je echt nog single?' vroeg hij. 'Niet te geloven, je bent zo mooi.'

Moest ze nu 'dank je' zeggen? Voordat ze iets kon besluiten, reageerde Nancy voor haar.

'Ze was verloofd, maar ze heeft het uitgemaakt.'

Wauw. Maakte Nancy het mooier dan het was? Dat was Zadie nog nooit overkomen.

'Hoe oud ben je?' vroeg Doug.

'Eenendertig.' Een beetje onbeleefd om dat te vragen, maar Zadie maakte er geen punt van.

'Nou ja, verloofd of niet, de mannen hadden tijd genoeg om jou te strikken. Weet je zeker dat je niet een paar jaar lesbisch bent geweest?' Hij lachte alsof dit nou eens een echt gevatte opmerking was. Zadie haalde diep adem als voorbereiding op een reactie. Nancy legde haar hand op Zadies arm, als om te zeggen: kalm aan.

'Nou Doug, ik heb wel eens te diep in het glaasje gekeken, maar ik kan me niet herinneren dat ik ineens lesbisch ben geworden. En jij? Wel eens een gozer gepijpt?' Zedig nam ze een slokje van haar wijn.

Doug verstijfde en werd zo rood als een biet, dat was precies haar bedoeling. 'Eh... Nee, nee, ik heb alleen oog voor meisjes.'

Darryl en Nancy keken elkaar eens aan. Darryls blik zei: waarom wil je mijn broer aan een meisje koppelen dat grove taal uitslaat? Nancy's blik zei: rustig nou maar, ze houdt haar mond wel. En ze gaf Zadie een schop onder tafel om ervoor te zorgen dat dat ook zo was.

Zadie lachte naar iedereen. 'Nou, blij dat dat is opgehelderd. Iemand nog een goeie film gezien?'

Ze ging niet weg voordat ze haar friet had gekregen.

elf

'Nee...'

'Ja...' Zadie zat bij Grey op zijn suède bank met een biertje in haar hand. Ze vertelde wat er allemaal was gebeurd. Zodra ze uit het restaurant waren gekomen, was ze regelrecht naar zijn huis in Westwood gereden om hem tot in detail over de vreselijke avond te vertellen. 'Hij vond het niet leuk toen ik hem vroeg of hij wel eens een gozer had gepijpt, maar het lukte om het etentje uit te zitten zonder elkaar voedsel in het gezicht te gooien.'

'Wat een hufter.' Grey stond op en ging naar de ijskast om nog twee biertjes te halen. 'Geen wonder dat hij nog alleen is.' Hij gaf haar een biertje en ging op een van zijn designerstoelen zitten.

Zadie fronste. 'Dat houdt in dat er iets mis is met mensen die single zijn.'

'Ik had het over hém, niet over singles in het algemeen.'

'Hij dacht dat er met míj iets mis was. Daarom begon hij over dat lesbisch zijn.'

'Er is van alles mis met je, maar dat heeft niets te maken met het feit dat je single bent. Je bent single omdat ik de enige man ben met wie je praat.'

Zadie legde haar voeten op de antieke salontafel en dacht daarover na. 'Niet waar. Ik praat ook met de gymleraar, meneer Jeffreys.'

'Iemand die jij "meneer" noemt, telt niet. En die jongen van de Abercrombie & Fitch-catalogus ook niet.'

'Nu we het toch over hem hebben, ken jij iemand die op Stanford heeft gestudeerd?'

Daar moest Grey even over nadenken. 'Ik geloof dat Karl Jameson daar zat. Ik vraag het hem maandag wel. Hoezo? Moet hij een aanbevelingsbrief hebben?'

'Ja. Ik zei dat ik zou rondvragen.'

'Kennen zijn ouders dan niemand?'

'Dat zijn hippies. Vroeger waren ze manager van de Grateful Dead.'

Grey keek bezorgd. 'Ga je soms naar zijn huis om hem door het raam te begluren?'

'Zó erg is het nou ook weer niet met me gesteld. Ik heb hen op een ouderavond gesproken.'

'Hé, komen er geen alleenstaande vaders? Is dat niet wat voor je?'

'Nee.' De vader van Jessica Martin was bijna sexy, maar de gelegenheid had zich nooit voorgedaan. Moest ze hem soms bellen? Dag meneer Martin, Jessica heeft problemen met Faulkner, kunnen we het daar in uw bubbelbad eens over hebben? Ik breng de merlot wel mee.

Zadie dronk haar bier op en zette het flesje op de salontafel. Ze had net een idee gekregen. 'Waarom denk je dat Helen nog single was toen je haar leerde kennen?'

Grey gooide haar flesje in de prullenbak en plofte naast haar op de bank neer. Zadie had al langer het vermoeden dat die designerstoel niet erg gemakkelijk zat.

'Omdat ze was voorbestemd mij te leren kennen. Maar iets zegt me dat jij een andere theorie hebt.'

Zadie kamde met haar vingers haar haar omhoog en legde er een knoop in. 'Nee hoor, ik dacht alleen dat als Doug al geschokt was dat ík single was, hij over de rooie zou gaan als hij hoorde dat Helen nog beschikbaar is.'

'Dat is ze niet.'

'Wel toen jij haar leerde kennen.'

'Helen heeft stapels vriendjes gehad.'

'Ik ook voordat ik Jack leerde kennen.' Dat was niet helemaal waar. Een paar, geen stapels. 'Maar waar het om gaat is dat Helens vriendjes haar nooit ten huwelijk hebben gevraagd. En ze had geen vriend toen ze jou leerde kennen.'

'Bof ik even. Anders ging ik niet over negen dagen trouwen.'

Ze had kunnen weten dat hij het niet zou begrijpen. Ze liet haar hoofd tegen de rugleuning van de bank steunen en zuchtte diep. 'Je weet toch wat er zaterdag op het programma staat?'

'Haar vrijgezellenfeestje?'

'Kwam jij ook maar, dan konden we lol trappen,' zei ze.

Grey snoof. 'Ben je soms high of zo? Ik wil niet een hele dag stomme meisjesdingen doen.'

'Ik ook niet. Het is niet eerlijk, ik word bestraft omdat ik een vagina heb.' De gedachte aan opgewonden zijn over de bruiloft en theedrinken met een stelletje vrouwen die ze vast zou verachten, was ondraaglijk. Misschien bofte ze en liep ze de avond ervoor een voedselvergiftiging op. Als ze ziekte voorwendde, zou ze zich schuldig voelen, maar ze kon natuurlijk wel 'per ongeluk' een bedorven visje eten. Jezus, verlangde ze echt naar een dagje overgeven en diarree? 'Kan ik niet op jouw vrijgezellenfeest komen? Dan heb ik meteen een excuus om niet op dat van Helen te hoeven zijn.'

Grey keek haar aan. 'Wil je echt een stelletje advocaten met een schootdanseres zien sollen?'

Daar moest ze even over nadenken. 'Krijgen mannen echt een zaadlozing met een schootdanseres op schoot, of alleen een stijve?'

'Uit persoonlijke ervaring kan ik je vertellen dat er geen vloeistoffen worden afgescheiden.'

'Waar dient het dan toe? Op de middelbare school jammerden de jongens over een pijnlijke stijve, en volwassen mannen betalen daar juist voor?'

'Mij moet je zulke dingen niet vragen. Ik heb alleen tijdens het vrijgezellenfeest van mijn broer een schootdanseres op schoot gehad. Ze zag eruit of ze al een week niet meer had gegeten. Je kon haar ribben tellen. Ik probeerde haar pinda's te voeren.'

'Sexy.' Ze keek om zich heen en het viel haar op dat er iets was veranderd. 'Wat is er met je zitzak gebeurd?'

'Die beviel Helen niet.'

'Wat? Ik was dol op dat ding!'

'Ze vond hem sjofel.'

'Daarom was hij juist zo leuk! Daardoor zagen je designermeubels er minder pretentieus uit.'

Grey haalde zijn schouders op. 'Wat moest ik anders? Zij vond het een vreselijk ding.'

'Zijn er nog meer dingen die ze vreselijk vindt? Dan kan ik me vast voorbereiden.'

'Ik doe niet álles wat zij vreselijk vindt de deur uit.' Grey pakte zijn Turkse snuifdoos op en hield die beschermend tegen zich aan. 'Dit blijft.'

'Dus zo gaat je huwelijksleven eruitzien? Ruzie maken over wat blijft en wat niet?'

'Nee, mijn huwelijksleven wordt avond na avond puur genot.'

'Even serieus, maar hoe gaan jullie avonden eruitzien? Samen televisie kijken? Knuffelen voor de open haard? Eindeloos vrijen? Elkaar borden naar het hoofd gooien? Doe eens een gok.' Er welde paniek in haar op. Stel dat hij over kinderen begon? Dan zou ze hem nooit meer zien. Mensen met kleine kinderen zijn minstens twee jaar uit de roulatie.

'Geen idee. Hoe zouden de avonden van Jack en jou eruit hebben gezien?'

'Nou, ik stelde me voor dat hij in beeld zou zijn. Zoals je weet, was dat te veel gevraagd. Jouw beurt weer.'

'Ik denk hetzelfde als ónze avonden eruitzien,' zei Grey. 'Beetje praten, biertje erbij.'

'Helen drinkt niet. En als jij haar zo ver krijgt dat ze het over ejaculeren heeft, wil ik het meteen weten.'

'Nou ja, niet precies hetzelfde. Maar zoiets. Met hopelijk seks als besluit.'

'Och ja, seks. Ja, dat herinner ik me nog.' Ze slaakte een zucht.

Zadie dacht aan wat Dorian haar had aangeraden: naar bed gaan met iemand die ze kende. Het drong tot haar door dat Grey de enige mogelijkheid was. En dat was uitgesloten. Ze ging ook niet met hem naar bed toen hij nog vrij was, dus ging ze zeker niet met hem naar bed nu hij met haar nichtje was verloofd. Niet dat hij onaantrekkelijk was. Hij had een leuke lach. Gespierde dijen. Sterke armen. Mooie blauwe ogen met van die lange wimpers die meisjes nou nooit eens hebben. Maar ze ging om de dooie dood niet met hem naar bed en dat had niets met Helen te maken. Hij was als vriend veel te belangrijk voor haar. Waarom zou ze de vriendschap verpesten om voor tien minuten een penis in zich voelen? Ze gaf liever de seks op dan dat ze Grey opgaf.

Grey keek naar zijn kruis. 'Ik hoop dat ik nog weet hoe het moet. Denk je dat ik eerst moet trainen?'

'Het lukt je vast nog wel. Bovendien is ze nog maagd. Het zou haar niet eens opvallen als je er niks van terechtbrengt.'

'Dat is bemoedigend.'

Ze stond op en rekte zich uit. 'Ik moest maar eens gaan.'

'Wacht Doug thuis op je?'

'Ha ha.'

Hij liep met haar mee naar de deur. 'Ik vertel Mike wel dat je nog beschikbaar bent.'

'Nou...' reageerde Zadie. 'Misschien moet ik eens iemand proberen die de taal niet machtig is. Dan begrijp ik het niet als hij me beledigt.'

Grey boog zich over haar heen om haar een zoen op de wang te geven. 'Rij voorzichtig.'

Terwijl ze op weg naar de Valley de heuvel af reed, dacht ze over hoe het bij Grey thuis zou zijn wanneer Helen daar was ingetrokken. Het was geen prettig vooruitzicht. Haar verhalen over haar vreselijke afspraakjes zouden geen bron van vermaak meer zijn, maar medelijden oproepen. Helen zou de humor er niet van inzien. Ze zou fronsen en meelevende geluidjes maken. Grey zou dat ook doen als teken dat hij achter zijn vrouw stond. Ze zouden niet langer maatjes zijn. Ze zou niet meer de Zadie zijn met wie het leuk was iets te gaan doen, maar de Zadie die nog geen fatsoenlijke echtgenoot had. Hij zou haar door Helens ogen gaan zien.

En uiteindelijk zou met Zadie gebeuren wat er met de zitzak was gebeurd.

twaalf

Maandag wist Zadie Nancy tot de lunchpauze te ontlopen. Dolores lepelde net macaroni met kaas op Zadies bord toen Nancy erbij kwam en vroeg: 'En?'

'Wat: en?'

'Komt er een vervolgafspraakje?'

'Nee, er komt geen vervolgafspraakje.' De meeste andere docenten deden in de lunchpauze boodschapjes of ze gingen naar yoga. Zadie besloot de volgende keer mee te gaan. Je drie kwartier in bochten wringen was beter dan naar die opgezwollen lippen kijken die nu pruilden omdat ze Doug niet leuk vond.

'Wat is er dan mis met hem?'

'Hij was beledigend.' Ze keek Dolores steun zoekend aan, ze had haar het hele verhaal al vóór het derde uur uit de doeken gedaan. Dolores knikte. Een trouwe vriendin met afwijkend seksueel gedrag.

Nancy scheurde een zakje met sla open en stortte de blaadjes in een kommetje. 'Goed, het was een beetje ranzig dat hij over lesbiennes begon, maar hij bedoelde het vast niet racistisch toen hij de portier José noemde.'

'Gezien het feit dat de portier van Aziatische afkomst was, misschien ook wel.'

'Hij was zenuwachtig. Je moet hem gewoon nog een kans geven. Hij vond je heel leuk. Ook nadat je hem een imbeciel noemde.'

'Het werkt altijd als je je niet op een presenteerblaadje aanbiedt,' merkte Dolores op. Zadie kon zich niet voorstellen hoe je je op zo'n feest van swingende singles niet op een presenteerblaadje moest aanbieden. Ga je met me mee naar bed? Nee. Ga je met me mee naar bed? Oké.

'Nancy, het is lief van je dat je bezorgd bent dat ik een ouwe vrijster word, maar ik denk niet dat Doug de oplossing is. Het spijt me, ik moet deze kans aan me laten voorbijgaan.'

De hele verdere lunchpauze bleef Nancy pruilen.

Voordat het zesde uur begon, kwam Trevor bij Zadies tafel staan. Hij droeg een versleten spijkerbroek en een strak T-shirt met ABERCROMBIE ATHLETIC CLUB erop.

'Krijg je die soms gratis?' Zadie wees naar zijn T-shirt. In verwarring gebracht keek hij ernaar.

'Ja, hoe weet u dat nou?'

'Nou, dat dacht ik zomaar. In verband met die catalogus.'

'Heeft u de catalogus gezien?' Hij stond versteld. Alsof het niet bij hem was opgekomen dat een docent de Abercrombie & Fitch-catalogus onder ogen zou kunnen krijgen.

Nu voelde Zadie zich niet op haar gemak. Het voelde alsof ze net had bekend dat ze pervers was en graag naar zijn ontblote torso lonkte. 'Die zat in de brievenbus. Ik dacht dat ik je herkende, maar wist het niet zeker.'

'Ja, dat was ik.' Hij grijnsde en hief zijn T-shirt op. 'Herkent u me zo beter?'

Och jezus. Trevors naakte huid maar een paar centimeter van haar verwijderd. Een wasbordje, verdomme. Een mooi wasbordje. Blozend wendde ze haar blik af, en hij trok zijn T-shirt weer goed. 'Ja, nu herken ik je.'

'En, weet u al iemand die naar Stanford is gegaan?

'Misschien. Ik ben er nog mee bezig.'

'Goh, dat zou echt tof zijn.' Hij lachte naar haar en er verscheen een kuiltje in zijn wang. Hij streek zijn door de zon gebleekte haar achter zijn oor. 'Trouwens, als u zaterdag niets te doen hebt, mijn bandje treedt in de Roxy op. We zijn niet veel soeps, maar we worden steeds beter.'

Trevor op het toneel? Zingend of gitaar spelend? Of iets anders wat ontzettend sexy was? Uitgesloten. Het zou onverdraaglijk zijn. 'Ik heb dan een vrijgezellenfeestje, maar misschien kom ik later even kijken.'

'Vrijgezellenfeest? Neem ze allemaal maar mee! Het is altijd goed om een paar hitsige meiden in het publiek te hebben, ook al zijn ze nog zo oud.'

Als Zadie over een penis had beschikt, was die nu subiet slap geworden.

Na school reed ze naar de stomerij om haar bruidsmeisjesjurk op te halen bij het oude dametje dat de jurk had vermaakt. De jurk was te lang geweest, maar er was nog meer mis mee. Het ding was roze en glimmend, en had een laag uitgesneden rug. Dat hield in dat Zadie er geen beha onder kon dragen. Wie voor de drommel verzint dat volwassen bruidsmeisjes jurken met een laag uitgesneden rug moeten dragen? Al was het een designerjurk, het bleef belachelijk. En dan die schoenen... Waarschijnlijk had een Taiwanees gezin er een hele maand werk aan gehad, en ze kostten Zadie een maandsalaris. En omdat ze verdomme roze waren, trok ze ze waarschijnlijk nooit meer aan. Helen was slecht. Door en door slecht.

Ze belde Grey met haar mobieltje. 'Ik vind het nogal onplezierig om zonder beha op de bruiloft te komen.'

'Zo erg is dat anders niet, hoor. Ik hoor dat de dominee op tieten valt.'

'Weet je al of die Karl van je inderdaad naar Stanford is gegaan?'

'Wacht.'

Terwijl ze wachtte, stopte ze voor het verkeerslicht. Een man in het uniform van Domino's Pizza zat in de Nova die naast haar stond te wachten. Hij zong mee met de radio, een rap, en hij maakte daar de bijbehorende agressieve gebaren bij. Zadie vroeg zich af of hij zelf wel wist hoe belachelijk hij eruitzag.

Grey kwam weer aan de lijn. 'Sorry, het was San Jose State. Ik wist dat het ergens in het noorden was...'

'Shit.' Zadie wilde Trevor oprecht helpen, maar ze wilde hem ook een excuus geven om haar te omhelzen.

'Als hij niet wordt toegelaten, gaat hij misschien naar USC en dan kun je onuitgenodigd naar zijn wilde feesten gaan,' opperde Grey.

'Hou je kop. Voor jou moet ik in het roze.'

'Ik moet ophangen. Helen belt op de andere lijn.'

'Vraag haar maar waar ik mijn tieten moet laten.'

'Stop ze toch in je tasje.'

Hij hing op toen Zadie voor het volgende stoplicht moest wachten. De rapfan stond alweer naast haar, maaiend met zijn armen. Net toen ze dacht dat hij toch wel erg idioot deed, keek hij naar opzij en ving haar blik. Hij grijnsde breed en deed iets ranzigs met zijn tong.

Wat was ze toch een bofkont.

dertien

De dag van het vrijgezellenfeestje begon meteen al goed: de kat van de buren klom door het slaapkamerraam en sprong op Zadies bed. Hij mauwde in haar gezicht. Zijn warme adem stonk naar tonijn, net een vieze, natte wind.

Zadie duwde de kat van het bed, stond op en poetste haar tanden. Ondertussen foeterde ze de Taco Bell uit omdat ze niet misselijk wakker was geworden. Want waarom anders had ze Mexicaanse bonenpuree gegeten? Toch niet omdat het nou zo lekker was.

Terwijl ze naar Beverley Hills reed, bereidde ze zich mentaal voor op een dag van niet zeggen wat haar voor de mond kwam en niet geërgerd haar gezicht vertrekken. Dat moest ze koste wat kost voorkomen, maar beloven kon ze niets. Als iemand over een keizersnee begon, of over darmoperaties of dr. Phil, had ze zichzelf waarschijnlijk niet meer in de hand.

Toen ze de auto bij Barneys afleverde – niet Barney's, de bar voor duikers, maar Barneys het warenhuis – waar het feest in het restaurant op het dakterras met een 'licht ontbijt' van start zou gaan, zag ze op de parkeerplaats een enorme witte limousine staan. Omdat de andere vrouwen bijna allemaal in Orange County woonden, waren ze in een luxe auto met chauffeur gekomen. Zadie had een Camry. Er zat drie weken smog op en op de grond voor de passagiersstoel lagen zeven lege waterflessen, en ook nog een leeg zakje Cheeto's. De parkeerwacht keek haar medelijdend aan.

Toen ze op het dakterras kwam, dat een niet erg spectaculair uitzicht over de zuidelijke kant van Beverly Hills verschafte, zaten de andere vrouwen er al in hun yogapakjes. Ze begroetten haar met opgewekte kreetjes. 'Zadie! Hoi!' Helen omhelsde haar en Denise zwaaide met een bagel.

Eloise piepte: 'O god, ik heb precies hetzelfde tasje, alleen is de mijne groter.' Daar begon ze al te overtroeven. Het beloofde een fijne dag te worden. Eloise leek totaal niet op Grey. En omdat Grey knap was, hield dat in dat Eloise dat helaas niet was. Dit probeerde ze te compenseren met een vreemd asymmetrisch pagekapsel en een hippe vlinderbril, in de hoop er interessanter uit te zien. Niet dat dat werkte.

Betsy met de dikke billen was de volgende die haar begroette. Haar rode paardenstaartje zwiepte van links naar rechts terwijl ze op Zadie toe liep om haar te omhelzen. Ze had zo veel Estée Lauder opgedaan dat Zadies ogen ervan traanden. 'Ik heb je niet meer gezien sinds Helens vijfentwintigste verjaardag.' Betsy met de dikke billen had niet alleen dikke billen, ze was overal dik. Ze kende Helen nog van de middelbare school, waar Betsy zo'n meisje was dat lid was van ieder clubje, met alle activiteiten meedeed en achter alle jongens aanzat. Zonder enig succes. Jaren van seksuele frustratie hadden geleid tot een stierlijk vervelend karakter. 'Weet je nog dat je toen pas bij de kapper was geweest?' Betsy met de dikke billen rolde met haar ogen. 'Ik hoop dat je je geld toen hebt teruggekregen.'

O ja, dit werd een fijne dag.

Helen trok een stoel voor Zadie uit. 'Wacht, ik stel iedereen even aan je voor. Dit is Gilda. Gilda en ik deelden een kamer toen we nog studeerden. Ze is helemaal uit Boulder gekomen om erbij te kunnen zijn.' Helen en Gilda hadden in Texas gestudeerd. Helen was lid van een selecte studentenvereniging geweest, een modelstudent. Maar hoe moeilijk was het om hoge cijfers te halen als je tentamens aflegde in onderwerpen als Mode en Pucci of Gucci?

'Hoi Zadie. Leuk je te leren kennen.' Gilda leek redelijk normaal te zijn. Zelfs wel aardig. Ze had het typische uiterlijk van iemand uit Colorado: fris geboend, scheiding in het midden en uitgelubberd T-shirt. Ineens dacht Zadie dat Gilda misschien de enige persoon hier was (afgezien van haarzelf en Denise) die Helen ooit onopgemaakt had gezien.

'Herinner je je Marci en Kim nog van de liefdadigheidsactie die ik op touw had gezet?'

Vagelijk. Ze zagen eruit als moeders uit een buitenwijk – schouderlang bruin haar en sportschoenen. En ze sneden hun fruit in kleine hapjes.

'Jane, nog van de middelbare school.'

Och ja, Jane. Jane de stewardess. Het meisje dat niet wist dat zonnebloemzaad van zonnebloemen afkomstig was. Een knappe blondine in de stijl van Veronica Lake met borsten zoals die van Helen. Niet iemand die je ooit om raad zou vragen. Ze lachte Zadie toe en zwaaide loom.

'Cassandra en Phoebe van de winkel.'

Twee door de plastisch chirurg verfraaide modebewuste dames van een jaar of drieëntwintig met topjes met een halterlijn en strakke yogabroekjes. Zadie had hen nooit eerder gezien. Tut en Hola. Ze had meteen een hekel aan hen, met hun steile haar met coupe soleil.

'Cassandra wist die enige bruidsmeisjesjurken voor me te vinden, jullie zijn haar dus veel dank verschuldigd,' zei Helen.

Zadie maakte inwendig een notitie dat ze Tut vandaag op een geschikt moment met een vork moest prikken. Ondertussen spietste ze maar een stuk ananas en probeerde een gesprek met de dames uit Orange County te voeren. 'Zijn jullie met zijn allen in die limousine gekomen?'

Betsy met de dikke billen antwoordde als eerste. 'De chauffeur is een beetje achterlijk. We moesten hem uitleggen hoe je bij Barneys komt.'

Zadie zocht met haar blik naar mimosa. Nergens te vinden. 'Nou ja, misschien doet hij hier geen inkopen.'

De andere vrouwen keken of dat nog niet bij hen was opgekomen.

Eloise zei: 'Grey vertelde me dat je laatst een vreselijk afspraakje had.'

Waarom o waarom vertelde Grey dat aan Eloise?

'Ja, het was inderdaad erg.'

'Maar het is niets vergeleken met het afspraakje dat ik dinsdag had. Met een veroordeelde crimineel. Hij had echt gezeten.' Eloise smeerde trots boter op haar croissantje in de veilige wetenschap dat niemand daar tegenop kon.

Helen slaakte een verschrikt kreetje, zo schokkend vond ze dat. 'Waar heeft hij dan voor gezeten?'

'Aandelenhandel met voorkennis. Twee jaar in een witteboordengevangenis. Dat vertelde hij me pas bij het toetje.'

Zadie wist bijna zeker dat die man het maar had verzonnen om onder een drankje na het eten uit te komen. Mannen met wie Eloise uitging, waren in staat een auto te stelen om maar snel weg te kunnen.

Helen was natuurlijk bezorgd. 'Nou, ik kan alleen maar hopen dat je hem nooit meer ziet.'

'Natuurlijk niet. Wat dacht je wel, na zo'n bekentenis?'

Denise boog zich over de tafel heen om de roomkaas te kunnen pakken. 'Heeft hij nog gezegd of hij in de gevangenis door de andere gevangenen is gepakt?'

Marci en Kim slaakten kreetjes, net als Helen. Verkrachtingen in de gevangenis was een rauw onderwerp tijdens het ontbijt. Of misschien waren ze geschokt dat Denise zo veel zuivelproducten tot zich nam.

Eloise trok haar neus op. 'Daar heb ik niet naar gevraagd.'

Cassandra keek naar Zadies tasje. 'Balenciaga?'

Zadie keek van haar tasje naar Cassandra. 'Alleen als tasjes van Balenciaga tegenwoordig tien dollar op de markt kosten.'

Cassandra lachte niet eens, en Phoebe keek al even uitgestreken. Tegen Tut en Hola maakte je geen grapjes over mode.

Gilda fluisterde in Zadies oor: 'Denk je dat we die twee ergens kunnen dumpen?'

'O, graag!' Zadie lachte breed, blij dat ze ten minste één medestander had.

Helen legde haar servetje op tafel en stond op. 'Wie heeft er zin in kundalini-yoga?' Betsy met de dikke billen, Jane de stewardess, Eloise, Marci en Kim, en Cassandra en Phoebe sprongen allemaal opgetogen op. Denise, Zadie en Gilda bleven zitten. 'Jullie vinden het vast enig. Beloofd. Kundalini is ideaal voor zwangere vrouwen, dus maak je geen zorgen over Denise,' stelde Helen hen gerust.

Denise maakte zich geen zorgen om de baby, ze keek alleen een beetje misselijk terwijl ze haar bord wegschoof. Van wentelteefjes met botersaus zou iedereen onpasselijk worden.

'Kom op, we gaan!' Helen ging de meute voor naar de lift. Denise gaf discreet in de fruitschaal over. Zadie bleef bij haar, en Denise keek met een ellendige uitdrukking op haar gezicht naar haar op.

'Nog twee maanden.'

Zadie probeerde positief te blijven. 'Maar denk je eens in, dan heb je een baby.'

Daar klaarde Denise niet erg van op. 'Precies.'

veertien

Golden Bridge Yoga lag aan 3rd Street. Er was geen parkeerplaats, dus de limousine kwam goed van pas. De andere yogi's in de lobby keken door het raam in de verwachting dat Madonna of een andere beroemdheid zou uitstappen, maar helaas, het waren maar een stel giechelende feestgangers die hier kwamen om te Zennen en hun kundalini-energie te ontdekken.

Zadie had vroeger een paar keer aan yoga gedaan en was tot de ontdekking gekomen dat het niets voor haar was. Maar kundalini werd verondersteld vooral spiritueel te zijn, sommigen hielden vol dat het hen in extase bracht, dus hoopte Zadie dat het net zoiets was als trainen op de dijenmachine op de sportschool. Dat zou ten minste nog een beetje zonneschijn brengen op deze verder donkere dag.

Ze plofte neer op een matje achter in de ruimte, naast Gilda.

'Denk je dat ze het merken als we gewoon gaan slapen?' vroeg Gilda.

'Misschien boffen we en moeten we allemaal onze ogen dichthouden.'

Ze keek naar Tut en Hola, die zich een weg naar voren baanden zodat ze naast Cindy Crawford konden zitten. Helen zat in het midden, omringd door Marci, Kim, Jane de stewardess, Eloise en Betsy met de dikke billen. Denise zat bij de deur, voor het geval ze weer moest kotsen.

Toen de les begon, moesten ze eerst monotoon zingen. Zadie zong mee, al had ze geen flauw idee waarover het ging. Hindi had niet in haar pakket gezeten op de UCLA. Misschien zwoer ze wel wraak te nemen op de ongelovigen. Tijdens het zingen moest je ook wiegen. En ademen, veel ademen. De vuuradem. De hondenadem. Sommigen lieten echt de tong uit de mond hangen en hijgden als honden. Nu ja, dacht Zadie, ik huil maar mee met de wolven... Na een tijdje was het eigenlijk best rustgevend. Volgens de leraar met de tulband op had het te maken met je gevoelens via je middenrif ontladen.

Eigenlijk moesten ze steeds zes minuten lang iets herhalen voordat ze zes minuten lang weer iets anders moesten doen. Zadie raakte pas in extase toen ze eindelijk mochten ophouden. Ze keek om zich heen. Sommigen waren in tranen. Anderen gloeiden van het pas ontdekte kundalini-vuur. Zoals gewoonlijk straalde Helen. Betsy trok haar yogabroekje uit haar bilspleet. Eloise deed of ze een hogere staat van spiritualiteit had bereikt dan de persoon naast haar. Tut en Hola staarden naar Cindy Crawfords billen terwijl ze vooroverboog en vroegen zich af of de hunne dikker waren. Marci en Kim zongen monotoon, ze zongen precies gelijk, ongetwijfeld omdat ze zo vaak met Barney hadden meegezongen. Gilda lag opgekruld een dutje te doen. Jane de stewardess pinkte een traantje weg. Of dat nu van verveling was of van de ontlading van haar gevoelens wist Zadie niet. Denise was weggegaan om in de toiletten over te geven, of misschien gewoon om een ommetje te maken.

Als laatste moesten ze allemaal gaan liggen alsof ze dood waren en naar nog meer monotone muziek luisteren. Dat vond Zadie nog het leukste. Maar net toen ze bijna in slaap viel, rees het beeld van Jack voor haar op. Dat lag zeker aan dat verdomde ademen op zijn hondjes en het ontladen van je gevoelens. De beelden wisselden elkaar in rap tempo af. Jack en zij in bed, lachend omdat ze zo'n zin in elkaar hadden. Jacks aanstekelijke opwinding omdat de auditie goed was gegaan, dan bracht hij altijd hamburgers mee. Jack die haar kuste in de mist, die keer dat ze samen naar de HOLLYWOOD-letters waren geklommen toen het hele dal onder een deken van mist lag verscholen, en ze daarop neerkeken alsof zij in de hemel waren en de rest onder de wolken lag. Jack bij het fornuis terwijl hij roerei voor het ontbijt maakte terwijl zij in zijn groene T-shirt van Michigan State vanaf de bank naar hem keek. Die dag dat ze zich samen op het strand hadden bedronken omdat ze elkaar precies een heel jaar kenden, en op het zand hadden geslapen en in elkaars armen wakker werden toen het nog donker was. Dat allemaal. Alle dingen waar ze de afgelopen zeven maanden niet aan had willen denken. Al die beelden wisselden zich achter haar gesloten oogleden af. Haar derde chakra deed pijn van de ontlading.

En net zo snel als de beelden waren gekomen, verdwenen ze weer. Alsof ze zich eindelijk van Jack had ontdaan. Toen de leraar de muziek zacht zette en hun opdroeg de spanningen los te laten en de vrede diep in henzelf te omhelzen en hun goddelijkheid te erkennen, kreeg Zadie het idee dat alles toch nog in orde zou komen. Misschien was het allemaal toch niet zo vreselijk als ze had gedacht. Misschien kwam alles nog goed. Ze kon het zich bijna voorstellen.

Nadat ze allemaal *namaste* hadden gezegd en waren opgestaan, keek Eloise naar iemand en vroeg: 'Speelt zij niet in *Days of Our Lives?*' Zadie keek in de richting die Eloise wees en zag het anorectische meisje met het rode haar en de geplukte wenkbrauwen dat Jack had gekust op die dag dat ze in de wachtkamer van Jiffy Lube was gedwongen tv te kijken. Ze droogde haar gezicht met een handdoek af en giechelde met een vriendin. Ze wist natuurlijk niet dat ze net iemand haar zegenrijke gevoel had ontfutseld.

vijftien

Toen de limousine bij Elixir op Melrose voorreed, was Zadie de eerste die uitstapte. Ze had net iedereens commentaar op de yogales moeten aanhoren, en dat kwam nog bovenop de ellende van het met al deze vrouwen in de kleedruimte moeten staan terwijl ze hun leuke rokjes en jurkjes aantrokken die ze de rest van de dag zouden dragen. Zadie had een spijkerbroek en een blauw bloesje meegenomen.

'Was het niet enig? Echt hemels?' vroeg Helen. Iedereen vertelde over de staat van nirvana waarin ze zich hadden bevonden en daar slaakten ze opgewonden kreetjes bij.

'Nu begrijp ik pas hoe het universum in elkaar zit,' zei Eloise. Zadie keek haar aan of ze soms lijm snoof. Eloise wist nog niet eens hoe haar pinpas werkte, laat staan dat ze de werking van de kosmos begreep.

'Zadie, vond jij het wel leuk?' Vol verwachting keek Helen haar aan.

'Ja hoor, het was weer eens wat anders.' Ze had nog nooit tijdens yoga gehallucineerd, dus het was niet gelogen.

'Heb je nu niet het gevoel dat het wel goed met alles zit? Na kundalini voel ik me altijd zo in evenwicht.'

Zadie wist niet goed of ze zich ooit in evenwicht had gevoeld.

Maar dat gevoel dat alles in orde zou komen, was iets wat ze als erg prettig had ervaren.

Elixir was een Aziatisch ogende gelegenheid waar door sjamanen goedgekeurde kruidendrankjes werden verkocht die troostend of herstellend voor de psyche waren. Zadie ging voor de Virtual Buddha omdat die opwekkend zou zijn, en ze was al tijden niet opgewekt geweest. Was Helen daarom altijd zo blij en gelukkig? Zat het leven zo eenvoudig in elkaar dat je met yoga en een kruidendrankje alles de baas kon?

Helen wreef even over Zadies arm. 'Ik ben zo blij dat je er ook bent.' En heel even was Zadie ook blij. Als ze deze dag overleefde met hervonden rust, zou de tijd toch nog goed zijn besteed.

Terwijl ze op de rotan stoelen gingen zitten, gaf Jane Helen de Chi Devil tonic waarvan vrouwen opgewonden zouden raken. 'We moeten je goed op de huwelijksreis voorbereiden.'

Waarom Helen hitsig moest zijn terwijl ze toch maar gingen shoppen, was een raadsel. Ze bloosde en dronk het giechelend op. Ineens kwam Betsy met de dikke billen aangestormd. Daar ging Zadies opgewekte gevoel.

'Oké, wie wil er eerst?' Ze zwaaide met het horoscoopboekje dat ze in de Bohdi Tree had gekocht terwijl de anderen in Elixir op haar wachtten.

'Ik,' zei Eloise. 'Ik ben Kreeft.' Daar leek ze inderdaad wel wat op, vond Zadie.

Terwijl Betsy iedereens horoscoop voorlas en veel geluk, reizen, liefde en autopech voorspelde, keek Zadie naar Helen. Misschien was ze echt een lief meisje dat veel om anderen gaf. En ook al was ze nog zo irritant, het kon zijn dat ze zich daar niet van bewust was, dat ze niet wist dat perfectie storend kan zijn. Ze deed niemand kwaad met haar afkeer van zitzakken. Goed, ze stond snel met haar oordeel klaar, maar daarin was ze niet de enige. Zadie had soms meteen een afkeer van een man omdat hij in haar ogen het verkeerde schoeisel droeg. En dat Helen zo bedachtzaam was om cadeautjes te geven, was misschien minder hinderlijk dan Zadie had aangenomen. Toen ze die ochtend vertrok, had ze voordat ze haar huis verliet een glimp van zichzelf in de spiegel met het Italiaanse mozaïek opgevangen en gezien dat er een klodder mascara op haar wang zat. Het was toch beter om zoiets zelf te ontdekken dan dat de portier of zo je erop moest wijzen. Het was echt een zegen dat ze die spiegel van Helen had gekregen. Helen deed veel goeds.

Zadie keek naar haar lege flesje. Wat had daarin gezeten? Het had haar echt goed gedaan, ze voelde zich helemaal opgekikkerd.

'Zadie, dit ben jij: "Zorg dat anderen je niet beïnvloeden. Je weet zelf wel uit welke hoek je wilt dat de wind waait. Mercurius in retrogade staat het misschien niet toe, maar blijf gericht."' Betsy vertrok haar gezicht. 'Rot dat Mercurius retrogade is.'

Zadie zweeg terwijl de anderen mompelend instemden. Het maakte haar niet uit waar Mercurius stond. De horoscoop op haar trouwdag had gezegd: 'Vandaag is een vreugdevolle dag, je naasten zullen de vreugde in je blik zien.' Zij geloofde er echt niet meer in.

Betsy met de dikke billen haalde nog een boek uit haar tas tevoorschijn. 'Ik dacht dat Helen dit wel kon gebruiken.' Ze hield het boek omhoog: *Hoe iedere man van de dierenriem te verleiden.* De andere vrouwen giechelden overdreven, alsof ze hen een enorme dildo liet zien. 'Wat is Grey?'

'Schorpioen,' antwoordde Helen.

Terwijl Betsy de betreffende bladzij zocht, fronste Zadie haar wenkbrauwen. 'Ik dacht dat hij Maagd was.' Ze herinnerde zich dat Grey een keer zijn horoscoop had voorgelezen toen ze bij Hugo's hadden ontbeten. Hij had geklaagd dat Maagden nooit eens lol hadden. Daarna had hij zijn wafels teruggestuurd naar de keuken omdat ze niet knapperig waren.

'Nee, hij is Schorpioen. Dat weet ik zeker. Dat maakt hem zo mysterieus.'

Mysterieus? Grey? Hadden ze het wel over dezelfde?

Eloise bood uitkomst. 'Zadie heeft gelijk, jongens. Hij is Maagd. Zijn verjaardag valt in augustus.'

Helen keek gekwetst. 'Waarom wist ik dat niet? Ik had kunnen zweren dat hij zei dat hij Schorpioen was.' De anderen hielden hun mond, alsof dit een slecht omen was. Tut en Hola wierpen Zadie een boze blik toe, alsof zij schuld aan het slechte voorteken had.

'Maakt het veel uit? Zijn Maagden psychotisch of zo?' vroeg Zadie.

Helen keek haar ijzig aan. 'Nee, het maakt niet uit, ik ben alleen ontzet omdat ik het niet wist.'

Betsy las voor: 'Er staat dat mannelijke Maagden van orde en perfectie houden.'

Zadie gebaarde naar Helen. 'Zie je nou? Hij houdt van perfectie. Jij bent de perfectie zelf. Het klopt helemaal.'

De serveerster kwam een schaal dun gesneden sandwiches brengen. Zadie zag dat iedereen het beleg ertussenuit haalde en het brood niet opat. Helen at helemaal niet, ze was nog steeds boos.

'Ik had kunnen zweren dat we een lang gesprek hadden over dat hij Schorpioen was.' Ze keek Eloise aan. 'Weet je het echt helemaal zeker?'

Eloise knikte. 'Ik was er al toen hij werd geboren.'

Helen sloeg haar ogen neer. 'Niks voor mij om zo onzorgvuldig te zijn.' Wat een schande, niet weten welk sterrenbeeld je verloofde had... Zadie snapte niet wat er zo erg aan was.

'Jullie gaan pas een halfjaar met elkaar. Je kunt niet álles van elkaar weten.' Zadie wilde behulpzaam zijn, maar de boze blikken van de anderen maakten duidelijk dat ze dat niet was.

Helen keek haar vriendinnen ongerust aan. 'Denken jullie dat een halfjaar niet lang genoeg is?'

'Een halfjaar is zat,' verzekerde Betsy met de dikke billen.

'Een halfjaar is het verschil tussen Up & Go en een potje,' zei Marci.

'Dat is veel,' droeg Kim haar steentje bij.

'Bij mij heeft het nog nooit een halfjaar geduurd,' voegde Jane eraan toe. Kennelijk was ze nog niet echt klaar voor een relatie.

'Vraag maar aan een plastisch chirurg. In een halfjaar kan je lichaam totaal veranderd zijn. Een halfjaar is ontzettend lang,' zei Tut. Zadie bekeek haar eens goed. Zou ze echt over een halfjaar klein en dik kunnen zijn?

'Ik was een halfjaar zwanger voordat ik aambeien kreeg.' Niemand begreep goed wat dat ermee te maken had, maar niemand verwachtte van Denise een zinnige bijdrage omdat ze al drie keer had moeten overgeven en het was pas één uur.

'In een halfjaar kun je het hele land lopend oversteken,' zei Eloise, die altijd dingen beweerde over onderwerpen waar ze niks vanaf wist. Niet dat Zadie wist hoe lang het duurde om van de ene kust naar de andere te lopen, maar ze wist wel dat Eloise nooit verder was gekomen dan Burbank.

Gilda boog zich over de tafel heen en pakte het brood van Helens sandwich. 'Op school had je in een halfjaar zeker twee verschillende vriendjes. Wat maakt het uit?'

Helen was er nog niet gerust op. 'Weet ik, weet ik, maar het is zo raar dat Zadie meer van Grey weet dan ik.'

Iedereen keek Zadie aan of ze net met Grey in compromitterende omstandigheden was aangetroffen.

'Hij is nu eenmaal mijn beste vriend,' zei Zadie. 'Sorry hoor.' Ze wist niet goed waarom ze daarvoor haar excuses aanbood, maar dat scheen van haar verwacht te worden.

Helen kneep in Zadies hand. 'Dat weet ik. En daar ben ik blij om. Hoe moet ik anders achter zijn geheimpjes komen?' Ze lachte naar Zadie en de anderen zuchtten van opluchting. De crisis was afgewend. Maar Zadie wist wel beter.

Het moest allemaal nog beginnen.

zestien

Fred Segal op Melrose was zo'n winkel waar Zadie liever niet kwam. Niet dat er niet genoeg trendy koopwaar was – kleren, sieraden, kaarsen, make-up in overvloed. Zadie was gewoon niet bereid de belachelijk hoge bedragen neer te tellen waar drommen andere klanten gelukkig voor Fred geen probleem mee hadden. Een T-shirt van vijfenzeventig dollar? Kan het je ook lichamelijk bevredigen? Nee? Nou, dan maar liever een T-shirt uit de koopjeshal.

Toen de meiden uit de meterslange limousine waren gestapt, stormden Tut en Hola de winkel in alsof er daar geld werd uitgedeeld. Eloise hield hen goed bij. Er stond vast nog zo'n vlinderbril op haar boodschappenlijstje. Marci en Kim gingen linea recta naar de kinderafdeling omdat het een schande zou zijn als hun ukkepukkies de enigen van de crèche waren die geen merkkleding droegen. Jane de stewardess toog naar de lingerieafdeling en Gilda naar de drogisterijafdeling, zodat Zadie met Helen en Betsy met de dikke billen de spijkerbroeken moest bekijken. Zadie hield een broek omhoog.

'Deze zijn al een tijdje in de mode, maar wil iedereen nou echt mijn bilspleet zien? Volgens mij niet.'

'Broeken met een lage taille zijn flatterend,' kwam Helen voor het modelletje op. Haar bilspleet had waarschijnlijk een gouden randje.

'Zeg Zadie, ken je nog meer geheimpjes van Grey die Helen niet weet?' Betsy accentueerde haar dikke billen door met haar hand op haar heup bij de uitstalling van Lucky Jeans te gaan staan. Ze wachtte erop dat Zadie zou onthullen dat Grey wratten op zijn ballen had of zoiets.

'Helen weet vast alles wat ze moet weten.'

Helen verstarde. 'Hoe bedoel je?'

'Precies wat ik zei.' Zadie raakte in de war van Helens felle reactie. Ze had toch niets bijzonders gezegd?

'Dus er zíjn dingen die ik maar beter niet kan weten?'

Zadie keek geërgerd. 'Dat bedoelde ik niet.' Ze zuchtte, want ze wist dat ze met vragen zou worden bestookt. Ze kon beter een beetje meewerken. 'Grey is als een open boek. Alles wat je wilt weten staat daar. Echt, hij koestert geen duistere geheimen.'

'Niet dat je weet,' zei Betsy. Behulpzaam als immer.

'Nou ja, je weet toch van de travestiet, hè?'

Helen en Betsy verbleekten zo sterk dat Zadie hen gauw gerust moest stellen voordat het wit haar verblindde. 'Grapje.' Zodra er weer kleur op hun wangen kwam, ging Zadie verder: 'Ze was transseksueel, dus Grey is geen homo.'

Helen gooide een spijkerbroek naar haar hoofd en lachte. Ze was blij dat Zadie haar een beetje voor de mal hield. Maar Betsy met de dikke billen keek of ze daar nog niet zo zeker van was.

Zadie liep achter hen aan omdat ze niets beters te doen had. Ze liepen de volgende doolhofachtige ruimte in. Die Fred moest toch eens een paar muren slopen... Daar troffen ze Marci en Kim aan, die een heftige discussie voerden of kleuters wel een navelpiercing mochten.

'In de speeltuin wel,' zei Marci. 'Naar zondagsschool niet.'

'Maar welke boodschap straalt een kleuterbuik uit? Ik wil niet dat kerels de buik van Madison met die van Britney Spears vergelijken. Stel dat ze daar opgewonden van raken,' zei Kim.

Daarna vroegen ze zich af of Duncan wel roze kon dragen. Zadie wilde opmerken dat het ongepast was om tweehonderd dollar uit te geven aan kleren voor een kind dat nog in zijn broek poepte, maar omdat de Virtual Buddha nog niet was uitgewerkt hield ze haar mond.

Toen Eloise en Tut op hun plateauzolen en hoge hakken de trap af kwamen gebonkt, keek iedereen om, ontsteld dat ze hun stem verhieven. Kennelijk hadden ze allebei hun oog op een tasje van Stella McCartney laten vallen. Eloise, die sterker was, had het uit de handen van Tut gerukt en die was nu heel pissig.

'Het is wel duidelijk dat je niet weet hoe je je in een warenhuis hoort te gedragen.'

Eloise betoonde geen spijt van haar overwinning en snauwde: 'Ik heb mijn creditcard het eerst getrokken en daar gaat het om.'

Helen vond het vervelend dat er onvrede in de gelederen heerste en probeerde de gemoederen te sussen. 'Meiden, het is maar een tasje. Maak je toch niet zo druk.'

Maar Tut was het daar niet mee eens. Ze liep stampvoetend naar de drogisterijafdeling. Dat was de benaming voor het oord waar je veel te dure huidverzorgingsproducten en make-up kon kopen. Zadie liep achter haar aan, ze hoopte dat Tut zou gaan huilen. Tut trof Hola bij het badzout aan en zei: 'Het maakt me niet uit dat ze de zuster van de bruidegom is, ze is een kreng.' Dat was Hola met haar eens, en ze troostten zichzelf door aan de kaarsen van veertig dollar per stuk te gaan ruiken.

Met een flesje shampoo met honing in de hand keek Gilda Zadie aan. 'Dit is bij de plaatselijke parfumerie vier dollar goedkoper.'

'Ja, hier moet je niet zijn als je op koopjes uit bent.'

'Dragen mensen dit soort kleren echt?'

'Ik niet.'

'Gisteren was ik even in Helens boetiek en daar was alles ook al zo duur.'

'Je predikt voor eigen parochie. Ik heb alle afleveringen van *Sex in the City* gezien en ik snap nog steeds niet dat ze Carrie zo modieus vonden. Meestal zag ze eruit alsof ze door de wringer was gehaald.'

Daar moest Gilda om lachen. 'Gelukkig. Ik dacht dat het aan mij lag, omdat ik in Boulder woon.'

'Is dit je eerste bezoekje aan Helen?'

Gilda knikte. 'Volgens mij probeerde ze me bij jullie weg te houden. Misschien is ze bang dat ik te veel weet.' Ze knipoogde om aan te geven dat ze een grapje maakte, maar Zadie was geïntrigeerd.

Als Helen een duistere kant had, maakte dat veel goed.

zeventien

Tegen de tijd dat iedereen weer in de limousine zat en de ruziënde partijen waren gescheiden, gingen ze naar Peninsula om thee te drinken. Ja, thee. Niet dat er Engelsen bij waren, maar een echte *high tea* was nu eenmaal iets leuks en meisjesachtigs. Daarom stond het op de lijst. Bedankt, Betsy.

Wat de meisjes uit Orange County niet wisten, was dat Peninsula een waanzinnig duur hotel in Beverley Hills was waar veel callgirls aan de duistere en discrete bar met houten panelen op hun klanten wachtten. Of zelfs in de lichte en zonnige lounge. En in die lounge gingen ze theedrinken. Zadie wist dat wél omdat ze Jackie Collins had gelezen. Dat ze lerares Engels was, wilde nog niet zeggen dat ze geen lekkere boeken mocht lezen.

Toen ze allemaal op smaakvolle banken met hun pink omhoog van de Earl Grey nipten en de enorme boeketten van bijna twee meter hoog bewonderden, vond Betsy dat het tijd werd voor goede raad over het huwelijk.

'Goed, we kunnen het best de kring af gaan en onze eigen geheimpjes voor een goed huwelijk aan Helen onthullen. Wie wil er eerst?'

Kennelijk had Betsy er niet aan gedacht dat Zadie, Jane, Eloise, Hola en Tut niet getrouwd waren. Maar ach, wat deed het ertoe? Ze konden er vast veel van leren.

Denise nam het eerst het woord. 'Vergeet nooit de pil te slikken.'

Helen sloeg speels haar armen om haar heen. 'O, weten jullie dat ik niet kan wachten om mammie te worden? En ook niet om tante te zijn.' Ze wreef over Denises buik.

Denise probeerde blij te lachen omdat ze bijna moeder werd, maar dat ging moeilijk omdat ze zich voortdurend misselijk voelde. 'Nou, omdat jij toch veel komt oppassen, ga ik zodra dit ding eruit gefloept is naar Mexico om daar een week lang op het strand Corona te drinken.'

'Dat zeg je nu, maar let op mijn woorden: zodra je dat hummeltje ziet, piep je wel anders,' verzekerde Marci haar. 'Eén lachje en je wilt hem geen moment meer alleen laten.'

'Ik weet niet of ik daar nou blij om moet zijn of niet,' reageerde Denise.

Betsy zetten haar theekopje neer. 'Dat is geen goede raad voor het huwelijk, dat gaat over kinderen. Zo ver zijn we nog niet.'

Gilda stak haar vinger op. 'Dit is de regel die me het dierbaarst is: als hij zegt dat je bent aangekomen, moet hij een cadeautje voor je kopen, anders vrij je niet meer met hem.'

De anderen zetten hun kopjes ook neer om te kunnen klappen. Zelfs Betsy vond het een goed idee.

'Bravo! Nog iemand?'

Marci vond dat ze haar bijdrage moest leveren. 'Ik vind het een goed idee om eens per maand uit te gaan. Je weet wel, met make-up op en een beha aan, echt buiten de deur.'

Kim knikte instemmend. 'Vooral als er kinderen zijn. Hij moet aan je denken als minnares, niet alleen als moeder van zijn kinderen.'

Marci slaakte een kreetje. 'O ja, dat is zó belangrijk!' Ze keek naar Denise. 'Daarom moet je hem er niet bij hebben tijdens de bevalling. Zodra hij een kind uit je vagina ziet komen, is orale seks besmet. Ik vind dat onze moeders het bij het rechte eind hadden toen ze onze vaders op de gang lieten wachten.'

Zadie zocht met haar blik een serveerster. Als ze het over geboortekanalen hadden, wilde ze daar iets bij drinken.

Het sierde Betsy dat ze er een eind aan maakte. 'Nogmaals, zo ver zijn we nog niet. Heeft er nog iemand goede raad voor Helen die niet met kinderen te maken heeft?'

Zadie sprong er meteen op in. 'Nou, zorg dat hij op de trouwdag goed in de gaten wordt gehouden. Je weet maar nooit...' Dat was als grapje bedoeld, natuurlijk.

De anderen keken haar aan. Ze snapten het niet. Ze zeiden zacht dat dit niet gepast was. Eloise bracht hen op de hoogte: 'Zadies verloofde kwam niet opdagen voor de bruiloft.'

Verschrikte kreetjes. Geen zacht geslurp meer.

Hola was de eerste die iets durfde zeggen. 'Echt? Hij kwam niet opdagen?'

'Nee. Hij kwam gewoon niet.' Zadie snapte niet dat ze dit over zichzelf had afgeroepen. Maar het was ook fijn er grapjes over te maken. Ze had wel eens gelezen dat humor goed voor de mens is.

Gretig bogen de vrouwen zich naar voren. 'En toen?' Gilda was lief, ze klonk echt bezorgd.

'Nou, toen ben ik naar huis gegaan, trok mijn jurk uit en bezatte me.'

'En had hij nog een excuus?' vroeg Jane.

'Hij had het druk in Las Vegas. Met zijn maten. En hij was erachter gekomen dat hij zich nog niet wilde binden. Omdat hij beroemd was geworden en zo.'

Dat trok de aandacht van Hola. 'Is hij beroemd?'

'Een beetje. Hij speelt in een soap, *Days of Our Lives.*'

Hola stompte Tut tegen haar arm. Tut slikte van opwinding bijna het theezakje in. 'Wie speelt hij?'

'Nate Forrester. Eigenlijk heet hij Jack, Jack Cavanaugh.'

Tut deed het bijna in haar broek. 'Was je met Jack Cavanaugh verloofd?'

'Ja.'

'O god! O god!' Tut en Hola fluisterden geagiteerd met elkaar. Dat was Zadie wel gewend. Toen ze nog met Jack ging, was hij een keer in de supermarkt bijna door een stelletje tienermeisjes onder de voet gelopen. En als ze uit eten gingen, was er altijd wel een vrouw in het restaurant die hem herkende en die, als Jack even naar de wc was, naar Zadie toe kwam om te vragen of hij het wel echt was, en of Zadie zijn vriendin was. De eerste paar keer was het nog wel spannend geweest, maar het leuke was er gauw vanaf. Misschien omdat Jack bijhield hoe vaak hij werd herkend.

'Wat een lul,' zei Gilda.

'Ja, hij was zeker geen lot uit de loterij.'

Betsy met de dikke billen vond het niet prettig dat niemand er de aandacht meer bij hield. Ze had haar goede raad voor het huwelijk tot het laatst bewaard en het was vast iets diepzinnigs. 'Nou, ik weet wel zeker dat Grey zoiets nooit zou doen, dus geef ik je nu de belangrijkste raad om een huwelijk tot een succes te maken. Ga nooit boos slapen.'

Ze staarden haar allemaal aan. Wist ze dan niet dat dat op tegeltjes stond? Dat het een cliché met een baard was?

Onmiddellijk werd de aandacht weer op Zadie gericht.

'Wanneer was de bruiloft?' wilde Tut weten.

'Zeven maanden geleden.'

'Wauw. Dan heb je een sterk karakter. Gefeliciteerd.' Waarom feliciteerde Hola haar? Ze hoefde niet gefeliciteerd te worden omdat ze dat met Jack had overleefd, ze had eerder een stevige cocktail nodig als ze dit feestje wilde overleven.

'Och, weet je, om je over zoiets heen te zetten moet je over veel innerlijke kracht beschikken en jezelf diepzinnige vragen stellen, maar uiteindelijk ben ik er een beter mens van geworden.' Zadie bedoelde het sarcastisch, ze wilde haar ellende niet met deze vrouwen delen. Helaas viel het sarcasme de anderen niet op.

'Dat ben ik met je eens,' zei Betsy. 'Helen had me over je "bruiloft" verteld en ik leefde erg met je mee, maar ik denk dat je er wijzer van bent geworden en een nieuwe relatie heel anders tegemoet treedt. Toen ik Barry leerde kennen, dacht ik dat ik nooit meer iemand als Bob zou vinden, maar toen bleek Barry degene te zijn op wie ik altijd kon rekenen. En het is heel belangrijk dat je op iemand kunt rekenen.'

Het laatste waar Zadie behoefte aan had was goede raad op het relatievlak van een vrouw voor wie tot haar vijfentwintigste alle mannen gillend wegrenden. Terwijl de anderen dingen mompelden als: 'Zadie komt er wel weer bovenop', keek ze Denise hulpzoekend aan. En Denise stelde haar niet teleur.

'Weg met die raad voor een goed huwelijk. Laten we Helen tips voor een goed seksleven geven.' Denise hief haar theekopje alsof ze een toast uitbracht. 'Op de enige maagd van achtentwintig in heel Los Angeles.'

Allemaal hieven ze bij gebrek aan beter hun kopje en klonken. Zadie zag dat Gilda naar de grond keek en op haar lip beet, maar voordat ze kon vragen wat er was, zei Jane: 'Gebruik je tanden, maar met mate.'

Terwijl de anderen giechelden, droeg Eloise haar steentje van wijsheid bij: 'De oefeningen van Kegel. Dat kan ik niet genoeg benadrukken. Iedere vijf seconden even knijpen en hij weet niet meer hoe hij het heeft.'

De gedachte aan Eloise die in de penis van een arme stakker zat te knijpen en Helen aanraadde dat met die van haar broer te doen, was te veel voor Zadie. Ze stond op en ging naar de toiletten.

Eenmaal in de mooiste damestoiletten ter wereld overwoog Zadie een paar van de dikke, weelderige handdoekjes te jatten, maar net toen ze haar tasje openritste, kwam Jane binnen. Ze ging in de gecapitonneerde stoel voor de spiegel zitten en begon haar jaloersmakende zijdezachte haar te borstelen.

'Denk je dat we vandaag nog iets te drinken krijgen? Of zitten we vast aan thee en kruidendrankjes?' vroeg Jane.

Ineens bekeek Zadie haar met heel andere ogen. 'Dat vroeg ik me ook al af. We moeten de anderen maar een beetje onder druk zetten. Grey wil dat ik ervoor zorg dat Helens vrijgezellenfeestje leuk is, maar met dit stel lukt dat niet.'

'Betsy heeft er ook de hand in. Ze is nog vervelender dan indertijd op de middelbare school. En dat zusje van Grey... Hou op, zeg. Jammer dat ze niet lesbisch zijn, ze passen perfect bij elkaar.' Ze klikte haar poederdoos open en deed een beetje poeder op haar neus, ook al glom die niet. Jane had zeker geen poriën. Die waren zeker verdampt op die vluchten op grote hoogte.

Ineens kwam er een meisje binnen dat haar lippen ging bijwerken. Gefascineerd keek Zadie ernaar. Er was geen bewijs dat dit een callgirl was, maar ze was mooi, ze had een erg laag uitgesneden decolleté, ze was in dit hotel en ze had een dik pak bankbiljetten in haar tasje. Zadie had er iets onder durven verwedden.

'Hoi Jane.'

Kende Jane callgirls? Dat opende nieuwe perspectieven.

'Hoi Estelle. Alles goed?' Jane was iets minder vriendelijk dan de callgirl, maar toch hartelijk genoeg. Ze keek Zadie aan. 'Klaar?'

Terwijl ze naar de zaal liepen waar de rest van het stel zich bevond, knikte Jane in de richting van de damestoiletten. 'Eens per week vliegt ze eersteklas naar New York. Volgens mij heeft ze een vriend die goed in de slappe was zit.'

'Volgens mij heeft ze een aantal van zulke vrienden,' reageerde Zadie.

Zodra Zadie weer op de bank zat, stelde ze tot haar ontzetting vast dat ze elkaar nog steeds goede raad op seksgebied gaven.

'Je moet zijn bilspleet likken,' zei Hola op een toon die suggereerde dat zij al heel wat bilspleten met succes had bewerkt. Tut knikte instemmend. Kennelijk overlegden ze wel vaker samen en was bilspleet likken uiterst bevredigend.

De anderen vrouwen slaakten kreetjes van afkeer, maar Betsy met de dikke billen ging op het puntje van de bank zitten en fluisterde theatraal: 'Als hij op zijn buik ligt, moet je met je tepels over zijn rug wrijven.'

Ze dacht liever niet aan Betsy's tepels. Eigenlijk klonk het een beetje als de naam van een niet erg best punkgroepje. Betsy's Tepels. Misschien iets voor het voorprogramma van Eloises Pikkenknijpers?

'Doe het licht uit,' stelde Marci voor. 'Dat is veel romantischer.' Wauw. Deze meisjes wisten van wanten.

Tut bleef Zadie maar aanstaren. 'Zeg, heb je nog contact met Jack?'

'Zou jij contact houden met iemand die je bij het altaar in de steek liet?'

'Nou ja, ik wilde het even weten voordat ik je iets vertelde.' Even zweeg Tut, alsof ze een belangrijke mededeling ging doen. 'Drie maanden geleden heb ik Jack Cavanaugh gepijpt.'

Je kon een speld horen vallen.

'Ik kende je toen nog niet, dus er is geen enkele reden om boos op me te zijn,' ging Tut verder.

Zadie zei niets. Dat hoefde ook niet, iedereen kakelde door elkaar.

'Nee toch?' riep Helen uit.

'Waar?' vroeg Betsy.

'Bij het begin beginnen,' zei Eloise. Ze wreef in haar handen van pret om deze afschuwelijke situatie.

Tut boog haar hoofd. 'Niet boos worden, misschien had ik beter niets kunnen zeggen. Ik dacht alleen dat ik het je moest vertellen.'

'Waarom?' vroeg Zadie.

'Dat leek me juist.'

'Waarom?' Zadie zag geen enkele reden waarom ze op de hoogte moest zijn van het feit dat Tut intiem met Jacks pik bekend was. Ze zou zonder deze wetenschap ook lang en gelukkig hebben kunnen leven. Nou ja, misschien niet lang en ook niet gelukkig, maar ze had liever gehad dat deze lellebel haar mond had dichtgehouden. Toen en nu.

'Ik leerde hem in een club kennen. Ik ben dol op die soap en van het een kwam het ander en uiteindelijk belandden we op het parkeerterrein in zijn auto.'

'Je bent niet met hem naar bed geweest?' vroeg Betsy.

'Nee, ik was net ongesteld. Ik wilde niet dat hij op die manier aan me zou blijven denken.'

'Ja, daarvoor heb je te veel klasse,' merkte Denise op. Alleen Tut had niet door dat het spottend was bedoeld.

'En wat gebeurde er na het pijpen?' vroeg Eloise, die niet tevreden was voordat ze van elk vernederend detail op de hoogte was.

'Toen stapte ik uit en ging terug naar de bar. Daarna heb ik hem nooit meer gezien.'

Helen was stil, ontzet dat dit aan het licht was gekomen. Ze legde haar hand op Zadies knie. 'Het spijt me, Zadie.'

'Ik snap het niet,' zei Denise. 'Elke dag werk je met Helen samen. Heeft ze je dan nooit verteld dat haar nichtje door Jack Cavanaugh bij het altaar in de steek is gelaten?'

Tut ging in de verdediging. 'Ik werk daar nog maar twee maanden. Ik wist er echt niet van, echt niet.'

De anderen keken niet erg overtuigd, maar Hola hield haar hand solidair vast. De Verenigde Bilspleetlikkers.

'Jullie begrijpen het niet! Ik keek al naar *Days of Our Lives* toen ik in de brugklas zat!' jammerde Tut.

'Het geeft niet,' zei Zadie. 'Het doet me niks. Ik ben er allang overheen.'

Iedereen keek haar aan of ze loog, en om eerlijk te zijn was dat ook zo, maar ze had geen zin meer om naar die stomme trut in haar fuchsiarode haltertopje te luisteren die zich maar in excuses bleef uitputten.

'Ik ben niet met hem getrouwd, dus wat maakt het mij uit met wie hij het verder aanlegt?' Ze keek Tut recht aan. 'Wat mij betreft pijp je iedereen die je maar wilt.' Niemand wist daar iets op te zeggen en er viel een ongemakkelijke stilte. Zadie zuchtte eens. Het was rot dat medelijden met háár deze kakelende kippen het zwijgen wist op te leggen. 'Wie wil er iets drinken?'

Jane en Gilda staken hun vinger op.

'God, ja,' zei Jane.

'Mag het er maar eentje zijn?' vroeg Gilda.

Betsy met de dikke billen wilde er niet van horen. 'Dat was niet afgesproken. Helen drinkt niet, Denise is zwanger en Marci en Kim hebben kleine kinderen.'

'Als Zadie zo graag iets wil drinken, vind ik dat ze dat moet doen. Waarom niet?' Helen lachte naar haar, extra vriendelijk nu ze wist dat haar collega zich als een slet had gedragen. 'Zullen we naar de bar gaan?'

'Misschien kunnen we beter ergens anders naartoe gaan,' stelde Zadie voor. 'Ik ben bang dat als we in de bar gaan zitten, er misschien mannen zijn die denken dat we daar voor hén zijn.' Tut en Hola zouden zich binnen een paar tellen laten oppikken. Alleen al dat decolleté van Tut was genoeg om de hoerenlopers daar hun portefeuille te laten trekken.

'Waarom zouden ze dat denken?' vroeg Helen onschuldig.

Zadie hoopte dat ze het niet hoefde uit te leggen, en gelukkig schoot Jane haar te hulp. 'Laten we naar de Sky Bar gaan. Daar kunnen we buiten zitten en terwijl de zon ondergaat het glas heffen en...'

'Klinkt goed. Kom, we gaan.' Helen sprong op.

'Maar...' Betsy keek om steun zoekend naar Marci en Kim. 'Dat staat niet op het lijstje, het ligt niet op de route.'

Marci en Kim vielen Betsy bij. 'Ik dacht dat we in de Ivy gingen eten.'

'Dat doen we na de Sky,' zei Gilda.

'Maar daar geven we Helen haar cadeautjes,' sputterde Betsy nog tegen.

Cadeautjes? Shit. Zadie wist dat ze iets vergeten had. Bij wijze van grap had ze een zitzak voor Helen gekocht.

'Dat kan later ook nog,' zei Helen.

'Maar...' Betsy was helemaal uit haar doen door deze verandering in het programma.

'Kom op, Betsy,' zei Denise. 'Even iets drinken en dan houden we ons weer aan de dienstregeling.'

'Het is Helens grote dag,' hielp Eloise haar herinneren.

'Oké,' zei Betsy. Ze gaf toe, maar ze liet duidelijk merken dat ze het er niet mee eens was.

Tut en Hola vonden alles best wat de meerderheid wilde, gewoon om weer in de gratie te zijn. Toen ze merkten dat de meesten iets wilden gaan drinken, pasten ze zich aan. 'Het is vast leuk,' zei Hola.

'Mag iedereen wel zomaar naar binnen bij de Sky?' vroeg Tut. 'Moet je niet op de lijst staan of zo?'

Gilda keek haar aan en forceerde een lachje. 'Misschien kun jij de portier met je charme betoveren. Ze hebben daar vast een forse parkeerplaats.'

Zadie vond die Gilda steeds aardiger.

Toen ze Peninsula uit liepen, zag Zadie Estelle met een oudere man aan de bar zitten. Een man met grijs haar en een duur pak aan. Hij grijnsde breed. Estelle lachte terug. En waarom ook niet? Ze wisten allebei waar ze aan toe waren. Ze verwachtten niets van elkaar dan bevrediging, elk op een ander terrein.

Zadie dacht dat Estelle misschien wel het beste af was van hen allemaal.

achttien

Bij het Mondrian Hotel, waar de Sky Bar was, waren ze wel aan limousines gewend. Het hotel lag aan Sunset Boulevard en was een trekpleister voor feestgangers. Niet dat je dit clubje zo kon omschrijven, maar als het aan Zadie lag, zou de alcohol rijkelijk vloeien.

Terwijl ze uitstapte, hoorde ze Eloise en Hola hitsige geluidjes maken omdat ze een nietsvermoedende man in het oog hadden gekregen. Toen ze hun blik volgde, drong het tot haar door dat het geen man van vlees en bloed was, maar een man die op een enorm reclamebord op het aangrenzende gebouw stond geschilderd – de alomtegenwoordige advertentie van Gap die de blik trok van iedereen die over de drukke Sunset Boulevard reed.

Een Trevor van wel zestig meter lang keek op haar neer. Hij droeg alleen een broek van Gap. Hij stond met zijn duim in de riemlus van zijn broek gehaakt en lachte verleidelijk. In de broek zat iets wat er als een buitenformaat penis uitzag. Wat de mensen van Abercrombie & Fitch in hun catalogus met wijde broeken hadden proberen te verhullen, daar lieten de mensen van Gap de nadruk op vallen. God zegene Gap.

'Kun je het je voorstellen? Eén nachtje maar, één nachtje,' zei Eloise. Ze had het er warm van gekregen. Zadie kon haar wel slaan.

'Ik ken iemand die hem heeft gekend. Ze zei dat hij geweldig was,' zei Hola. 'Vijf jaar geleden was het aan tussen hen. Hij bracht haar elke avond met de auto naar het einde van Mulholland en daar vrijden ze onder de sterren.'

'Vijf jaar geleden zat hij in de brugklas. Hij had toen nog geen rijbewijs,' zei Zadie, en daarmee verstoorde ze de aanbidding van de heilige Trevor. 'Hij is een van mijn leerlingen.'

Eloise rukte haar blik los van Trevors kruis en draaide zich naar Zadie om.

'Zit hij op de middelbare school?' Ze klonk gekweld. Een droom viel in duigen.

'Trevor Larkin?' vroeg Hola, ontsteld dat haar roddel onbetrouwbaar was gebleken. 'Weet je dat zeker?'

'Ik kan je zijn rapport laten zien. Van mij kreeg hij een zesje.'

Helen stond bij de deur van het hotel. 'Kom, meiden. We missen de zonsondergang nog.'

Zadie wierp nog een laatste blik op Trevor en zijn blote borst, toen ging ze naar binnen. Dit was niet het moment om opgewonden te raken.

Terwijl ze door de witte lobby liepen waar het personeel in roomkleurige uniformen rondliep, knikte Jane naar een vrouw aan de balie die met een verveelde uitdrukking op de sleutel wachtte. De vrouw knikte terug en snaaide toen de sleutel uit de handen van de receptionist. Kwaad liep ze naar de lift en ondertussen keek ze op haar horloge. Jane kende nogal wat krengerige types.

'Ik hoop dat we naar binnen mogen,' zei Tut.

'Het is nog vroeg, het lukt vast,' zei Jane. 'Er zitten nu trouwens alleen nog maar toeristen uit Europa en handelsreizigers.'

En inderdaad, toen ze bij het terras bij het zwembad kwamen, waar de Sky Bar was, stond er geen potige, geüniformeerde uitsmijter die uit de hoogte deed. Ze konden zomaar naar binnen en namen plaats op het enorme gebloemde matras bij het terras. Kennelijk geloofde de Sky Bar niet in voorspel, de gasten belandden al in bed nog voordat ze het pand hadden verlaten. Niet dat Zadie klaagde. Op bed liggen in de schaduw van een ficus, met uitzicht op roze bougainville en de stad daarachter was veel beter dan op de bank in het Peninsula zitten. Ze keek Jane aan. 'Goed idee.'

'Buiten iets drinken heeft altijd iets feestelijks,' zei Jane.

'Vanaf nu alleen nog maar feestelijk,' reageerde Zadie. Het was tijd dat het leuk werd. Dat had ze Grey beloofd. Ze keek om zich heen, op zoek naar mogelijke medestanders. Aan de kettingrokende Duitsers op het naburige matras had ze niet veel. Misschien bofte ze en kwamen er Australiërs. Niemand die in LA woonde zou hier voor het donker komen.

Een onmogelijk mooie serveerster in sarong en bikinibovenstukje kwam hun bestelling opnemen. Zadie nam het voortouw. 'Een margarita zonder zout.'

'Gin-tonic,' zei Jane.

'Pinot grigio graag,' zei Gilda.

'Pellegrino voor mij,' bestelde Denise met een sneu gezicht.

'Twee Cosmo,' zei Hola, en ze gebaarde ook naar Tut.

'Dewar met soda,' zei Eloise. Voor de zoveelste keer was bewezen dat ze geen smaak had. Wie dronk er nou whisky?

'Cola light,' zei Betsy.

'Ik ook,' zei Marci.

'Ik ook,' zei Kim.

'Kom op, meiden, drink toch iets. We zijn met de limousine, niemand hoeft nog te rijden,' zei Gilda.

'We zullen het niet aan jullie kinderen vertellen,' beloofde Zadie.

'Een kater is geen pretje als je een peuter hebt. Die begrijpt niet dat mammie zich rot voelt en wil slapen,' reageerde Kim.

Dat was voor Zadie nog een reden om zich niet voort te planten.

'Kan je man niet iets met de kinderen gaan doen?' vroeg Jane.

Marci en Kim keken elkaar aan en barstten in lachen uit. Kennelijk sliepen hun echtgenoten lang uit of waren ze imbeciel.

Helen keek de serveerster aan. 'Een glaasje chardonnay graag.'

Bestelde Helen een glaasje wijn? Goh, dat was echt bijzonder. Dit werd me het dagje wel.

Betsy veerde op. 'Maar je drinkt niet!'

'Dit is mijn vrijgezellenfeestje. Van één glaasje wijn ga ik heus niet dood.'

'Alles wordt er alleen maar beter op,' meende Zadie. 'Ik zou je zelfs twéé glaasjes willen aanraden.'

'Laat het feest beginnen!' riep Eloise.

'Nu wordt het interessant,' zei Gilda tegen niemand in het bijzonder.

Jane schopte haar schoenen uit en mompelde: 'Allemachtig, dat mag ik lijden.'

Er weerklonken oude nummers van Prince, de zon scheen en er kwam drank aan. Het zag er veelbelovend uit. Toen de serveerster met hun drankjes kwam, dronk Zadie haar margarita in een paar tellen op en gebaarde dat ze er nog eentje wilde. De vrouwen gingen in een grote kring zitten en zetten hun drankjes in het midden.

'Dit is nou nog eens een feestje,' merkte Eloise op.

'Wacht, heeft niemand een fototoestel meegenomen?' vroeg Denise. 'We moeten Helens eerste glaasje goed documenteren.'

Marci haalde een wegwerpcamera uit haar tasje en iedereen juichte toen Helen haar eerste slokje nam. 'Mmm, heerlijk!'

Dat was alles. Eén slokje. Welkom in de wereld van: 'heb ik dat echt gezegd?' en: 'waar heb ik mijn beha gelaten?'

Helen nam nog een slokje. 'Laten we een spelletje doen. Welke spelletjes horen bij een feestje als dit?'

'Ik weet niet meer zo goed wat voor soort feestje het is, dus mij moet je het niet vragen,' zei Betsy, met een uitdrukking op haar gezicht die oma Davis 'zo zelfvoldaan als een volgevreten poes' zou noemen.

'Doe niet zo truttig, Betsy. We drinken gewoon een glaasje, we zijn verdomme geen zeelui,' zei Jane. Hmm, lichtgeraakt. Zadie moest haar mening over Jane steeds bijstellen.

'Zullen we "nooit" spelen?' stelde Denise voor. 'Je weet wel, "ik heb nooit in een auto gevreeën." Wie het wel heeft gedaan, moet een slok nemen.'

'Waarom zou iemand in een auto vrijen?' vroeg Betsy.

'Sommigen van ons deden het al op de middelbare school,' lichtte Jane haar in.

Terwijl Hola en Tut besmuikt giechelden, keek Zadie van Betsy naar Jane. Het zag ernaar uit dat het oorlog werd. Betsy bloosde, meer van woede dan van schaamte. Maar Jane had er geen spijt van. Ze nam een slokje gin-tonic en keek welgemoed om zich heen, zoekend naar mannen. Een gebronsde vent met een staartje knikte naar haar.

'Dat was laag,' zei Betsy.

Helen zette haar glas neer en pakte ieder bij een hand. 'Kom op, meiden. We zijn al zo lang vriendinnen...'

'Goed, ik begin wel,' zei Eloise. Ze wilde pronken met het feit dat ze de ruzie in de kiem smoorde. 'Ik heb nog nooit binnen vierentwintig uur met meer dan één man gevreeën.'

'Dat mag ik hopen!' zei Betsy. Helen bloosde giechelend. Gilda fronste nadenkend haar wenkbrauwen. Jane nam een slok. Tut ook. Betsy was ontzet. 'Jane! Wat heb je ineens! Doen stewardessen dat altijd?'

'Ja, Betsy. We moeten met de piloot neuken voordat we aan boord mogen.'

Tut nam het woord. 'Ik heb me nooit door een man op video laten vastleggen.'

Hoe wist ze dat? Jack had wel een videocamera in het dashboard verstopt kunnen hebben. Of misschien had een cameraploeg hem gevolgd en door de achterruit plaatjes geschoten. Iemand die bijhield hoe veel oude dametjes hem tijdens het joggen herkenden, was ook in staat te filmen dat fans hem pijpten.

Tot ieders ontsteltenis nam Eloise een slokje.

'Het was heel smaakvol gedaan. En ik heb de enige band in mijn bezit.'

'Eloise! Weet je dat wel zeker?' vroeg Helen.

'Ik zag hem de band uit de camera halen.'

'Hij had de video aangesloten kunnen hebben staan zonder dat jij dat wist,' zei Jane, die probeerde een beetje onzekerheid te scheppen in de wereld van de vrouw die zich onterecht zeker van alles waande.

'Ik vertrouw hem volledig. Hij is een van mijn cliënten. Hij weet dat ik hem te grazen kan nemen.' Eloise was belastingconsulent, ze was gespecialiseerd in wanbetalers.

'Heb je hem dat extra in rekening gebracht?' vroeg Jane.

Verdomme. Jane was beter op de hoogte dan Zadie zich herinnerde. De Jane die ze zich van Helens slaapfeestjes uit hun tienertijd herinnerde, wist niet eens dat je een pannenkoek moest omdraaien. Ze liet ze aanbranden tot iemand haar erop wees.

'Echt, ik draai hem al jaren een poot uit,' reageerde Eloise.

De serveerster kwam met weer een dienblad vol drankjes. 'Dames, proost.'

'Maar we hebben niets besteld,' sputterde Betsy tegen.

'De heren daar bieden het jullie aan,' zei de serveerster. Ze gebaarde naar een stel mannen aan de overkant van het zwembad die van cognac en sigaren genoten. De dikke met het rode gezicht wuifde. Zijn kapsel gaf aan dat hij waarschijnlijk geen inwoner van Los Angeles was. Hij had iets wat op een matje leek. De meisjes zwaaiden terug en lachten.

'Moeten we hen nou ook iets aanbieden?' vroeg Helen.

'Tuurlijk,' zei Jane.

Betsy keek ontzet. 'Nee, natuurlijk niet! Misschien is hij wel psychopaat of zo.'

'Zijn vrienden zijn wel leuk,' merkte Eloise op. Ze keek naar de man met het welig tierende borsthaar. Ze hadden zeker nog nooit van waxen gehoord.

'We zijn hier niet om met kerels aan te pappen. We zijn hier om te vieren dat Helen gaat trouwen, en om een band te scheppen,' zei Betsy.

'Staat dat in de handleiding?' vroeg Zadie. 'Waarom zijn er voor dit feestje zo veel regeltjes? Ik voel me net op een school met de bijbel.'

'Jij hebt makkelijk praten, jij bent niet twee weken met de voorbereidingen bezig geweest.' Betsy was makelaar in onroerend goed. En niet zo'n beste. Hier, waar de markt bijzonder actief was en waar de prijzen de pan uit rezen, lukte het haar slechts eens per halfjaar een huis te verkopen. Ze had zeeën van tijd over. Haar man Barry, die flink op de kop werd gezeten, betaalde de rekeningen van zijn snel slinkende spaargeld. Zadie voelde zich totaal niet schuldig dat Betsy twee weken over het organiseren van dit feest had gedaan en dat haar plannen nu werden gesaboteerd. Hoe lang duurt het om te beslissen dat ze gingen ontbijten, naar de yoga, een tonic drinken, shoppen en theedrinken? Ze had niet Sea World afgehuurd zodat ze met de dolfijnen konden zwemmen. Bovendien hadden ze al de hele dag dingen gedaan die Betsy's goedkeuring konden wegdragen, en als het nu tijd was om met toeristen met borsthaar te flirten die drankjes hadden aangeboden, dan moest dat maar. Zadie gebaarde de serveerster dat ze de mannen aan de overkant van het zwembad een rondje moest geven.

'Ik ben nog nooit naar de plee gegaan met de deur open,' zette Marci het spelletje voort. Iedereen nam een slokje, behalve haar dikke vriendin Kim. 'Menen jullie dat nou?' gilde Marci. 'Ik zou niet willen dat Tim me op de wc zag.'

'Zei je daarnet niet dat hij bij de bevalling aanwezig was?' vroeg Eloise.

'Ik heb nog nooit gevreeën met iemand die geen Amerikaan was,' zei Denise. 'Ik ben geen racist, hoor, maar ik heb het nog nooit in het buitenland met een buitenlander gedaan.'

Gilda nam een slokje. 'Krokusvakantie.'

Jane nam ook een slok. 'Hoort allemaal bij mijn werk.' Ze lachte zelfvoldaan naar Betsy.

Helen verborg blozend haar gezicht in haar handen. 'O, wat zijn wij een racistisch stelletje!' De wijn steeg haar al naar het hoofd. Met ieder slokje werd ze levendiger, ze gebaarde met haar handen wanneer ze sprak.

'Nou en of,' reageerde Gilda en ze proostte met Helen. 'Ik heb nooit gevreeën met iemand die tien jaar ouder was dan ik.'

Tut en Hola namen een forse slok, Jane een nipje.

'Oudere mannen hebben meer geld,' zei Hola, en daarmee toonde ze nog eens aan dat ze een op geld beluste snol was. Niet dat daar ooit twijfels over hadden bestaan. Het mens droeg zilveren schoentjes. Manolo Blahnik of niet, ze waren lelijk en hoerig. Zadie snapte niets van de aantrekkingskracht die Manolo op de actrices, modellen en hoerige winkelmeisjes had die zijn schoenen droegen. Zat er soms heroïne in de zool verwerkt? Waarom werden vrouwen anders zo duizelig als ze ze aanhadden?

'Ik heb nooit zo veel gedronken dat ik moest overgeven,' zei Kim. Wauw. Kim was de saaiste persoon in de hele bar. Maar daarover had ook nooit twijfel bestaan. Iedereen dronk, behalve Helen. Haar smetteloze slokdarm was onbezoedeld door teruggegeven alcohol.

De serveerster kwam weer met een vol dienblad aanzetten. 'Dames, jullie hebben een fanclub.' Weer wuifden de mannen van de cognac en de sigaren, en de meisjes zwaaiden terug. Dit was prima geregeld. Misschien hoefden ze elkaar nooit te spreken. De vrouwen dronken snel hun glas leeg en pakten het volgende.

Helen giechelde. 'Ik ben een beetje aangeschoten.'

'Twee glaasjes wijn is misschien wat veel voor iemand die niet drinkt,' meende Betsy.

'Van een derde ga ik toch niet dood, hè? Dit is een vrijgezellenfeestje, het is de bedoeling dat ik uit mijn dak ga.' Ze schudde haar haar uit en maakte een danspasje. Grey zou trots op haar zijn, dacht Zadie.

'Er zit toch nog genoeg op het fotorolletje, hè?' vroeg Denise, die deze verandering wel kon waarderen. Marci nam een foto toen Helen sexy poseerde.

Jane klonk met Zadie. 'Mij bevalt deze nieuwe kant van Helen wel.'

'Mij ook,' reageerde Zadie. En dat was niet gelogen. Een aangeschoten Helen was een giller. Ze keek naar de anderen. 'Ik heb Helen nog nooit dronken gezien.' Iedereen lachte en nam een slokje. Gilda aarzelde, maar nam toen ook een teug.

Betsy keek weer geërgerd. 'Als we met dit spelletje doorgaan, laten we het dan goed doen. Ik ben nog nooit... met Grey naar bed geweest.'

Geschokt staarde iedereen haar aan.

'Als je wel met hem naar bed was geweest, had je van ons een schop voor je hol gekregen,' zei Gilda.

Betsy keek Zadie recht aan. 'Ik wil alleen maar weten of dat voor iedereen hier geldt.'

Zadie zette haar margarita neer. 'Dat meen je toch niet, hè?'

'Nou, hij is toch je beste vriend? Ik bedoel maar...'

Jane schudde haar hoofd. 'Betsy, wat ben je toch een oen. Geen antwoord geven hoor, Zadie.'

'Vind ik ook,' zei Denise, en meteen veranderde ze van onderwerp. 'Ik heb nog nooit in de toiletten gevreeën.'

'Ik zou eigenlijk graag willen dat Zadie wel antwoord gaf,' zei Helen.

Ze staarden haar allemaal aan. Ook Zadie, die nu pas echt begreep wat 'verbijsterd' betekende. 'Denk je echt dat ik met Grey naar bed ben geweest?'

'Nee, niet echt, maar omdat het nu toch ter sprake is gekomen, wil ik het weten ook. Ben je met hem naar bed geweest?'

'God nee, zeg!'

Helen verstijfde. 'Hoezo? Vind je hem dan niet aantrekkelijk?'

Zadie kon nauwelijks geloven dat dit gesprek plaatsvond. Helen was werkelijk geïrriteerd. 'Wacht even. Je vindt het jammer dat ik niet met hem naar bed ben geweest?'

'Nee, ik ben alleen een beetje beledigd omdat je net doet of je boven hem verheven bent.'

Zadie gaapte Helen aan. Ze probeerde zich voor te houden dat dit psychotische gedrag door de alcohol was opgewekt. 'Helen, ik ben dol op Grey. Ik voel me niet boven hem verheven en ik heb ook nooit onder hem gelegen. Heb je nu antwoord op je vraag?'

'Ja, dank je.' Ze klokte haar wijn naar binnen en zocht met haar blik de serveerster. 'Waar is dat mens in haar bikini? Ik moet meer wijn hebben.'

negentien

Terwijl Zadie probeerde bij te komen van de beschuldiging dat ze met Grey het bed in was gedoken, kwam de man met het rode gezicht op het groepje af gelopen.

'Dames, mag ik me even voorstellen?' Hij had een zuidelijk accent en zijn kaki broek mocht wel eens worden gestreken. 'Of wordt dit zo'n verhouding waarbij we onze identiteit geheim houden?'

Marci en Kim giechelden. Ze waren het kennelijk ontwend met goedkope clichés in een bar te worden versierd. Hola en Tut keken geërgerd. Zij wisten er duidelijk alles van.

Helen lachte breed. 'Ik ben Helen. Dit is mijn vrijgezellenfeestje.'

De man bekeek haar nog eens goed en legde toen theatraal zijn hand tegen zijn voorhoofd, als een jonkvrouw die gered moest worden. 'Nee! Het is niet waar!'

'Sorry.' Helen giechelde.

'Nou, ik stel me toch maar even voor. Voor het geval je op je beslissing terugkomt.' Hij knipoogde vet. Hij vond zichzelf zeker een echte man van de wereld. 'Jim James. Mijn maten en ik zijn hier voor zaken, we komen uit Atlanta. We hoopten dat jullie misschien met ons uit wilden, een beetje de bloemetjes buiten zetten en zo.'

Betsy kapte het meteen af. 'We gaan zo naar de Ivy om te eten. Dit is een damesaangelegenheid.'

'Dat is nou jammer. Mijn zes maten zouden jullie dolgraag beter leren kennen.' Meteen begonnen de maten te zwaaien. Ze waren niet afzichtelijk, maar ook niet bepaald aantrekkelijk. Jim was nog de knapste van het stel.

'Waarom komen jullie er niet gezellig bij?' vroeg Helen. Dat leverde haar boze blikken van Betsy, Tut en Hola op. Kennelijk voldeden Jim en zijn maten niet aan hun eisen.

Zadie lachte naar Jim. 'Wat een goed idee! Schuif een paar stoelen bij, dan maken we er een feest van.' Alles om Betsy en Tut te ergeren. En Hola, niet te vergeten.

'En dat is ook een goed idee. Ik haal mijn maten even, ben zo terug.' Hij liep naar zijn vrienden om de uitnodiging door te geven. Ze tikten de as van hun sigaren en pakten hun dekstoelen op.

De vrouwen bedolven Helen en Zadie onder protesten. 'Waarom nodigen jullie hen nou uit? Nu moeten we met ze praten!' jammerde Betsy.

'Rustig maar, Betsy, het is maar een geintje,' zei Helen.

'Ik vraag me af of Grey het ook geinig zou vinden,' merkte Eloise op.

Zadie sloeg haar blik ten hemel. 'Dit is een openbare gelegenheid en we zijn allemaal volledig gekleed. Ik denk niet dat hij er een probleem mee heeft, Eloise. Drink nog wat, knoop een gesprekje met een van die mannen aan en wie weet, misschien kun je nog een video aan je verzameling toevoegen.'

Voordat Eloise kon reageren, klaagde Hola: 'Maar het zijn losers. Ze wónen niet eens in LA!'

'Niet zo verdomd snobistisch,' wees Helen haar terecht. Iedereen keek haar met open mond aan. Had Helen echt gevloekt? 'We drinken een glaasje met hen en dan gaan we eten. Doe niet zo flauw, jongens, het is *míjn* feestje!'

Zadie kon er niets aan doen, ze barstte in lachen uit. Afgezien van het moment waarop Helen had gevraagd of ze het bed met Grey deelde, leek de alcohol haar in iemand te veranderen met wie je lol kon hebben.

Denise bleef Helen maar aanstaren. 'Zeg, wat *héb* jij?'

Helen lachte en hief het glas naar de mannen die met hun stoelen kwamen aanzetten. 'Het is *míjn* vrijgezellenfeestje.'

Nadat iedereen zich had voorgesteld en er nog een rondje was besteld, kwam er een levendige conversatie op gang. De heren bleken vloerbedekking te verkopen. Een fascinerend gespreksonderwerp. Gelukkig beseften ze zelf ook dat hun beroep niet geschikt was voor luchtige borrelpraat, dus sneden ze onderwerpen aan als waarom het in de zuidelijke staten beter was dan waar ook, hoeveel biefstuk ze naar binnen konden werken, en het feit dat alleen whisky echt drinkbaar was.

Ook al had Zadie de mannen er wel de hele avond bij willen hebben om de snobs in haar gezelschap te ergeren, ze vond hen verschrikkelijk saai. Haar gesprekspartner heette Billy en hij wreef steeds met zijn voet over de hare. Dat was het nadeel van op een reusachtig matras zitten.

'En, wat staat er vanavond nog meer op jullie programma? Want als jullie een stripper nodig hebben, weet ik wel iemand.' Hij gaf haar een knipoog terwijl hij haar voet bewerkte.

De gedachte aan Billy die zijn overhemd en broek uittrok was al net zo aantrekkelijk als zijn aanbod even daarvoor om haar voeten te likken. Ze had het weggewuifd, maar hoe langer hij met haar voetjevrijde, des te duidelijker werd het dat hij het meende.

Jane had het moeilijk met een charmeur die Bobby heette. Hij hield vol dat hij een keer bij haar aan boord had gevlogen en dat ze hem toen een extra zakje pinda's had gegeven. Gilda zat opgescheept met een hufter die steeds wilde dat ze ijsblokjes opgooide, die hij dan met zijn mond opving. Betsy, Eloise, Tut en Hola zaten in een hoekje te klagen dat Zadie Helen had aangemoedigd, en Marci en Kim waren betoverd door Buddy, die niet voor hen onderdeed wanneer het op luierverhalen aankwam. Denise was in het toilet om over te geven.

Ondertussen was Helen nu officieel dronken. Ze praatte met Jim, die van de gelegenheid gebruik maakte.

'Juffrouw Helen, iets zegt me dat je nog niet helemaal klaar voor het huwelijk bent.' Hij tikte tegen het puntje van haar neus. Helen giechelde.

'Jawel, ik heb altijd al een bruidje willen zijn.' Ze sprak nog net niet met dubbele tong.

'Maar ben je er wel klaar voor om echtgenote te zijn?' vroeg hij.

'Natuurlijk, ik hou van hem.'

'Schat, na nog een paar drankjes hou je nog meer van mij. Wie zegt dat het niet het lot is dat we elkaar nu leren kennen?'

'Omdat als dat het lot was, ik niet over twee dagen zou trouwen.'

'Misschien.' Hij legde zijn hand op haar dij en die duwde ze niet weg.

Zadie sloeg even geen aandacht op Billy's fascinerende verhaal over hoe hij een keer van zijn paard was gevallen en keek naar Helen. Tot haar schrik zag ze nog steeds die hand op Helens dij liggen. Helen leek diep onder de indruk van zijn zuidelijke accent en zijn grote bruine hondenogen. O jee. Zadie keek hulp zoekend om zich heen. Jane gaf Bobby een por toen hij zijn gezicht in haar hals drukte. Gilda liet haar trouwring aan haar opdringerige bewonderaar zien. En Tut en Hola zaten nog veilig in hun hoekje. Kim en Marci waren bij hen gaan zitten, moe van Buddy's verhalen over poepluiers.

Billy kwam bij de climax van zijn verhaal. Iets over een slang op de weg en een steigerend paard. Zadie probeerde een geschrokken gezicht te trekken en aandachtig te knikken, maar toen ze weer naar Helen keek, zou ze durven zweren dat Helens hand in Jims kruis lag. Jezusmina! Grey had haar opgedragen Helen ietsje losser te laten zijn, niet Helen iemand manueel te laten bevredigen.

'We moeten maar eens gaan.' Zadie stond op.

Vragend keek Helen op. 'Waarom heb je zo'n haast?'

Gilda was het met Zadie eens. 'We zouden toch gaan eten?'

Jane duwde Bobby weg en stond ook op. 'Oké.'

Tut, Hola en de mammies wilden ook weg. 'Dat werd tijd,' zei Betsy. 'We zijn al laat, ik had gereserveerd.'

Helen keek op. 'Die Ivy kan de pot op. Ik wil vléés.'

twintig

Ze hadden niet bij de Palm gereserveerd, maar besloten het er toch op te wagen. De Palm was een pretentieloos restaurantje aan Santa Monica Boulevard, gevestigd in een roomkleurig gebouw met een groene luifel. Binnen hingen karikaturen van beroemdheden aan de muur en er werd aan tafel bediend door mannen die daar al jaren en jaren werkten. Jim had gezegd dat de beste biefstuk van de stad in deze tent werd geserveerd.

Toen ze binnenkwamen, ging Helen linea recta naar een onbezette tafel zonder eerst met de ober te overleggen. Zodra die zag dat ze flink aangeschoten was, besloot hij hen die tafel maar te geven. Dat was beter dan een scène schoppen. Toen hij zich omdraaide en Helen hem een tik op zijn billen verkocht, maakte hij dat hij wegkwam.

Zodra er een andere ober kwam, zei Helen: 'Ik wil een cocktail.'

Meteen zei Betsy verschrikt: 'Weet je dat wel zeker? Volgens mij heb je wel genoeg gedronken.'

Helen keek Betsy kwaad aan. 'Betsy, als je nog één keer zegt dat ik wel genoeg heb gedronken, vertel ik iedereen dat je een liposuctie hebt gehad.'

Er viel een diepe stilte. Betsy bloosde zo diep dat het bijna hoorbaar was. Ze sloeg haar blik neer. 'Alleen mijn bovenarmen.' Ze trok haar vestje steviger om zich heen en pruilde totdat Hola zei dat haar armen gespierd leken.

Toen de drankjes op tafel stonden, hief Gilda het glas in een poging de lieve vrede te bewaren. 'Kom, laten we het leuk houden. Nu we die klojo's uit Atlanta hebben gedumpt, kunnen we het weer over meisjesdingen hebben.'

Marci haalde een theezakje uit haar tasje en dompelde dat in een glas heet water. 'Niet te geloven, hè, dat die Buddy vijf kinderen heeft.'

'Ze hebben waarschijnlijk allemaal vijf kinderen,' reageerde Eloise. 'Walgelijk, getrouwde kerels die meteen op zoek naar een wip gaan zodra ze op zakenreis zijn.' Om eerlijk te zijn was Eloise vooral kwaad omdat geen van hen had geprobeerd haar te versieren. Rare kapsels en rare brillen schenen niet samen te gaan.

'Ze waren absoluut in voor een verzetje,' was Jane het met haar eens.

'En die Jim, die zat je zowat te betasten, Helen. Ik had bijna de beveiliging erbij gehaald,' ging Eloise verder. Het klonk beschuldigend. Helen sloeg er geen acht op, ze was te druk bezig met haar olijf van het plastic prikkertje te zuigen, een wulpse vertoning voor de hulpkelner die vanaf de overkant zat te kijken. Hij lachte naar haar en riep zichzelf toen tot de orde.

Betsy had het gezien. 'Helen, wat is er in je gevaren?'

'Nou, Grey in elk geval niet.' Ze sloeg op tafel en keek hen om beurten aan. 'Weet je, we hebben nog nooit geneukt.'

Weer die diepe stilte. Toen: 'Jezus!' 'Je bent hartstikke teut!' 'Zo ken ik je helemaal niet...' en het nu vertrouwde refrein: 'Volgens mij heb je nu wel genoeg gedronken.'

Maar Helen liet zich niet kisten. Ze nam een slokje van haar cocktail en ging gewoon verder. 'Wedden dat als de kerels in dit restaurant wisten dat ik nog maagd ben, ze me zouden proberen te versieren?'

Betsy keek bezorgd. 'Dat ga je hun toch niet vertellen, hè?'

'Dat mag ik hopen,' zei Eloise. 'Waarom zou je hen aanmoedigen?'

Helen keek naar de man van een jaar of vijftig met een vrijetijdsjasje aan die aan de tafel naast hen zat. Hij was aan het dessert bezig, samen met zijn vrouw die een botoxbehandeling had ondergaan. Helen boog zich naar hem toe en tikte hem op de arm. 'Wel eens een maagd gehad?'

Vol afschuw keken ze haar aan.

Helen zoog de volgende olijf van het prikkertje. 'Wil je er eentje?'

Terwijl de bedrijfsleider hen naar de deur begeleidde, gilde Helen: 'Het was maar een geintje! Zeg, jullie denken toch niet dat ik die gozer wil neuken?' De anderen sleurden haar naar de limousine. Betsy legde haar hand zelfs op Helens mond.

Zadie bleef achter om haar excuses aan te bieden aan het paar dat Helen zo had geschoffeerd. 'Meestal doet ze niet zo. Over twee dagen gaat ze trouwen, dat roept zo veel spanningen op dat iedereen eronder zou bezwijken. Het spijt me echt heel, heel erg.' Het paar wilde van geen excuses weten. Kennelijk was dit etentje ter gelegenheid van hun zoveeljarig huwelijk en was het nu door een sloerie van een maagd verstoord. Zoiets hadden ze absoluut niet in de Palm verwacht.

Eenmaal weer onderweg liet Helen de chauffeur stoppen om champagne te kopen. Ze wilde ook dat hij het dak openzette omdat ze dan staand over Sunset kon rijden. 'Kijk! Nu kan iedereen me zien!' Ze nam een slok uit de fles champagne en zwaaide naar een stel tieners die in de auto van paps naast hen reden.

'Ze weet niet meer wat ze doet,' zei Kim.

'Kunnen we dan nu alsjeblieft naar de Ivy?' vroeg Betsy, die niets liever wilde dan dat ze zich aan de dienstregeling hielden.

Marci keek bezorgd. 'Is de Ivy niet erg tam? Ik weet niet of ik dat wel kan hebben, twee keer op een avond een restaurant worden uitgezet. Kunnen we niet gewoon naar een drive-in?'

'De In-N-Out Burger lijkt me wel wat,' zei Denise. Ze trok aan Helens korte rokje en riep naar boven: 'Helen, wat denk je van hamburgers?'

'We kunnen haar beter terug naar het hotel brengen en in bed stoppen,' vond Eloise.

Zadie begreep het niet. 'Hotel?'

'We logeren het hele weekend in het Beverly Hills Hotel. We kregen korting omdat de bruiloft daar is,' vertelde Betsy.

'Ja, het hotel lijkt me een goed idee,' stemde Gilda in.

Helen kwam weer binnen en ging zitten met een vastberaden uitdrukking op haar gezicht. 'Weet je waar we naartoe moeten? De Hustler-winkel.'

'Hoezo?' jammerde Betsy. 'Daar verkopen ze porno. De eigenaar is Larry Flynt, een perverseling.'

'Grey wacht er al een halfjaar op om met mij naar bed te mogen. Ik ben hem een geweldige eerste huwelijksnacht verschuldigd. Ze hebben daar toch seksspeeltjes?'

'Stapels,' wist Jane.

'Nou, dan gaan we daarheen. Ik moet seksspeeltjes hebben!'

Eloise was er helemaal voor in. 'Ze schijnen daar ook penisringen te verkopen. Die verhogen zijn genot.'

Zadie was ontzet. Besefte Eloise wel dat ze het over haar bróér had? Zelf kon ze zich Grey niet goed met een penisring voorstellen, maar Eloise leek er geen moeite mee te hebben.

'Ik heb glijmiddel nodig,' zei Hola.

Eloise keek haar aan. 'Droge pruim?'

Tut stootte Hola aan. 'Daar gebruikt ze het niet...'

Terwijl Zadie de wetenschap probeerde te wissen dat Hola het graag van achteren deed, kroop Helen over hen heen om op de ruit te bonken die hen van de chauffeur scheidde.

'We moeten penisringen hebben. Rechtsomkeert!'

eenentwintig

Zadie was nog nooit in de Hustler-winkel geweest. Niet omdat ze zo preuts was, want ze kon van seks genieten. Ze had alleen nooit de behoefte gevoeld met vibrators, bodypaint, dildo's voor anaal gebruik of wat dan ook aan de slag te gaan. Misschien was ze puriteins, maar ze vond dat seks iets was tussen het naakte lichaam van een man en het hare. De gedachte aan een rubberen penis zonder man eraan vast had voor haar weinig aantrekkelijks. Ze verkoos het totaalpakket.

De chauffeur stopte langs de stoeprand. Het heldere neonlicht van de Hustler-winkel scheen op hen neer en nodigde hen uit perversiteiten in alle kleuren en maten in te slaan.

'Ik wacht wel in de auto,' zei Kim.

Denise trok haar aan de arm de auto uit. 'Kom op, misschien vind je nog iets leuks voor je maandelijkse uitgaansavondje.'

Kim keek of ze daar niet zo zeker van was, maar ze liep toch met de anderen mee naar binnen. Haar maatje Marci was avontuurlijker aangelegd, ze zette meteen koers naar de lingerie-afdeling.

Sommige klanten staarden naar Denises dikke buik terwijl ze zich langs de pikante tijdschriften bewoog, maar de meesten gingen zo op in de duizenden video's en dvd's met pornofilms dat ze nergens anders aandacht voor hadden.

Gilda stak een video omhoog om die aan Zadie te laten zien. '*Clownscapriolen.* Daar bestaat een hele serie van! Mensen in clownskostuum die elkaar pakken!'

Zadie pakte ook een band van het schap en las de titel voor: '*Hete holten.* Romantisch, hoor. Welke holten zouden ze allemaal bedoelen? Neusholten ook? Krijg je daar geen infectie van?'

'Allemachtig, kijk eens! Moet je dit zien!' Gilda hield triomfantelijk een dvd op. '*Manneke Pis pist naast de pot!*' Ze keken aan de achterkant of er foto's van pissende dwergen waren, en toen hoorden ze ineens een gil vanuit een hoek van de winkel. Zadie durfde niet te kijken. Maar dat hoefde ook niet. Helen kwam al op hen toe gerend met een dildo voorgebonden.

'Kijk! Ik heb een pik!' Ze liep heupwiegend om hen heen, ook al was het ding knalblauw en zeker twintig centimeter lang.

Zadie sloeg ernaar met *Oma's orgie*, en Helen rende weg om het aan Tut en Hola te laten zien, die vol aandacht over de tepelklemmen stonden gebogen. 'Als iemand me vanochtend had verteld dat ik 's middags Helen dronken met een dildo zou zien rondrennen, had ik het niet geloofd. Bij de vrijscènes in *Blue Lagoon* deed ze altijd haar ogen dicht.'

Gilda zette *Hitsig en heet* weg en keek Helen na. 'Ach, in iedereen zit wel iets wilds.' Ze keken naar Jane, die een bijna doorzichtig hemdje ophield. 'Jane is een wilde, maar die twee debielen uit Helens winkel zijn gewoon hoerig.'

'Och kom, wie pijpt er nou geen volslagen onbekenden op een parkeerterrein?' Toen Gilda haar met opgetrokken wenkbrauw aankeek, zei Zadie snel: 'Grapje.'

'Maar wat is Betsy's duistere geheim? Dat zou ik wel eens willen weten... Er moet iets zijn.' Ze keken allebei naar Betsy, die pluizige boa's omdeed omdat Denise haar daar bijna toe dwong. Zelf had

Denise een cowboyhoed van nepbont op met de tekst: GEEF MIJ BILLENKOEK.

'Ik denk dat ze ranzige chatsites bezoekt. Waarschijnlijk heeft ze een paar vriendjes die in de gevangenis zitten. Een geboeid publiek, daar houdt ze wel van.'

Buiten adem van het met de penis zwaaien kwam Helen wiebelend op haar hoge hakken terug gerend. 'Kom eens mee naar de kleedkamer, jongens! Jane stelt de uitzet voor mijn huwelijksreis samen!'

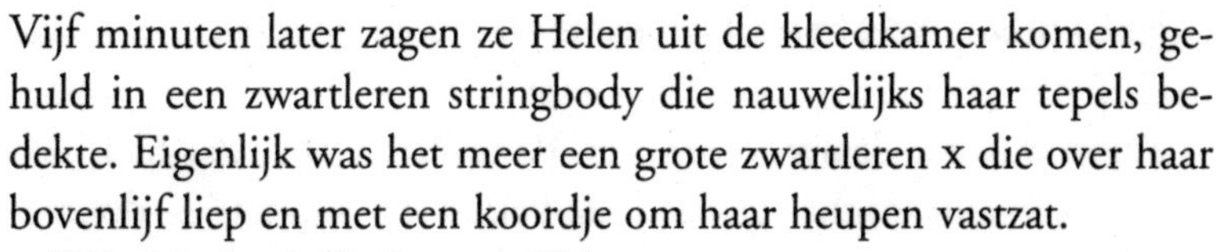

Vijf minuten later zagen ze Helen uit de kleedkamer komen, gehuld in een zwartleren stringbody die nauwelijks haar tepels bedekte. Eigenlijk was het meer een grote zwartleren x die over haar bovenlijf liep en met een koordje om haar heupen vastzat.

'Wat vinden jullie?' vroeg Helen.

'Ik denk dat je het hotel niet uit komt. Waarom ga je helemaal naar de Fiji Eilanden? Blijf toch gewoon in de Comfort Inn,' zei Denise.

Betsy's mond hing open. 'Ik zie je haartjes!'

Marci en Kim sloegen hun handen voor de ogen. 'Ik wil niet kijken,' zei Marci.

'Het is obsceen,' zei Kim.

'Ik vind het geweldig,' zei Tut. 'Grey gaat helemaal uit zijn dak!'

'Echt iets voor een seksbom,' vond Hola.

'Mijn broer boft maar.'

'Sexy,' zei Jane. 'Maar misschien iets té. Grey is daar op de eerste huwelijksnacht misschien nog niet klaar voor. Bewaar dat maar voor de tweede week.'

Zadie wist niets te zeggen. Helen zag eruit als iemand uit een pornoblaadje. Een goed verzorgd, maagdelijk pornomodel. Zelf zou Zadie zoiets zelfs thuis niet durven aantrekken, laat staan dat ze er in een winkel in paradeerde. Er waren al mannen die hun seksmeter neerzetten en dichterbij kwamen.

'Probeer eens iets anders,' stelde Zadie voor. Ze keek om zich heen of er bewaking was, want misschien hadden ze zo'n mannetjesputter nog nodig.

Even later kwam Helen tevoorschijn in een met bont afgezette zijden body met bijpassende bruidssluier.

'Is dit beter?'

Jane knikte. 'Veel beter. Dat is meer iets voor de eerste huwelijksnacht.'

Zadie was het daarmee eens, en de anderen ook. Zij had haar eerste 'huwelijksnacht' gekleed in badjas en slippertjes doorgebracht, dus je kon haar nauwelijks een expert op dit gebied noemen. Ze had op beide slippertjes overgeven, iets waar ze best trots op was.

Een onbenullig mannetje in een windjack stak een haltertopje in de vorm van een maliënkolder op. 'Pardon juffrouw? Kunt u dit ook eens aantrekken?'

Betsy draaide zich om en gaf hem een oplawaai met het eerste het beste wat haar voor handen kwam: een rood kussen van nepbont in de vorm van een penis. 'Dit is geen peepshow!' Teleurgesteld slenterde de man weg. Met de penis nog in haar hand zei Betsy tegen de vrouwen: 'Het is toch niet te geloven... Wat een pervers kereltje! Sommige mensen begrijpen niets van een avondje uit met alleen meisjes.'

'Leuk kussen.' Denise wees naar de penis en toen pas drong het tot Betsy door wat ze precies vasthield. Zadie bereidde zich mentaal voor op een doordringende gil, maar Betsy aaide het kussen.

'Schattig, hè?'

Zadie keek op haar horloge. Het was kwart over negen. Dit moment wilde ze zich altijd blijven herinneren – het moment dat Betsy zich liet gaan.

'Jezus! Kijk eens!' Kim hield een doos vast waarop stond: VRIJGEZELLENFEESTJE (DAMES). 'Dit moeten we hebben! Er zitten spelletjes in!'

Toen ze de winkel weer verlieten, hadden ze een tas bij zich met vijf body's (ook die zwartleren), het rode peniskussen, een opblaaspop met afneembare dildo, de blauwe dildo die je kon omdoen, een zakje penisconfetti, en de doos met spelletjes voor vrijgezellenfeestjes. Tut en Hola hadden glijmiddel met pina colada-smaak gekocht, en Denise, die aldoor aan eten moest denken, had iets gekocht wat piemelkaas heette. Het dingetje van haar man werd verondersteld daarvan groter te worden. Jane had een bruidssluier met duivelshoorntjes voor Helen gekocht die ze de rest van de avond kon dragen omdat dat wel toepasselijk leek.

Zodra ze weer in hun patserige auto zaten en over Sunset Strip reden, stonden ze voor het dilemma waar ze nu naartoe moesten. De seksspeeltjes hadden het gezelschap nieuw leven ingeblazen.

'We kunnen nu niet meer terug naar het hotel,' zei Jane. 'We moeten maar doen wat in de handleiding staat.' Ze hield de doos voor het vrijgezellenfeestje op en begon de lijst voor de vossenjacht door te lezen. '"Zorg dat een man de beha van de bruid aandoet." Eitje. "Laat een man bodygel met een smaakje uit de hals van de bruid likken." Dat mag geen probleem zijn. "Laat een man zijn billen ontbloten en maak daar een foto van met de bruid ernaast." Kijk, dat is nou een uitdaging.'

'Gaan we echt mannen vragen dat allemaal te doen?' vroeg Kim.

'Zeg eens, het was jouw idee om spelletjes te spelen,' zei Denise. Ze gooide een handvol penisconfetti op.

Gilda hield even op lucht in de opblaaspop te blazen. 'Misschien kunnen we beter met deze jongen poseren.'

'Hij ziet er beter uit dan die gozers uit Atlanta,' vond Hola. Ze prikte met haar gelakte nagel in de pop. Het viel Zadie op dat de Franse manicure hoerig was aangebracht, het wit begon al halverwege de nagel. Zoiets is onvergeeflijk.

'Hoe zullen we hem noemen?' vroeg Gilda.

'Hans,' stelde Eloise voor. 'Hij ziet eruit als een Hans.'

Helen blies Hans' afneembare dildo op. 'Kijk, ik pijp! Voor de eerste keer!'

Toen ze langs de Saddle Ranch reden, stonden er al mannen op het terras. Door de open deur konden ze mensen de mechanische stier zien berijden. Het zag eruit als een corpsballenfeest met als thema het Wilde Westen. Met andere woorden, het was perfect. Helen met haar dronken, ranzige opmerkingen paste erbij, niemand zou aanstoot aan haar nemen.

'Stop!' riep Zadie naar de chauffeur terwijl ze de penisconfetti uit haar haar schudde.

Ze draaide zich naar de anderen om. 'Dames, pak uw seksspeeltjes, we gaan in de aanval.'

tweeëntwintig

Het interieur van de Saddle Ranch leek een beetje op een schuur. Het was er vol en warm en de mensen hoorden absoluut niet bij de hippe *scene* van LA. Het was meer een mengeling van studenten, toeristen en mannen in witte poloshirts die elkaar 'ouwe rukker' noemden. Tussen de hooibalen stonden paspoppen opgesteld die als cowgirl waren gekleed.

Binnen een paar tellen had Helen de vice-voorzitter van een studentenvereniging zo ver dat hij haar witkanten beha omdeed. Met haar wegwerpcamera maakte Denise er braaf een foto van. Toen de jongen de beha niet wilde teruggeven, schold Betsy hem de huid vol voordat ze het ding losrukte. Mopperend liep de jongen terug naar zijn maten. 'Dat kreng met de paardenstaart is niet goed bij haar hoofd.'

Even later likte een Zweedse toerist die nogal op Bono leek de bodygel met aardbeiensmaak uit Helens hals. Ondertussen lachte ze in de lens. De man sprak amper Engels en leek niet door te hebben dat het een spelletje was. Hij bleef maar bij Helen in de buurt omdat hij haar weer wilde aflikken. Tut joeg hem weg met een simpel: 'Rot op.' Welkom in Amerika...

Jane hield de lijst op. 'Kom Zadie, je moet een man zoeken die bereid is zijn broek te laten zakken.'

Zadie keek om zich heen en zag een jongen wiens broek zo laag was dat je zijn billen al bijna kon zien. Nee, te gemakkelijk.

Een stuk in een blauw T-shirt liep langs, op weg naar de bar. Hij lachte waarderend naar Zadie, en meteen pakte ze hem bij zijn arm. 'Pardon, maar mogen we je billen zien? Wil je alsjeblieft met de aanstaande bruid poseren?' Ze wees naar Helen, wier gehoornde sluier nu scheef zat omdat ze een Bud Light aan het drinken was.

In verwarring gebracht keek de man Zadie aan. 'Je wilt dat ik mijn billen laat zien? Hier? Nu?'

'Precies.'

Hij haalde zijn schouders op. 'Best.' Zadie gebaarde dat Helen moest komen terwijl het stuk zijn riem losmaakte en zijn boxershort liet zakken. Denise gooide haar het fototoestel toe.

'Helen, nou moet jij naast zijn bilspleet hurken en lachen.' Maar Helen koos ervoor de man in zijn billen te bijten in plaats van lachend te poseren.

'Au!' Met een ruk trok hij zijn broek op en draaide zich naar Zadie om. 'Je had er niet bij verteld dat ze me ging bijten.'

'Sorry. Ik wist niet dat ze zo'n honger had...'

'Gelukkig wilden jullie mijn pik niet zien.' Kwaad liep hij weg.

Helen riep hem na: 'Lul!'

Zadie zou zich schuldig hebben gevoeld als het niet allemaal zo belachelijk was geweest. 'Laat Eloise niet zien dat je vreemde mannen in hun billen bijt. Volgens mij is ze van plan Grey verslag uit te brengen.'

'Eloise kan de pot op,' zei Helen met dubbele tong. 'Nee, wacht, ze kan me mijn reet roesten.' Ze wankelde en liep toen weg om nog een drankje te halen. Hoe ze nog op die hoge hakken overeind kon blijven, was een raadsel.

Gilda gaf Zadie een biertje. 'De mammies zien eruit of ze zich danig vervelen.' Zadie keek naar de bar waar Marci en Kim cola light zaten te drinken. Marci hield het peniskussen als een knuffel tegen zich aan gedrukt en Kim had een boa omgeslagen. Eloise stond naast hen, ze probeerde een student te versieren. Hij keek vol afschuw naar haar. Tut en Hola versierden twee Iraniërs, waarschijnlijk om de huur voor de volgende maand te kunnen betalen. Betsy probeerde Helens drankje af te pakken, maar Helen was sterker dan zij. Jane stond te praten met een man met idiote bakkenbaarden. Voor zover Zadie het kon verstaan, probeerde ze hem te bewegen Helen zijn ballen te laten zien. Denise was in het toilet aan het overgeven.

'Is dit nou een typisch avondje uit in LA?' schreeuwde Gilda boven de herrie uit.

'Meestal zit ik met een fles wijn thuis een video te bekijken. Gelegenheden als deze probeer ik te mijden.' Ze keek naar al die mannen met wie ze nooit van zijn leven een afspraakje zou willen maken. 'Zie je die gozer daar? Hij steekt steeds zijn tong uit om me zijn piercing te laten zien.'

'Ik moet toegeven dat ik blij ben al getrouwd te zijn nu ik zie wat de alternatieven zijn.'

'Waar heb je je man leren kennen?'

'Op de universiteit.'

'Kut!'

'Sorry.'

De menigte die om de mechanische stier heen stond werd steeds lawaaiiger. Zadie draaide zich bezorgd om. Ze zag waar ze al bang voor was. Helen zat op de stier, samen met Hans en zijn opblaasbare penis. Terwijl de stier bokte, deden Helen en Hans of ze aan ruige seks deden. De toeschouwers gaven blijk van hun waardering door hard te schreeuwen en te fluiten. Betsy probeerde haar van de stier te trekken, maar Helen schopte haar weg.

'Allemachtig...' zei Gilda bezorgd.

'Moeten we er een stokje voor steken of een foto maken?' vroeg Zadie.

'Zolang ze het niet met een echte man doet, is er nog geen grens overschreden. Het kan nog net door de beugel, alhoewel het niet fraai is,' reageerde Gilda fronsend.

Helen vond het moeilijk tegelijkertijd haar biertje, Hans en de stier vast te houden. Toen ze een beetje naar links gleed, duwde een stelletje mannen haar snel terug.

'Ze heeft een fanclub,' stelde Gilda vast.

'Altijd al gehad,' reageerde Zadie. 'Liepen de jongens op de universiteit dan niet achter haar aan?'

'Er werd veel geweend, maar niet door haar.'

'Grey ging voor de bijl zodra hij haar zag.'

Zadie herinnerde zich dat nog goed. Ze waren in de kerk voor Denises huwelijksvoltrekking. Ze zaten op de vijfde bank van voren. Helen was getuige en liep voor de bruid uit. Grey verstijfde toen hij haar zag. Hij had Zadies hand gepakt en zonder zijn blik van Helen af te wenden had hij gevraagd: 'Wie is dat?' Hij had het flink te pakken. Alles wat Helen deed of zei maakte het Grey duidelijk dat zij de vrouw van zijn dromen was. En een halfjaar later stond Zadie in een lawaaierige uitgaansgelegenheid te kijken naar Helen, die in het openbaar met een opblaaspop boven op een nepstier zat te vozen om te vieren dat ze binnenkort ging trouwen. De liefde deed wonderen.

'Jezus, niet achterom kijken.' Gilda keek langs Zadie heen en vertrok haar gezicht. Natuurlijk keek Zadie onmiddellijk om. En daar had ze meteen spijt van. Eloise zat met de man met de bakkenbaarden te zoenen. Ze omvatte zijn gezicht, ze raakte die smerige plukken haar aan die helemaal tot zijn kin liepen. Waarschijnlijk was hij tien jaar jonger dan Eloise, en vast en zeker stomdronken dat hij in het openbaar met haar gezien wilde worden.

Gilda schudde haar hoofd. 'Ik snap niet waarom een man met

haar zou willen praten, laat staan zoenen. Niet dat híj een lot uit de loterij is, maar toch... Als hij over een greintje verstand beschikte, probeerde hij jou te versieren.'

'Hij is mijn type niet,' zei Zadie.

'Nee, natuurlijk niet. Waarschijnlijk is hij niet goed bij zijn hoofd. Ik snap alleen niet waarom hij niet probéért jou te versieren in plaats van met háár te zoenen.'

'Ik denk dat ik er niet meer versierbaar uitzie. Soms lachen ze naar me, maar ik kan me niet meer herinneren wanneer een man iets probeerde.'

'Nou, je bent beeldschoon, dus als ze niet op je af vliegen, moet je wel heel sterk iets uitstralen dat ze bij je uit de buurt moeten blijven.' Beeldschoon? Niet echt. Zadie wist ergens nog wel dat ze er aantrekkelijk uitzag, maar beeldschoon ging toch te ver. Misschien vonden ze haar mooi in een boerendorp in Nebraska met een bevolking van honderdvijftig zielen, maar in LA... Nee.

'Waarschijnlijk komt het doordat ik in elkaar krimp en wegkijk als ik hun blik vang. Dat is vast ontmoedigend. Maar ik heb nu nog niet zo'n zin in mannen.'

'Dit klinkt vast heel stom,' zei Gilda, 'maar ik ben aangeschoten, dus moet je het me maar vergeven. Weet je nog dat ze na 11 september zeiden dat als je niet meer met vakantie op reis ging en zo, dat je dan de terroristen in de kaart speelt? Nou, als jij niet meer met mannen uitgaat, speel je Jack in de kaart.'

Daar moest Zadie even over nadenken. Het was inderdaad een met alcohol doortrokken vergelijking, maar vaak zit daar toch wat in. Ze meende echter dat het niet op haar van toepassing was. 'Het is niet zozeer dat Jack dan wint, het is meer dat ik niet nóg eens de verliezer wil zijn.'

Gilda zuchtte. 'Goed, dat snap ik. Echt waar. Maar is er dan helemaal niemand? Ben je niet stiekem verliefd op iemand van de fitness? Of op een man die je in de supermarkt ziet? Je moet in de afgelopen zeven maanden toch wel eens een oogje op iemand hebben gehad?'

Natuurlijk was er iemand. Maar hoe kon Zadie deze aardige en normale vrouw vertellen dat ze met een joch van achttien naar bed wilde?

Jane kwam met een dienblad vol glaasjes tequila aanzetten. 'Drinken.' Zadie en Gilda dronken braaf hun glaasje leeg, en Jane liep verder naar Eloise en haar bakkenbaard. Uit de boxen schalde westernmuziek, de vloer trilde. Zadie begon zich aangenaam teut te voelen.

'Nou, er is wel een man, maar die telt niet omdat het nooit iets kan worden. Het is meer een fantasietje.'

'Wie?'

'Een leerling.'

Gilda gilde opgetogen en pakte nog twee glaasjes van Janes dienblad. 'En ik maar denken dat Jane de wilde was.'

'Hij is achttien, dus het zou mogen. Ik ben geen pedofiel.'

'Wie ben ik om te oordelen?' Ze gaf Zadie een glaasje en ze dronken allebei.

'Weet je nog die poster van Gap bij de Sky Bar? Waarover Eloise en Hola zo stonden te kwijlen?' vroeg Zadie. 'Nou, die is het dus.'

'O lieverd, ik voel helemaal met je mee.' Ze klonken met hun lege glaasjes. 'Ongelooflijk! En je mag elke dag naar hem kijken?'

'Ik heb de catalogus van Abercrombie & Fitch waar hij in staat op het nachtkastje liggen. Daal ik nu in je achting?'

'Nee, ik vind je een heel normale, gezonde, hitsige vrouw. Iemand die die jongen ziet en níet met hem naar bed wil, is of dood of lesbisch.'

'Vanavond treedt hij met zijn bandje op. Hij heeft me uitgenodigd te komen kijken. Eigenlijk heeft hij ons allemaal uitgenodigd,' zei Zadie.

'Waar?'

'Ergens aan de Strip. De Roxy geloof ik.' Ze had daarnet de naam van de band op de luifel gezien toen ze erlangs reden, maar ze probeerde niet opgewonden te lijken.

'Daar gaan we heen!' Gilda maakte bijna een sprongetje van enthousiasme.

'Vind je? Denk je niet dat het een verschrikkelijk slecht idee is?' Zadie kon zich niet voorstellen wat ze zou doen als ze Trevor op het toneel zag. Ze ging in ieder geval niet dansen. En ze ging ook niet vooraan staan, bij de groupies. Maar misschien kon ze onopgemerkt achteraan staan en zich aan zijn schoonheid vergapen.

'Nou, hier kunnen we niet blijven zolang Eloise het met lelijkerds aanlegt. En Helen... O shit.'

Ze keken op en zagen Helen de stier berijden met een doortastende student. Hans lag op de grond, nat van het bier en een beetje leeggelopen na al dat gevoos. Maar Helen hield de corpsbal stevig vast en hij genoot overduidelijk van alle aandacht. Ze zoenden nog net niet, maar hij knoopte al wel haar blouse los.

Zadie zocht met haar blik iemand die dicht bij Helen was. 'Jane!' Ze gebaarde naar Helen.

Jane draaide zich om, ze ging even niet meer op in het stuk in wiens billen Helen haar tanden had gezet. Ze keek terug naar Zadie en schreeuwde: 'Ik doe er wel wat aan.'

Vastberaden marcheerde Jane naar de stier en trok de corpsbal eraf. Hij viel op Hans, zodat die nog verder leegliep. Daarna trok ze Helen voorzichtig van de stier en loodste haar naar de bar. Zadie en Gilda kwamen erbij staan.

'Wat nou? Ik bereed gewoon die stier!'

'Waar is Betsy verdomme?' vroeg Zadie. Gilda wees naar een stoel tegen de muur. Betsy zat met haar armen over elkaar geslagen boos naar hen te kijken. Toen ze Zadie zag wuiven, stond ze op en kwam op hen toe gelopen.

'Nou, ik ben blij dat iemand anders dan ik in de gaten had hoe het met onze aanstaande bruid was gesteld. Ik probeerde haar ervan te weerhouden in het openbaar een seksvoorstelling te geven, maar ze schopte me weg.'

'Ik heb je niet geschopt.'

'Welles!'

Marci en Kim kwamen erbij, ze geeuwden. 'Gaan we hier weg?'

'Dat mag ik hopen,' zei Betsy.

Denise kwam uit de toiletten. 'Wat is er?'

'Je zusje is gek geworden en probeert met onbekenden te vrijen. Dat was niet de bedoeling, ik had de dag heel anders gepland,' antwoordde Betsy.

'Betsy, als ik met iemand probeerde te vrijen, zou me dat lukken ook,' zei Helen. Ze klonk uit de hoogte, iets wat vaak voorkomt bij mensen die zo dronken zijn als zij.

Tut en Hola kwamen ook aangezet. 'Is er iets?'

'Nee,' antwoordde Helen.

'Mooi, want die gozer vroeg net of ik mee wilde gaan shoppen. Ik ben dol op Iraniërs!' zei Tut.

'Nou, geef hem je telefoonnummer, want we gaan hier weg,' zei Gilda.

'Waar gaan we naartoe?' vroeg Eloise, die er ook bij kwam staan. Ze liet Bakkenbaard alleen aan de bar.

Gilda lachte naar Zadie. 'We gaan naar de Roxy.'

drieëntwintig

Eenmaal weer in de limousine begon het geweeklaag.

Betsy was natuurlijk de eerste. 'Ik wil niet naar een optreden van een band. We zouden uit eten gaan en nu is het al halfelf! We hebben het spelletje met leuke feitjes over Helen en Grey nog niet gedaan... Ik heb hun moeders gebeld en nu weet ik waar ze vroeger het liefst mee speelden en nog veel meer leuke dingen uit hun jeugd.'

'Barbies droomhuis,' zei Helen.

'Grey speelde het liefst met zijn G.I. Joe,' zei Eloise.

Denise legde haar hand op Betsy's arm. 'Kijk eens aan, nu hebben we het toch gespeeld.'

Maar Betsy liet zich niet paaien. Ze sloeg haar armen over elkaar en pruilde. 'Vindt niemand het dan erg dat Helen dronken is en obscene dingen zegt en doet?'

'Och, zelfs bij obsceen zijn er gradaties,' zei Jane. 'Tot nu toe is ze nog steeds maagdelijk.'

'Ik ben niet dronken,' zei Helen. Ze zette de lege champagnefles aan haar mond.

'Helen laat de teugels vieren, ze heeft lol,' zei Zadie. 'Trouwens, dat wilde Grey ook graag.' Nou ja, misschien niet dat vozen met corpsballen, maar zolang iedereen zijn of haar kleren nog aanhad, kon het niet echt kwaad.

Helen keek op. 'Wat bedoel je daarmee?'

Jezus, toch niet weer? 'Wat ik zei. Grey wilde dat je lol had.'

'Vindt hij me anders niet leuk genoeg?'

'Helen, hij vindt je perfect. Hij is stapelverliefd op je. Daarom gaat hij over twee dagen met je trouwen.'

'Maar zei hij dat ik de teugels moest laten vieren?'

Zadie keek van Helen naar Eloise, die beschuldigend keek. 'Nee. Hij zei dat ik ervoor moest zorgen dat je je amuseerde.'

'Omdat ik zelf geen lol kan maken? Heb ik daar húlp bij nodig?'

'Helen, doe niet zo raar. Zo bedoelde hij het niet.'

'Je liegt. Hij vindt me opgeprikt.' Helen had gelijk. Grey had wél gezegd dat ze moest proberen Helen de teugels te laten vieren. Maar dat kon Zadie nu niet meer toegeven.

Eloise bemoeide zich ermee. 'Ik denk dat Grey Helen precies goed vindt zoals ze is. Zoals jullie je misschien herinneren, heeft hij haar een aanzoek gedaan.'

'Dat bedoel ik nou net!' zei Zadie. 'Hij houdt van haar en hij wil dat ze lol heeft.' Zo was het wel genoeg. Iedere keer dat ze haar mond opendeed om iets over Grey te vertellen kreeg ze de volle laag. Van nu af aan deed ze haar mond alleen nog maar open om te drinken.

'Nou, als Grey wil dat ik de teugels laat vieren, dan doe ik dat. Bedankt, Zadie.'

Shit.

De limousine kwam tot stilstand en de chauffeur draaide zich naar hen om. 'Dit is de Roxy.' Ze zagen een zwart gebouw van drie verdiepingen met een neonbord en een luifel. Horden muziekliefhebbers stonden in de rij op de stoep. Sommigen zagen er nogal hoerig uit. Of ze echt hoerig waren of dat het een modegril was, viel niet te zeggen.

Tut vertrok haar gezicht. 'Wat moeten we híer?'

Hola viel haar bij. 'Ik wil niet naar het optreden van het een of andere stomme bandje.'

Marci begon te stralen. 'Vorig jaar zomer zijn Kim en ik naar een concert van Rick Springfield in Anaheim geweest. Het was geweldig! Hij ziet er nog net zo uit als toen hij nog in *General Hospital* zat.'

'Toen hij *Jessie's Girl* zong, moest ik bijna huilen,' vertelde Kim.

'We stonden zo dicht bij het toneel dat we bijna zijn enkel konden aanraken,' zei Marci nog nagenietend. Kennelijk moesten Marci en Kim eens vaker het huis uit. In ieder geval beviel het Zadie dat Marci, Kim en zij toch nog iets gemeenschappelijk hadden. Zadie had elke opname die Rick Springfield ooit had gemaakt in haar bezit.

Eloise keek naar de luifel. 'Er spelen hier zes bands, maar geen Rick Springfield.'

'We komen voor één band,' zei Gilda.

'De Surf Monkeys,' zei Zadie.

'En waarom zou ik de Surf Monkeys willen zien?' snauwde Eloise.

'Omdat Trevor Larkin erin speelt,' antwoordde Zadie.

Eloise en Hola kregen bijna een ongeluk, zo snel stapten ze uit. De anderen gingen er maar achteraan, al wisten ze niet goed waarom.

'Wie is Trevor Larkin?' vroeg Kim.

'Die jongen van de Gap-reclame!' zei Eloise. 'Die met de enorme...'

'Allemachtig!' zei Marci. 'Dat viel mij ook al op. Ik wilde eigenlijk niet kijken, maar het is zo opvallend.'

Tut begreep er nog steeds niets van. 'Bedoel je dat Trevor Larkin in dat bandje speelt?'

Gilda keek haar kwaad aan. 'Handjes thuis. Er wordt niet gepijpt.'

'Mag ik wel?' vroeg Jane.

'Hij is van Zadie,' antwoordde Gilda.

'Ze bedoelt dat hij een van mijn leerlingen is.' Zadie had spijt dat ze haar mond niet dichthield, behalve om tequila te drinken. Ze wilde liever niet dat iedereen dacht dat Trevor lustgevoelens bij haar opwekte.

'Ja, natuurlijk bedoelt ze dat.' Jane knipoogde lachend naar haar.

Helen liep voorop naar de deur. 'Denken jullie dat ze mij laten zingen?'

Eenmaal binnen werd converseren onmogelijk, daarvoor was de muziek te hard. Ze bevonden zich in een donkere, kale ruimte waarin het gierende geluid van de gitaren hol weerkaatste. Zadie vroeg de uitsmijter of Trevors band al had gespeeld. Dat bleek niet het geval te zijn. De uitsmijter dacht dat het misschien de volgende band was, maar hij had een enorme tatoeage op zijn kaalgeschoren hoofd: LEK BREIN, dus ze wist niet hoe betrouwbaar zijn informatie was.

Jane gaf een stel jongens vijftig dollar voor hun tafeltje zodat zij daaraan konden zitten. Stewardessen verdienen zeker meer dan ik aannam, dacht Zadie. Het bandje beëindigde het optreden, waardoor de vrouwen even konden praten.

'Het ruikt hier naar bier en zweet,' zei Betsy met opgetrokken neus.

Helen hief haar cocktail. 'Om de teugels te laten vieren.' Ze nam een forse slok en keek Zadie toen recht aan. 'Denk je dat Grey me graag zo ziet?'

Zadie bestudeerde haar. Ze had nog steeds de bruidssluier met de duivelhoorntjes op en Hans' penis om haar heupen, maar achterstevoren, zodat de blauwe dildo door de stoelleuning stak.

'Ik denk dat Grey je heel graag zo zou zien. Ik denk dat hij je sowieso graag ziet.' Ze moest het spelletje maar een beetje meespelen, dat was meestal de beste tactiek.

'Maar hij zal me niet zien kotsen, zoals hij jou toen zag doen.'

Waarom had Grey Helen over dat kotsen verteld? Daar hoefde ze niets van te weten. Niet dat Zadie zich ervoor schaamde. De meeste vrouwen die bij het altaar in de steek worden gelaten slaan aan het kotsen. Maar het maakte haar kwaad dat hij het Helen had verteld. Was dan niets meer heilig? Waren haar geheimen voortaan gespreksonderwerp in het bed van Helen en Grey?

'Nou, gelukkig maar. Zo romantisch is dat niet,' zei Zadie, die het Helen nog steeds naar de zin probeerde te maken, al voelde ze zich verraden.

'Weet je wat romantisch is?' vroeg Eloise. Alsof zij daar ook maar íets van wist. 'In het pikkedonker zitten en elkaar aanraken.'

Zadie probeerde te doen of ze dat niet had gehoord. Van Eloises tips op seksgebied werd ze acuut misselijk, vooral omdat ze van Eloise kwamen. Zadie maakte zich ongerust dat ze na afloop van dit feestje nooit meer onbevangen zou kunnen vrijen.

Betsy keek geërgerd naar het toneel. 'Is dat het fotomodel met de grote pik?'

Zadie volgde haar blik en zag een stel jonge jongens – niet zo jong als Trevor, maar toch erg jong – hun instrumenten stemmen en met stekkertjes rommelen. Net toen ze wilde ontkennen, liep Trevor het toneel op. Hij had een strak T-shirt van Abercrombie & Fitch aan, en zijn broek van Gap zat van boven strak genoeg om te laten zien dat hij een mooi kontje had, maar was ook weer zo wijd dat verhuld bleef waarover hij nog meer beschikte. Hij had zijn zongebleekte haar achter zijn oren gestopt, het zag er fris gewassen uit. Schoon haar is aantrekkelijk bij een man. Mannen die gel in hun haar smeren bewijzen zichzelf en degenen die naar hen moeten kijken geen dienst, vond Zadie. Misschien moest ze eens een ingezonden brief aan de krant schrijven.

'Jezus, wat een kanjer,' kreunde Hola alsof ze werd gemarteld.

Eloise keek naar Zadie. 'Weet je zeker dat hij achttien is? Hij ziet eruit als drieëntwintig.'

'Nu ja, hij kan vijf keer zijn blijven zitten...' Maar gezien zijn werkstukken was dat niet het geval. Ze was blij toen ze bij het eerste werkstuk merkte dat hij intelligent was. Dat was natuurlijk zielig. Het was niet zielig dat hij slim was, het was zielig dat ze daar blij om was. Als hij lelijk was, zou ze er verder niet over hebben nagedacht.

Toen ze hem op het toneel zag, hield ze zichzelf voor dat ze alleen maar hier was om zijn muzikale ambities te steunen. Docenten werden verondersteld de creatieve neigingen van hun leerlingen aan te moedigen. Ze deed gewoon haar werk. Er was niets mis mee dat ze hier zat. Echt niet.

Gilda fluisterde in Zadies oor: 'We gaan pas weg als je hem hebt gezoend.'

Zadie trok een gezicht. 'Dan zitten we hier nog wel even.'

'Hoe oud ben je eigenlijk?'

'Eenendertig.'

Gilda rekende het leeftijdsverschil uit, en dat was niet makkelijk na een paar glaasjes tequila. 'Jullie schelen maar dertien jaar! Demi en Ashton wel zestien!'

Het was niet Zadies ambitie net zo te leven als de mensen op de omslag van een roddelblaadje.

Gilda gaf het niet op. 'Hij vroeg toch of je kwam? Het is niet waarschijnlijk dat hij dat andere docenten ook heeft gevraagd. Dus het moet iets betekenen.'

Zadie keek zoekend om zich heen. Nee, Nancy en Dolores zaten niet in het publiek. Gelukkig maar. En ze zag de docent wiskunde of die slet van vreemde talen ook nergens. 'Ik help hem een plaatsje op Stanford te bemachtigen. Hij probeert me gewoon te vleien.'

Betsy boog zich triomfantelijk over de tafel heen. 'Beseffen jullie wel dat we Helen nog geen cadeautjes hebben gegeven? Die liggen nog in de kofferbak van de limousine. We zouden die cadeautjes tijdens het eten geven.'

'Dat kan straks ook nog. Laten we gewoon maar naar het optreden kijken,' zei Denise. Ze wierp Zadie een begripvolle blik toe, zo van: ik snap dat je dit nodig hebt.

Was dit wat ze nodig had? Moest ze echt naar Trevor op het toneel kijken en zich schuldig voelen omdat ze ervan genoot? Hij stelde de microfoon op de juiste hoogte af. O god, betekende dat dat hij ging zingen? Nu ze erover nadacht, hij leek wel een jongere, blondere versie van Jim Morrison. Deed Jim Morrison aan surfen? Was Trevor de nieuwe Lizard King? Jezus, ze was echt teut.

Toen de Surf Monkeys aan hun eerste nummer begonnen, raakte Zadie in trance. Net als bijna alle andere vrouwelijke aanwezigen. Het viel niet te ontkennen dat Trevor geweldig sexy was. Hij had die perfecte mengeling van brutale speelsheid en dat verdrietige waarvan Zadies hart altijd sneller ging slaan als ze zo'n zanger op de radio hoorde. Hij was een jonge god. De rest van de band stelde niks voor, maar dat deed er niet toe zolang Trevor maar zong. Hij speelde ook nog gitaar. Als iemand haar later zou vragen welke nummers er werden gespeeld, zou ze dat niet weten, maar daar ging het niet om.

Ze schreeuwde in Gilda's oor: 'Is hij echt door een goddelijk licht omgeven of ligt het aan de drank?'

Gilda pakte haar arm beet. 'Luister, je moet het met hem doen en er mij later alles van vertellen. Ik mag het zelf niet, dus ik moet van andermans verhalen genieten.'

Ze bleven ademloos kijken totdat Trevor vooraan het toneel kwam staan en zich boog om zijn groupies toe te zingen.

'Laten we ook vooraan gaan staan!' gilde Hola. Ze pakte Helen bij de hand en sleurde haar mee. Tut volgde hen. Zadie kreeg het er koud van. Waarom had ze hen hier, naar Trevor, gebracht? Straks werd hij nog verliefd op Helen. Of ging hij het in de kleedkamer met Tut en Hola doen. Jezusmina!

Toen ze bij het toneel kwamen, moesten ze zich een weg banen door een stel tienermeisjes met armbandjes die aangaven dat ze minderjarig waren. De meisjes vonden het niet leuk dat een dronken aanstaande bruid met een opblaasdildo om haar middel hen van hun plekje verdrong. Om maar niet te spreken van de twee ordinaire types met hun hoerige designerkleertjes en extreem hoge hakken. Helen moest een paar meisjes met de opblaaspenis om de oren slaan voordat ze een plekje vooraan kon bemachtigen. Zadie herkende een paar meisjes van school en maakte zich zo klein mogelijk.

Trevor keek naar beneden net toen Helen iets naars deed tegen twee tieners met navelpiercings en broeken met wijde pijpen. Haar sluier hing scheef en haar mascara was uitgelopen. Ze sloeg de meisjes met Hans' genitaliën op het hoofd. Trevor vertrok zijn gezicht en wees de basgitarist erop, en die moest erg lachen. Zodra het nummer was afgelopen, keek Trevor Helen aan en zei spottend in de microfoon: 'Iemand hier heeft te veel op.'

Zadie werd weer warm. Trevor werd niet verblind door Helens schoonheid. Hij was nog goddelijker dan eerst. Dit werd echt zielig. Ze had geen excuses nodig om Trevor aardig te vinden. Ze kon beter vluchten. Haar waardigheid behouden. Ze kon beter daaraan denken. Misschien moest ze bij Betsy, Marci en Kim gaan zitten. Die zouden wel iets aan haar wellustige gevoelens kunnen doen. Die brachten haar wel weer op het rechte pad.

De band begon aan het volgende nummer en Helen kwam terug naar hun tafeltje. 'Ik vind er niks aan. Laten we weggaan.'

Betsy staarde met een glazige blik naar het toneel. 'Nog één nummer.'

Marci en Kim waren ook al helemaal in Trevors ban. 'Pas als hij weg is,' stelde Marci voor.

'Rick Springfield kan de pot op,' vond Kim.

Zadie voelde zich gerehabiliteerd. Trevor was onweerstaanbaar. Twee extreem preutste vrouwen uit LA waren het met haar eens. Toen het optreden was afgelopen, kwamen Tut en Hola terug naar de tafel gestormd en vroegen Zadie: 'Denk je dat je ons backstage kunt krijgen?'

Zadie was niet van plan deze twee in contact met de nietsvermoedende Trevor te brengen. 'Nee.'

'Maakt niet uit,' reageerde Hola. 'We wachten gewoon hier. Over een tijdje gaat hij vast naar de bar.'

Dat hield in dat Zadie niet veel tijd had om met hem te praten voordat deze aasgieren zich op hem stortten. Ze stond op. 'Ik ga naar de wc.'

Gilda knipoogde. Jane wierp haar een blik toe, zo van: pak hem! Denise knikte alleen maar en Tut en Hola hadden het te druk met nog meer lipgloss opdoen om het gehoord te hebben. Helen jatte een glaasje van het dienblad waarmee de serveerster langskwam en Betsy probeerde het terug te zetten.

Zodra Zadie backstage was, voelde ze zich een grote stommeling. Wat moest ze zeggen? 'Hoi Trevor, leuke voorstelling, zullen we vrijen?' Docenten zouden niet aangeschoten mogen zijn wanneer ze contact met hun leerlingen hadden, maar ja, het was nu al te laat. Ze was aangeschoten, en het had geen zin daar nu over te gaan piekeren.

Ze zag een stelletje zwijmelende tienermeisjes, ze moest haar doel dus bijna hebben bereikt. Ze stonden bij een deur waarboven stond: KLEEDKAMER. Gelukkig was het niet ver van de toiletten, dus ze kon nog altijd doen alsof ze was verdwaald, mocht Trevor of een andere leerling haar opmerken. Ze dacht erover even gauw een plasje te plegen, maar dan liep ze hem misschien mis, en wanneer ze dan weer in de bar was, zou Tut voor hem zijn neergeknield om...

Toen ze langs de deur liep, hoorde ze: 'Allemachtig, mevrouw Roberts!' Een beetje onzeker bleef ze staan. Kennelijk had hij haar gezien, ze kon niet zomaar doorlopen. Ze koos ervoor zich om te draaien en haar hoofd om de deur te steken, maar voor ze er erg in had stond Trevor al met een biertje in de hand in de gang. 'Leuk dat u bent komen kijken.'

vierentwintig

Zadie leunde tegen de muur. Ze probeerde er nonchalant uit te zien, en ze probeerde ook te verhullen dat ze aangeschoten was. Ze legde haar hand tegen de deursponning om minder wankel te kunnen staan. 'Hoi.' Iets beters wist ze niet te verzinnen.

Hij grijnsde breed. 'Hoe vond u ons optreden?'

'Ik vond je geweldig.'

'U mag best eerlijk zijn, hoor. We weten dat we niet veel soeps zijn. Maar we gaan vooruit.' Voor een jongen van achttien was hij erg zelfverzekerd. Zadie deed haar best bij haar positieven te blijven, maar in het schemerige licht in de gang zag hij er zo gebronsd uit en zijn tanden waren zo wit...

'Je hebt veel talent.'

'Ja? Voor gitaarspelen of voor zingen?'

'Allebei.'

'Dat derde nummer liet ik helemaal de mist in gaan.'

'Daar heb ik niks van gemerkt.'

Hij draaide zich om naar de bandleden, die in de kleedkamer op sjofele banken Heineken zaten te drinken. 'Hé, jongens, mijn docent merkte niet eens dat ik het bruggetje verpestte.' Ze lachten allemaal hardop. Zadie voelde zich een stommeling. Was het zo duidelijk geweest dat hij het bruggetje had verpest? En waarom vertelde hij iedereen dat ze zijn docent was? Hij richtte zijn aandacht weer op Zadie. 'Sorry, maar de drummer gaf me er flink van langs. Heel vervelend.'

Zadie ontspande. Hij stelde haar gebrek aan kennis op prijs.

'Zeg, had u niet een vrijgezellenfeestje of zoiets?'

'Die zijn hier ook allemaal. Volgens mij heb je de bruid gezien, ze stond vooraan.'

Hij lachte. 'Dat meent u niet! Die meid met die sluier en de dildo hoort bij u?'

Het feit dat haar normaal gesproken stijve nichtje Helen een bron van vermaak was wegens haar onzedige gedrag deed er op dit moment niet toe. Ze verdronk in zijn groene ogen. Jezus, dit was echt fijn. Het herinnerde haar aan de tijd dat ze jonger was en in cafés met mannen praatte in plaats van thuis te zitten en zich te verstoppen.

'Jullie hebben zeker nogal wat gedronken voordat jullie hier kwamen,' zei hij.

'Ja, we hebben een paar bars bezocht.'

'Waar gaan jullie straks nog heen?'

Vroeg hij dat omdat hij het wilde weten of uit beleefdheid? Dat kon Zadie niet goed inschatten. 'Dat weet ik nog niet.'

'Waar had ze die dildo vandaan?'

'De Hustler-winkel.'

Hij lachte naar haar. Een lach die misschien kon worden opgevat als een wellustige grijns. 'Heeft u daar ook iets gekocht?'

'Nee, ik had niks nodig.' Jezus, klonk dat niet erg saai? Ze had beter kunnen zeggen dat ze een eetbaar slipje had gekocht of zo. Nee! Nee! Ze was zijn docent! Ze mocht niet met hem over slipjes praten. Ze werd overspoeld door schaamte. Het maakte niet uit dat iedereen het met haar eens was dat hij sexy was, het was hoogst ongepast dat ze nu hier met hem stond te praten. Ze moest hier weg. Nu meteen.

Hij boog zich naar haar toe. 'Niet boos worden om wat ik nu ga zeggen, oké?'

Ze verstarde, zich over haar hele lichaam bewust van zijn nabijheid. 'Oké.'

'Ik was eigenlijk wel blij dat uw bruiloft toen niet doorging.'

Ze wist niet hoe ze daarop moest reageren. Probeerde hij haar te versieren? Het leek er wel op. Waarom zou hij anders blij zijn dat ze niet was getrouwd? Of was hij een sadistische rotzak?

'Hoezo?'

Hij glimlachte. 'Dat kan ik maar beter niet zeggen. Straks blijf ik nog zitten.'

Wat bedoelde hij daarmee? Ach, wat deed het er ook toe. Ze ging hier weg. Nu meteen.

Ze bleef staan waar ze stond.

'Je rapportcijfer is gebaseerd op je werk, niet op wat je in een kroeg tegen me zegt.' Waarom moedigde ze hem aan?

Even hield hij haar blik vast, alsof hij nadacht over of hij wel of niet verder moest gaan. Zadie voelde zich warm worden. Maar net toen hij zijn opmerking wilde uitleggen, liep de drummer de kleedkamer uit.

'Kom op, we gaan naar de bar. Het bier hier is op.'

Zadie wist niet goed of ze zich opgelucht moest voelen of diep teleurgesteld.

Trevor haalde zijn schouders op en keek Zadie aan. 'Gaat u mee?'

'Oké.'

Ze liepen samen de gang door. Hij liep voor haar uit, ze keek naar zijn kontje. Maar het was niet langer een schuldig genot, het was pure schuld. Ze had zich bijna toegestaan te denken dat het in orde was wellustige gevoelens voor hem te koesteren. Maar het was niet in orde. Het was door en door verkeerd.

Zodra ze in de bar kwamen, werd hij door tienergroupies bestormd. 'Trevor, ik hou van je!' Hij bleef staan om handtekeningen uit te delen. Zadie zag Amy, Brittany en Felicia, drie leerlingen, aan de rand van de menigte. Ze boog haar hoofd en liep langs Trevor, ze vluchtte naar hun tafeltje voordat ze kon worden opgemerkt.

'Kom, we gaan,' zei ze.

'Waarheen?' vroeg Jane.

'Maakt niet uit, gewoon weg.'

'Maar straks komt Trevor,' jammerde Hola.

Helen klom op haar stoel. 'Laten we ergens naartoe gaan waar we kunnen dansen!'

Zadie keek haar aan. 'Alleen als je die dildo afdoet.'

'Oké.'

Gilda nam Zadie even apart. 'Wat is er gebeurd?'

'Niks.'

'Niks goeds of niks slechts?'

'Niks wat we moeten achterlaten voordat ik niks meer goed doe,' antwoordde Zadie.

Gilda fronste. 'Dat snap ik niet.'

'Precies. We moeten hier weg.'

Jane kwam erbij staan. 'Hij heeft je versierd, hè?'

'Nee.'

'Nou, waarom ben je anders zo in alle staten?'

'Misschien van al die tequila?' Zadie haalde geld uit haar tasje en legde dat op tafel. 'Ik wacht in de limousine. Rekenen jullie ondertussen af?' Ze moest hier weg voordat Trevor haar zag en er misschien bij kwam zitten. In dat geval was ze niet verantwoordelijk voor haar daden.

In de limousine trof Zadie tot haar grote vreugde vijf nieuwe flessen Moët aan. De chauffeur met zijn borstelige wenkbrauwen lachte naar haar. 'De bruid had me gevraagd in te slaan. Dat is me er eentje, hoor!' Dat kon je wel zeggen...

Zadie ontkurkte een van de flessen en schonk zichzelf een glas in. Ze was net aan een beschamende situatie ontsnapt. Daar moest op geklonken worden. Ze sloeg de champagne achterover en wenste zichzelf geluk. Zelfbeheersing. Wilskracht. Hoge morele standaard. Dat waren goede eigenschappen.

Betsy was de volgende die instapte. Ze schoof snel door naar het verste portier. 'Gelukkig dat je Helen zo ver kreeg die blauwe dildo af te doen. Ik was al bang dat ik verder geen foto's meer kon maken.'

Aangemoedigd door de champagne en haar zelfvoldane gevoel pakte Zadie Betsy's hand. 'Betsy, het spijt me dat het allemaal niet zo is gegaan zoals je had gepland. Het moet heel teleurstellend voor je zijn, maar we moeten ons er allemaal van bewust zijn dat het Helens grote dag is. We zijn hier om haar gelukkig te maken.'

Betsy knikte ernstig. 'Je hebt gelijk. Maar weet je, ik weet niet wat ik van deze nieuwe Helen moet denken... Heb je haar op die stier gezien? Het was gewoon pervers!'

Marci en Kim stapten in. 'Gaat het over Helen?' vroeg Marci.

Zadie knikte. 'Volgens mij ligt het gewoon aan de alcohol. En aan de gelegenheid. En aan al achtentwintig jaar perfect zijn. Dat kon ook niet goed gaan.' Ze gaf Betsy een glas champagne. 'Drink maar op. Dat maakt het de rest van de avond makkelijker voor je.'

Betsy nam het glas aan en dronk het in één teug leeg, daarna keek ze hen beurtelings aan. 'Is het jullie ook opgevallen dat het eerste slokje champagne altijd een beetje naar afval smaakt? Ik kan maar beter nog een glaasje drinken om die smaak kwijt te raken.' Ze hield haar glas op en Zadie schonk nog eens in. Ondertussen stapten de anderen in.

Tut en Hola waren kwaad. 'We kregen niet eens de kans met hem te praten.'

Eloise zei: 'Volgens mij zit hij in de kleedkamer met Pamela Anderson of zo iemand.'

Helen en Denise schoven door. Helen was nog helemaal in hoger sferen. 'Laten we naar de Deep gaan! Daar heb ik in een tijdschrift over gelezen.'

'Als je erover hebt gelezen, is het al uit,' zei Tut.

Zadie keek haar aan of ze gek was. En dat was ze ook. 'We zijn vanavond nergens geweest waar het "in" is. Als we dat hadden geprobeerd, waren we toch niet binnengelaten.'

'Spreek voor jezelf,' snauwde Tut.

Net toen Zadie spijt had dat ze niet gericht kon kotsen, stapten Gilda en Jane in. 'Kijk eens wat we gevonden hebben?' zei Jane.

Ze trok Trevor de auto in.

'Hoi.' Hij klom over Gilda heen en plofte naast Zadie neer. 'Waar gaan we naartoe?'

vijfentwintig

Och jezus.

Trevor zat naast haar. In de limousine. 'Mag ik daar wat van?' Hij wees naar de champagne.

Zadie schudde haar hoofd. 'Ik wil een minderjarige niet op het slechte pad brengen.'

'Ik wel.' Gilda schonk een glas voor hem in. Ze knipoogde naar Zadie. O, wat was die Gilda slecht...

'Je vriendinnen zeiden dat we gingen dansen.' Hij gebaarde in de richting van Jane en Gilda.

'We gaan naar de Deep,' zei Helen.

Trevor lachte. 'Gaaf. Toffe tent.'

'Hoe kom jij al die tenten eigenlijk in?' vroeg Zadie, totaal verrast dat Trevor meer van het nachtleven scheen te genieten dan zij.

'Vals identiteitsbewijs. Een hele goeie. Heeft mijn vader voor me geregeld.'

'Je vader wil dat je kroegen afloopt?'

'Hij is best tof. Een hippie. Hij hecht niet zo aan regels.' Mooi, dacht Zadie, dan diende hij vast geen aanklacht in als ze met zijn zoon naar bed ging.

Tut en Hola staarden hem alleen maar met open mond aan, maar helaas hervond Hola na verloop van tijd haar stem.

'Hoi Trevor. Ik heet Phoebe. Volgens mij ging je vroeger met iemand die ik ken. Josie Altman.' Kennelijk sloeg Hola totaal geen acht op wat Zadie daarover had gezegd, ook al kende Zadie hem en wist ze waarover ze het had. Hola was echt niet goed bij haar hoofd.

'Nooit van gehoord. Zit ze ook op Yale-Eastlake?'

Hola fronste. 'Nee, ze is serveerster in Newport.'

'Daar ben ik nooit geweest. Sorry.'

Hola boog zich naar voren en legde haar hand op zijn knie. 'Ik vind jullie band geweldig. Jullie zijn allemaal geweldig.'

'Bedankt. U moet echt te veel op hebben.'

Gilda leunde naar achteren en keek Zadie achter Trevors rug om aan. Vragend trok ze haar wenkbrauw op, en Zadie keek kwaad terug, zo van: waarom doe je me dit aan?

Trevor pakte de leeggelopen Hans van de vloer. 'Wie is deze arme kerel?'

'Helens vriend,' antwoordde Denise.

'Hij is dood,' zei Helen met een snik in haar stem.

Trevor raapte het rode peniskussen op dat naast Hans lag. 'Is dit van u?' Hij keek Zadie aan.

'Nee, van Betsy.'

Betsy, die aan haar derde glas champagne was begonnen, rukte het kussen uit Trevors handen. 'Ik vind hem lief omdat hij van bont is.'

Met opgetrokken wenkbrauwen keek Trevor Zadie aan. Ze haalde haar schouders op en lachte.

Toen legde Tut haar hand op zijn knie. 'Trevor, gaan jullie een cd opnemen?'

Hij keek haar aan en barstte in lachen uit. 'Wij? Een cd? We kunnen amper onze instrumenten bespelen! We mochten daar alleen maar optreden omdat ik als fotomodel werk.'

'O, ben je fotomodel?' vroeg Eloise. Zadie keek haar aan. Nee, ze deed niet net alsof ze niet wist dat hij model was. Was dit haar idee van koket?

'Een paar reclamecampagnes. Niks bijzonders, hoor. Ik verdien er genoeg geld mee om van de zomer naar Europa te kunnen en niet in een jeugdhotel in een plas wakker te hoeven worden.'

Dat begreep Betsy niet. 'Plas je dan in je bed?'

Trevor lachte. 'O, jullie dames zijn echt helemaal te gek!'

Zadie giechelde omdat Trevor de spijker op zijn kop had geslagen, hij omschreef de 'dames' precies. Maar het stoorde haar dat hij 'dames' had gezegd. In zijn ogen was ze liever een meid, een sexy meid.

Helen sloeg een glas champagne achterover en kwam weer op stoom. 'En Trevor, ben je nog maagd?'

'Helen!' riepen alle vrouwen geschokt uit.

Trevor vatte het goed op. Hij keek Zadie aan, rolde met zijn ogen en keek toen terug naar Helen. 'Hoezo, wilde u me inwijden?'

Helen sloeg haar ogen neer. 'Dat zou je wel willen.'

Eloise wierp tersluiks een blik op Zadie en toen op Trevor. 'Trevor heeft vast een vriendin.'

'Nee, ik ben op het ogenblik zo vrij als een vogeltje. Mijn laatste vriendin was me te bezitterig, daarom begin ik er voorlopig niet meer aan.' Hij legde zijn hand op Zadies been. Ze keek ernaar. Was het de bedoeling geweest dat die hand daar terechtkwam? Misschien wist hij niet waar hij die anders moest laten. Misschien moest zijn hand even uitrusten na al dat gitaarspelen.

Het was Jane ook opgevallen en ze keek Zadie ondeugend aan. Ze schonk Trevor nog eens in. Beschaamd sloot Zadie haar ogen. Haar nieuwe vriendinnen voerden een tienerjongen dronken om haar meer kans van slagen te geven.

'Dit spul smaakt raar. Ik denk dat ik maar wacht tot ik in die club een biertje kan bestellen.' Hij overhandigde het glas aan Zadie. 'Wilt u dit?'

Zadie nam het glas aan en dronk het in één teug leeg. Zijn hand lag nog op haar been. Het was Hola ook al opgevallen, ze keek Zadie kwaad aan.

'Trevor, is Zadie echt je docent Engels?' Ze keek Zadie zelfvoldaan aan alsof ze daarmee wilde zeggen: ik zorg wel dat hij je niet meer als lustobject ziet.

'Ja, ze is de enige docent die ik graag mag.'

'Hoezo?' vroeg Denise. Ze ging zo zitten dat haar zwangere buik hem bijna het zicht op Hola benam.

'Ze is tof.'

Zadie bloosde. Ze was tof, verdikkeme! En doordat een seksbom haar zo bestempelde, was ze nog toffer.

'Ze doet nooit vervelend, zoals de andere docenten.'

'Wie doet er dan wel vervelend?' vroeg Zadie.

'Mevrouw Johnson.'

Nancy. Ja, natuurlijk.

'Wat doet ze dan?'

'Ze wil altijd dat ik iets extra's doe om een beter cijfer te halen.'

Zadie was diep verontwaardigd. Extra werk doen hield in dat je na school in het lokaal moest blijven. Nancy probeerde hem te versieren! Of in ieder geval wilde ze hem voor zichzelf hebben. Hoe moest hij het facultatieve vak creatief schrijven volgen als Nancy hem met haar reageerbuisjes verveelde?

'Het doet er niet veel toe, over vier maanden ga ik studeren, dan ben ik van school af.' Hij keek Zadie aan. 'Heeft u al iemand gevonden die op Stanford is geweest?'

'Ik heb op Stanford gestudeerd,' zei Betsy. Tut en Hola wierpen haar een boze blik toe, buiten zichzelf van jaloezie. Als zij voor hun eindexamen waren geslaagd, hadden zíj Trevor Larkin kunnen helpen.

'Echt?' Trevor veerde op. 'Kunt u een aanbeveling voor me schrijven?'

Betsy schonk haar glas nog eens vol, ze was een echt feestbeest aan het worden. 'Tuurlijk.'

'Dat zou echt gaaf zijn.' Hij keek Zadie aan. 'Ik wist dat u wel iets voor me kon regelen.' Hij kneep in haar knie.

'Ik weet zeker dat de decaan me niet is vergeten,' zei Betsy. 'Ik heb de studentenraad helemaal gereorganiseerd.' Waarschijnlijk had Betsy ook het curriculum en de studentenhuisvesting gereorganiseerd, maar nu Trevor Zadie vanwege Betsy dankbaar was, velde ze maar geen oordeel.

Eloise staarde Trevor nog steeds aan. 'Ben je echt pas achttien?'

'Nee,' zei hij. 'Ik ben negentien. Toen mijn ouders nog met de Dead rondtrokken, vergaten ze me op een school in te schrijven. Ik ben dus een jaar later begonnen.'

Was hij negentien? Het maakte Zadie helemaal blij, net of ze ineens een mooi cadeau had gekregen. Ze wist niet goed waarom dat ene jaar zo veel uitmaakte, maar het was wel zo.

De limousine hield halt en de chauffeur keek achterom. 'De Deep.'

'Weet u,' zei Betsy, 'we weten niet eens hoe u heet.'

'Jerry.'

'Bedankt, Jerry. Bedankt voor alles wat je voor ons doet.' Die Betsy toch. Haar hart liep over van goede wil.

Terwijl ze uitstapten en op Hollywood Boulevard stonden, werden ze verrast door een lange, lange rij mensen die ook allemaal de club in wilden. De club zelf bleek niets meer dan een soort groene schoenendoos te zijn, zonder neonbord of zoiets. Denise keek Helen eens aan. 'Misschien kunnen we beter ergens anders naartoe gaan.'

De portier keek over de talloze hoofden heen en zag Trevor uit de limousine komen.

'Hé man, kom hier.' Hij gebaarde Trevor langs de rij naar de deur te komen.

Trevor wees op Zadie en haar vriendinnen. 'Zij horen bij me.'
'Geen probleem.' De portier deed de deur open en liet hen binnen. Dat beviel de wachtenden helemaal niet, vooral niet toen ze Kim en Marci in hun spijkerbroeken en sportschoenen zagen.

Een meisje met een zwart mini-jurkje aan draaide zich om naar een ander meisje met een zwart mini-jurkje aan en zei: 'Oké, of ik ben dik geworden terwijl ik in de rij sta te wachten, of die twee grieten hebben iemand geneukt dat ze zomaar naar binnen mogen.'

zesentwintig

Eenmaal binnen legde Trevor zijn hand in het holletje van Zadies rug terwijl hij haar door de hippe menigte loodste. Het ging zo gladjes, zo vol zelfvertrouwen. Hij beschikte over meer zelfvertrouwen dan Zadie. In de limousine vol volwassen vrouwen had hij zijn mannetje tegenover Helen, Tut en Hola en Eloise gestaan; hij wist hen zonder enige moeite de mond te snoeren. Nou ja, ze waren natuurlijk lichtelijk teut, maar toch.

Wat de Deep zo aantrekkelijk maakte, waren drie kooien van plexiglas waarin schaars geklede dames stonden te dansen. Er was ook een dansvloertje voor de klanten, afgezet met spiegels. Maar Helen wilde niet met het *hoi polloi* dansen. Zodra ze de kooien zag, wilde ze daar in. De vrouwen die nu in de hokjes aan het dansen waren, zagen er extreem verveeld uit, maar Helen dacht dat het daar ontzettend leuk moest zijn.

Terwijl ze naar de geheime ingang van de kooien op zoek ging, zetten de anderen koers naar de bar. Trevor bestelde een Red Stripe en Zadie een margarita. De tequila had haar immers geen kwaad gedaan? Waarom zou ze ophouden met dat soort drankjes?

Tut en Hola werden meteen ten dans gevraagd en gingen met

hun nieuwe prooi de dansvloer op. Marci en Kim ploften op de barkrukken neer en Betsy, Eloise, Gilda en Jane bestelden drankjes. Denise ging naar het toilet om over te geven.

Zadie stond bij de bar, iedere vezel van haar lichaam gespannen omdat Trevor naast haar stond. Hij legde geld op de bar toen de barman hun drankjes bracht en gaf haar toen haar margarita. Hij klonk met zijn bierglas tegen haar glaasje. 'Op nieuwe ervaringen.'

Zadie nam een slokje. Op welke nieuwe ervaringen dronk hij? Europa? Stanford? Met haar naar bed gaan? Hij leunde tegen de bar en keek haar aan.

'U wordt toch niet boos op me, hè?'

'Waarom zou ik boos op je zijn?'

Hij lachte naar haar zonder antwoord te geven. Het viel Zadie op dat sommige van de aanwezige vrouwen hem herkenden. Maar of hij merkte het niet, of hij deed alsof hij het niet merkte. Hij nam nog een slok bier en zette toen zijn glas neer. 'Laten we gaan dansen.'

Elke hersencel vertelde Zadie dat dit geen goed idee was, maar ze liet zich toch naar de dansvloer brengen. Ze probeerde net te doen of het iemand anders betrof, of zij een toeschouwer was. Ze stond op de dansvloer met Trevor, zijn handen op haar middel, zijn heupen tegen de hare gedrukt. Hij lachte naar haar.

'Ik hoopte al dat het zo zou zijn, maar ik wist het niet zeker,' zei hij.

'Zoals wat?'

'U weet wel.'

Voordat ze kon doorvragen, werd ze afgeleid door Helen, die nu in zo'n hokje stond en een soort striptease deed.

'Shit.'

'Wat is er?'

'Mijn nichtje gaat uit de kleren.'

Hij draaide zich om om te kijken – hij was per slot van rekening nog maar negentien – en ja hoor, Helen had haar topje al uitgetrokken en worstelde nu met de sluiting van haar beha. Toen die eenmaal uit was, wierp ze die met een groots gebaar van zich af, maar het ding raakte het plexiglas en viel op de grond.

Zadie keek om zich heen. 'Hoe kom ik daar zodat ik haar kan tegenhouden?'

Trevor haalde zijn schouders op.

Met haar blik zocht ze Betsy en de anderen. Ze zag hen stevig hijsen aan de bar, het ene drankje na het andere ging naar binnen. Ze waren er zich totaal niet van bewust dat Helen haar borsten aan een ruimte vol onbekenden showde.

De mannen aan de bar begonnen te fluiten en te joelen, ze moedigden Helen aan uit haar rok te stappen. Gelukkig moedigden ze ook een uitsmijter aan Helen uit het hokje te trekken.

'Wacht.' Zadie haalde Trevors handen van haar middel af – met tegenzin – en ging naar de ingang van het hokje. Die was niet moeilijk te vinden omdat de uitsmijter er net met Helen uit kwam. Gelukkig had ze haar kleren weer aan. De uitsmijter duwde haar naar de deur.

Zadie pakte hem beet. 'Wacht!'

Hij draaide zich naar haar om, en Helen zei: 'Dat is mijn nichtje. Zij kan u vertellen dat ik een braaf meisje ben. Ik ben de aanstaande bruid!'

De uitsmijter keek Zadie eens aan. 'Het maakt me niet uit wie of wat ze is. We hebben hier geen vergunning voor topless dansen.'

'Ik beloof u dat ze haar kleren aanhoudt.'

Eloise kwam erbij staan. 'Ik ben haar advocaat. Is er iets aan de hand?'

De uitsmijter nam Eloise op en sloeg zijn blik ten hemel. Hij had schoon genoeg van dit stel. 'Zeg haar dat ze haar verdomde kleren aanhoudt, anders vliegt ze eruit.' Hij liep terug naar zijn plaatsje in de hoek.

Helen keek Zadie aan. 'Hij was helemaal weg van me.'

'Vast.'

Eloise was in haar wiek geschoten. 'Waarom doe je in godsnaam een striptease waar al die mensen bij zijn? Ik zat rustig aan de bar en ineens zag ik je tepels.'

'Ik laat alleen maar de teugels vieren.' Ze grijnsde naar Zadie alsof het allemaal háár schuld was en slenterde toen naar de bar.

Eloise keek Zadie kwaad aan. 'Je bent zeker wel trots op jezelf, hè? Ik denk niet dat Grey erg blij met die voorstelling zou zijn geweest.'

'Ik heb haar kleren niet uitgetrokken, dat deed ze helemaal zelf. Waag het niet mij hiervan de schuld te geven.'

'Je moedigde haar aan te gaan drinken.'

'Jij ook, hoor.'

'Nou, maar jij zei dat Grey haar te stijf vond.'

Goed, dat was waar. Min of meer. Zadie keek om zich heen. Ze zag Helen nergens. 'Waar is ze gebleven?'

Eloise keek zoekend rond. 'En nu ben je haar kwijt. Geweldig.'

Ineens zag Zadie bij de bar een pluk blond haar opspringen. Ja hoor, daar was Helen. Ze stortte zich in de armen van Jim, de tapijtverkoper uit Atlanta. Zadie marcheerde erop af, gevolgd door Eloise.

Helen zwaaide naar hen. 'Kijk eens! Jim!'

Jim zette Helen weer op de grond. 'Schat, ik zag je voorstelling daarnet en ik moet zeggen... Je bent de vrouw van mijn dromen,' zei hij. Zijn gezicht zag nog roder dan eerst.

Zadie lachte liefjes naar hem. 'Fijn, Jim. Maar Helen gaat over twee dagen trouwen, weet je. Dus bemoei je er maar liever niet mee, oké?'

Jim tikte Zadie tegen haar neus. 'Klein brutaaltje. Ik mag jou wel.'

'Daar ben ik blij om.'

Helen trok aan Jims arm. 'Kom, laten we gaan dansen!'

Met een frons zei Eloise: 'Ik geloof dat je voor vandaag wel genoeg hebt gedanst.'

'Eloise, dit is mijn vrijgezellenfeestje! Ik word verondersteld lol te hebben. Dansen is leuk. Toe, Zadie, vertel haar dat dansen leuk is. Ik zag je daarnet wel.' Ze keek Zadie veelbetekenend aan en sleurde Jim toen de dansvloer op, waar ze tamelijk obsceen begon te dansen. Maar omdat het niet veel obscener was dan wat de anderen op de dansvloer deden, maakte Zadie voor deze keer geen bezwaar.

Als een soort chaperonne ging Eloise aan de rand van de dansvloer staan, fronsend en met haar armen over elkaar geslagen. Met haar blik op Helen gericht zei ze tegen Zadie: 'Als hij iets begint, castreer ik hem.'

Zadie besloot dat Helen niets kon gebeuren zolang Eloise over haar waakte en zocht Trevor met haar blik. Had ze hem echt alleen gelaten in een uitgaansgelegenheid vol vrouwen die makkelijk te krijgen waren? Ze zag hem aan de bar staan, met Tut en Hola die aan hem vast klitten. Ze ging achter hen staan om hen af te luisteren, en bovendien kon Trevor haar zo zien.

Tut was bezig hem te versieren. 'Zeg, als je soms wilt dat ik bier voor je moet kopen of zo, bel je me maar. Dan kom ik meteen.' Ze stak haar implantaten naar voren en liet haar tong over haar lippen glijden. Subtiel, hoor.

Trevor haalde zijn schouders op. 'Ik heb een vervalst identiteitsbewijs. Ik kan mijn eigen bier kopen.'

Hola waagde ook een poging. 'Als je model staat voor die catalogus, mag daar dan publiek bij aanwezig zijn? Ik zou je dolgraag eens aan het werk zien.' Ze hield haar hoofd schuin en probeerde eruit te zien als iemand die verstand van modellenwerk heeft.

Hij keek langs Hola heen en zag Zadie staan.

'Ha, daar bent u.' Hij stak zijn hand uit en trok haar het kringetje in. 'Heeft u uw nichtje gevonden?' Tut en Hola keken kwaad. Geërgerd slaakten ze vermoeide zuchten.

'Daar is ze. Met kleren aan.' Zadie gebaarde naar de dansvloer waar Helen voor Jim met haar tieten schudde.

Tut trok haar neus op. 'Jasses, is dat niet die vent uit Atlanta? Ik dacht dat we die kwijt waren.'

'Mij bevalt hij ook niet erg,' reageerde Zadie.

Hola keek misprijzend. 'Hij heeft een bandplooibroek aan.'

Terwijl Tut en Hola Jim de grond in boorden, zei Trevor lachend tegen Zadie: 'Ik was bang dat u weg was.'

Maakte hij zich daar druk om? Waarom? Omdat hij een lift moest hebben, of omdat hij zich nog meer tegen haar aan wilde wrijven? Het was moeilijk erachter te komen wat Trevors bedoelingen waren. Ze kon niet zomaar aannemen dat hij haar aantrekkelijk vond. Zo zat het leven niet in elkaar.

Trevor boog zich naar haar toe en fluisterde in haar oor: 'Ik had liever gezien dat ú uw kleren uittrok.'

zevenentwintig

Wanneer er bepaalde dingen gebeuren, zoals een jongen over wie je wellustige fantasietjes hebt die je vertelt dat hij je graag naakt zou zien, volgen de gebeurtenissen zich meestal in snel tempo op. Zadie had hem naar de limousine kunnen sleuren om even gauw een nummertje op de achterbank te maken – natuurlijk nadat ze Jerry had gevraagd het tussenschot dicht te doen zodat hij niet getuige van de zondeval kon zijn. Ze had ook een taxi kunnen aanhouden en met hem naar haar huis gaan voor een wilde nacht van vleselijke lusten zoals Californië die nog niet eerder had gezien. Ze had hem ook kunnen meenemen naar de damestoiletten, waar hij het staand tegen de wand van een hokje met haar had kunnen doen totdat ze sterretjes zag.

Maar dat deed Zadie allemaal niet.

In plaats daarvan bloosde ze, giechelde niet op haar gemak en keek naar de grond. 'Misschien kunnen we beter nog iets gaan drinken,' zei ze. Ze werd verscheurd door de gedachte dat ze beter nuchter kon zijn zodat als er iets gebeurde, ze zich dat later nog zou kunnen herinneren, en de wetenschap dat ze beter stomdronken kon zijn om de moed te hebben dit door te zetten.

Hij lachte, hij zag dat ze zich niet op haar gemak voelde, maar zei er niets van. Hij boog zich weer naar haar toe. 'Konden we ons maar van deze twee ontdoen. Ze zijn vervelend.' Hij knikte in de richting van Tut en Hola.

Aan haar hand trok hij haar mee naar de andere kant van de bar, waar Jims gezelschap uit Atlanta zich op de rest van de feestvierders had gestort. Jane en Gilda dronken gelijk op met twee van hen, Kim, Betsy en Marci probeerden de anderen uit te leggen waarom ze niet wilden dansen op een nummer van een vrouwenhater die zong over moord op zijn vrouw en moeder. Denise at alle kersjes op die de bar voorradig had, tot groot ongenoegen van de barman.

Toen Jane en Gilda Zadie met Trevor zagen, maakten ze onzedige gebaren. Jane drukte herhaaldelijk haar tong tegen haar wang, het universele gebaar voor pijpen. Gelukkig stond de muziek zo hard dat Trevor Gilda niet kon horen schreeuwen: 'Heb je het al met hem gedaan?' Zadie schudde haar hoofd, keek Gilda streng aan en liep een eindje van hen weg zodat ze niet konden zien wat er gebeurde.

Trevor overhandigde haar nog een margarita. Ze wist niet eens meer wat ze met de vorige had gedaan. Had ze die gedronken? Of stond die nog ergens op de bar? Of had ze die over zich heengegoten?

'Zeg, als we gaan vrijen en het bevalt u niet, dan gaat dat toch niet mijn rapportcijfer beïnvloeden, hè?'

Als dit een film was geweest, was dit zo'n belachelijk moment waarop de muziek zwijgt en iedereen het zou hebben gehoord. En misschien had Zadie zich in haar drankje verslikt. Gelukkig waren er geen camera's en ook geen slechte regisseurs. Helaas wist Zadie niet hoe ze moest reageren. Ze staarde hem alleen maar aan in een poging zijn opmerking te doorgronden.

Eigenlijk was het niet moeilijk te begrijpen dat hij met haar naar bed wilde. Hij was negentien. Jongens van negentien willen toch met iedereen naar bed? Waarschijnlijk masturbeerde hij vijf keer daags. Waarschijnlijk kreeg hij al een stijve wanneer hij zichzelf aanraakte bij het plassen. Waarschijnlijk moest ze zich niet zo vereerd voelen omdat hij haar als seksueel begeerlijk zag. Maar verdomme, ze was wel vereerd. Hij was sexy. En hij verkoos haar boven de tweeling in de haltertopjes. Hij zag haar liever naakt dan Helen. Hij vond haar tof. Dat waren allemaal dingen waaraan ze zich de komende maanden kon vasthouden.

Als ze met hem naar bed ging, had ze natuurlijk ook veel om aan te denken op de vele eenzame avonden die voor haar lagen.

'Als je het nog één keer over je rapportcijfer hebt, ga ik weg.' Ze zei het voornamelijk omdat ze er niet steeds aan herinnerd wilde worden dat ze zijn docent was, maar het maakte ook dat ze niet makkelijk te krijgen klonk.

'Afgesproken.' Hij klonk met zijn biertje tegen haar glas. 'Zeg, had u gemerkt dat ik op school steeds naar uw borsten moet kijken?'

'Wacht. Laten we het helemaal niet meer over school hebben.'

Hij knikte. 'Best.' Hij nam een slok bier. Ze keek naar zijn gezicht terwijl hij de fles aan zijn mond zette. Zijn wangen werden hol waardoor zijn jukbeenderen mooi uitkwamen. Hij had prima kaken. Hoe vaak kom je iemand tegen die prima kaken heeft?

'Ben je aangeschoten?' vroeg ze.

'Niet echt. En u?'

'Vreselijk.'

'Mooi zo.' Hij grijnsde en streek een zongebleekte lok achter zijn oor. 'En, hebt u ook wel eens aan mij gedacht?'

'Daar geef ik geen antwoord op.' Geen sprake van!

Hij lachte. 'Ik zag u laatst in uw auto stappen en toen trok u uw rok heel hoog op zodat die niet tussen het portier kon komen. De hele verdere dag moest ik aan u denken.'

Zadie probeerde het zich voor te stellen. Dat ze terwijl ze in haar

Camry stapte de rok optrok die ze waarschijnlijk uit de catalogus van Boston Proper had besteld. Trevor die haar vanaf het parkeerterrein had gezien. Waarschijnlijk toen hij met zijn skateboard ingewikkelde dingen deed. Dat ze de motor startte, de motor nog eens startte en wegreed terwijl ze met hem in gedachten masturbeerde.

Hij boog zich naar haar toe, wreef met zijn neus in haar hals en fluisterde: 'Weet u waaraan ik moest denken?'

Ja, dat kon ze zich goed voorstellen. Maar ze wilde het niet zeggen. Ze had het veel te druk met smelten bij het voelen van zijn lippen op haar huid. Maar toen schoot haar ineens iets te binnen.

'Je zei dat ik oud was.'

Hij liet haar hals met rust en fronste. 'Wanneer?'

'Je zei dat je altijd wel een paar hitsige vrouwen bij het optreden kon gebruiken, ook al waren ze oud.'

'U bent niet oud,' zei hij. Hij speelde met een lok van haar haar.

'Toen je dat zei, vond je me oud.'

'Nou ja, u bent ouder dan de tieners die altijd komen kijken. Maar die meiden vind ik niets aan.'

'Waarom niet?'

'Heeft u ze gezien?'

'Ze stonden je naam te schreeuwen.'

'Ja, precies.' Weer grijnsde hij naar haar. 'Ik schreeuw liever uw naam.' O ja, hij wist van wanten. Hij pakte haar bij de hand. 'Laten we gaan dansen.' En hij was slim. Het drong tot haar door dat hij wíst dat hoe meer ze stonden te praten, des te nerveuzer ze werd. Ze konden beter gewoon gaan dansen, hun lichamen tegen elkaar wrijven en elkaar in de ogen staren.

Eenmaal weer op de dansvloer met zijn handen op haar heupen stond ze zichzelf toe te denken dat het echt kon gebeuren. Ze kon hem echt mee naar huis nemen en zijn kleren van zijn lijf rukken en van alles met hem doen.

'Ik ben met vier meisjes naar bed geweest, als dat u soms dwarszit. Ik weet wat ik doe.'

O nee, daar zat ze niet mee, of hij wel wist wat hij deed. Alleen al zijn aanwezigheid en zijn naakte huid tegen de hare waren voldoende voor haar.

Het nummer ging over in iets met veel lage bassen, en dat gaf hun de gelegenheid flink met hun heupen te bewegen, een soort voorspel voor later. Ze ging dit doorzetten. Ze ging vanavond nog met hem naar bed. Net toen Zadie haar ogen had gesloten en zich had voorgesteld dat hij al vijfentwintig was, kwam Gilda haar ruw storen.

'Ik denk dat we een probleempje hebben.'

Zadie deed haar ogen open en zag Gilda fronsend naar haar kijken. Ze wees naar Helen en Jim, die nu wel erg onzedig bezig waren. Helen had haar benen om Jims heupen geslagen en hij drukte haar tegen de muur terwijl hij op haar oorlel sabbelde. Eloise probeerde Jim weg te trekken, maar Helen werkte totaal niet mee. Integendeel, ze leek het uitermate naar haar zin te hebben.

'Godallemachtig.'

'We kunnen hier beter weggaan,' zei Gilda. 'We moeten haar in bed stoppen.'

Toen de anderen Eloise gingen helpen Jim bij Helen weg te trekken, drong het tot Zadie door dat Gilda gelijk had. Het werd tijd Helen in bed te krijgen, voordat ze aan een live seksshow begon. Grey zou het haar nooit vergeven als Helen te ver ging met Jim. De bruiloft zou worden afgeblazen en Zadie zou haar hele verdere leven onder schuldgevoelens gebukt gaan.

Ze keek Trevor aan. 'Sorry, maar ik moet haar hier zien weg te krijgen.'

'Ik ga met u mee.'

'Weet je wat? We kunnen er beter een eind aan maken.'

Hij keek echt teleurgesteld. 'Maar...'

Betsy en Eloise hadden Helen nu stevig vast en sleurden haar naar de uitgang. Jim kwam erachteraan.

'Ze moet hier echt weg voordat er ongelukken van komen.'

Zadie liep naar de deur. Het was te erg voor woorden, ze liet de meest sexy man ter wereld alleen op de dansvloer staan met een bijna stijve.

achtentwintig

Onderweg terug heerste er in de limousine geen gezellige sfeer. Eloise was razend op Helen. Het hielp ook niet erg dat Jim op de achterruit bonkte voordat ze wegreden. Toen ze Helen eenmaal de Deep uit hadden gekregen, dacht Jim dat hij met hen mee mocht. Zadie moest hem een knietje verkopen om te voorkomen dat hij instapte. Hij bleef maar schreeuwen: 'Maar ik hou van haar!'

'Wat denk je dat Grey ervan zou vinden dat je zo'n loser in een bar zit te versieren?' vroeg Eloise. 'Het zou hem diep kwetsen. Jullie gaan trouwen, Helen. Zulke dingen kunnen niet meer. Jullie gaan je binden. Ik dacht dat jij het soort meisje was dat wel begreep wat dat inhoudt, maar ik besef nu dat ik je eigenlijk helemaal niet ken, en ik ben bang dat Grey je ook niet kent.'

Helen staarde haar aan. IJzig. 'Bedoel je soms dat je Grey alles gaat vertellen? Ik dacht dat een vrijgezellenfeestje bedoeld was om nog één keer de bloemetjes buiten te zetten. Om lol te trappen. Als je het daar niet mee eens bent, vraag ik me af wat je hier nog doet.'

Zadie moest toegeven dat zelfs wanneer Helen dronken was, ze nog steeds zo vol eigendunk zat dat iedereen zich afvroeg of hun kritiek op haar wel terecht was.

'Waarom zijn jullie eigenlijk hier als jullie niet willen dat ik het naar mijn zin heb?' vroeg Helen op hoge toon.

'We willen graag dat je het leuk hebt,' zei Gilda. 'We zien alleen liever niet dat er ongelukken van komen.' Ze keek Helen veelbetekenend aan, maar die haalde enkel haar schouders op.

Zadie besloot tussenbeide te komen. 'Wat Eloise probeert te zeggen, is dat je vroeger dol was op yoga en theedrinken, niet op rollebollen met handelsreizigers.'

Helen wierp Zadie een hooghartige blik toe, iets wat ze goed onder de knie had. 'Moet ik dan soms met tieners gaan rollebollen? Stijg ik dan in jullie achting? Want ik zou niet graag de mindere van Zadie willen zijn.'

O...

Zadie vroeg zich af wat ze hierop moest zeggen. Hou je kop, mens, was het enige wat haar te binnen schoot.

Gelukkig nam Jane het voor haar op voordat ze het daadwerkelijk kon zeggen. 'Niemand veroordeelt je, Helen. We willen alleen maar dat niemand misbruik van je toestand maakt.'

'Welke toestand?'

'Je bent een beetje teut,' lichtte Denise haar in. 'Niet dat dat erg is, hoor.'

'Weet je, ik ben ook dronken,' zei Betsy. 'En dat bevalt me best. Ik zou dit vaker moeten doen.' Ze schonk zichzelf nog eens in. 'Wat doen we volgend weekend?'

Voordat Zadie trots kon zijn op haar bekeerling, begonnen Tut en Hola over Trevor.

'Waarom liet je Trevor niet mee komen?' jammerde Hola. 'Je legt de hele avond beslag op hem en dan laat je hem daar staan.'

'Dat was heel onbeleefd,' voegde Tut eraan toe.

'Misschien had ze het al in het herentoilet met hem gedaan en heeft hij nu voor haar afgedaan,' zei Gilda in een poging Zadies status in de ogen van de twee walgelijkste vrouwen ter wereld te verhogen.

'Jezus, is dat zo?'

'Nee, ik heb niet met hem gevreeën,' antwoordde Zadie. Ze had Greys geluk boven het hare gesteld. Ze kon er niet op vertrouwen dat deze vrouwen Helen veilig in bed gingen stoppen. Zelfs Eloise niet. Helen was onvoorspelbaar wanneer ze te veel had gedronken. Je kon er geen peil op trekken wat ze zou doen.

'Waarom niet?' vroeg Jane.

'Verkeerde timing,' zei ze, en ze knikte in Helens richting.

Helen zag het. 'Je moet mij er de schuld niet van geven dat je te laf bent om weer met iemand het bed in te duiken.'

'Ik ben niet bang voor seks.'

'Ben je eigenlijk na Jack nog wel met iemand naar bed geweest?' vroeg Betsy.

'Nee, maar dat heeft er niks mee te maken. Ik heb er gewoon nog geen zin in.'

'Ik heb er nooit zin in,' zei Marci. 'Zo'n gedoe.'

'Marci!' riep Kim ontsteld uit.

'Geef maar toe, daar zit je in je flanellen pyjama gezellig in bed tv te kijken, de kinderen slapen, en dan heb je echt geen zin in al dat sperma dat de hele verdere nacht uit je druipt.'

Kim haalde haar schouders op. Ze moest toegeven dat Marci daar een punt had.

Denise keek Zadie aan. 'Op de dansvloer zag je eruit of je het wel zag zitten. Misschien wordt het wel tijd, maar durf je nog niet goed.'

'Helemaal mee eens,' vond Jane.

Zadie keek naar al die verwachtingsvolle gezichten. Ze wilden allemaal dat ze haar diepste zielenroerselen blootlegde. Juist daarom had ze haar vriendinnen ontlopen en was ze de afgelopen zeven maanden vooral met Grey omgegaan. Mannen vroegen je nooit je gevoelens bloot te leggen. De meesten ontmoedigden dat zelfs.

'Zijn jullie teleurgesteld dat ik niet met Trevor heb geneukt? Zeg Jerry dat hij rechtsomkeert maakt, dan ga ik terug en doe het met hem op de bar. Jullie mogen allemaal kijken.'

Gilda wreef over Zadies hand. 'Dat vind ik nou aardig van je.'

'Je kunt niet met een leerling naar bed,' zei Kim.

'Juist, Kim. Hé, daar is het hotel al.'

Jerry hield halt op de ronde inrit voor het Beverly Hills Hotel, het grootste roze gebouw van Los Angeles. Het stond aan Sunset Boulevard, in een woonwijk, waardoor het nog opvallender was, een goede plek voor dronken, opgewonden vrouwen om uit een limousine te stappen.

'Waarom zijn we bij het hotel?' vroeg Helen.

'Bedtijd,' zei Eloise.

'Ammehoela.'

Jane nam het heft in handen. 'Laten we nog een laatste drankje aan de bar drinken.' Handig stuurde ze Helen naar de deur. De geüniformeerde portiers knipoogden betekenisvol, alsof ze elke dag aangeschoten aanstaande bruiden naar binnen zagen komen.

Eenmaal binnen zetten ze koers naar de in het donkergroen gehouden Polo Lounge met ruiterthema. Forse laarzen en pianomuziek wachtten hen op. En een bejaarde heer uit Europa die Jane bleek te kennen.

'Jane, schat, ik verwachtte je vanavond niet. Ik dacht dat Cyndi zou komen.'

Jane lachte stijfjes. 'Dag Paolo. Dit zijn mijn vriendinnen. We hebben een vrijgezellenfeestje.'

'Och ja, natuurlijk. Mijn felicitaties aan de bruid.'

'Dat ben ik,' zei Helen, en Paolo gaf haar een handkus.

Betsy keek hem kwaad aan. 'Hoe kent u Jane?'

'Hij vliegt eens per week naar Dallas,' zei Jane.

'Precies,' zei Paolo. Hij zag eruit alsof hij met een pistool tegen het hoofd nog geen goede reden zou kunnen bedenken waarom hij zo vaak naar Dallas moest.

Zadie fronste. Er waren nogal wat mensen in hotels die Jane leken te kennen en die vaak met haar maatschappij vlogen. Ze keek Paolo eens aan. 'Wat doet u dan in Texas?'

Paolo keek vragend naar Jane, maar wist toen toch iets te verzinnen. 'Olie.'

Jane loodste het groepje bij hem weg en bracht hen naar een compartiment. Ze keek de barman aan. 'Mogen we champagne, Dani?'

Goed, de feestvierders logeerden in dit hotel, maar was Jane zo snel met de barman bevriend geraakt dat ze hem bij zijn naam kon noemen? Dit was de eerste avond hier. Er klopte iets niet.

Terwijl ze gingen zitten, keek Zadie naar de bar. Er waren net twee beeldschone dames van in de twintig binnengekomen, geëscorteerd door twee mannen van middelbare leeftijd die hun buikjes probeerden te compenseren door gebleekte spijkerbroeken te dragen. Een van de meisjes was blond en leek een hoerige versie van Cameron Diaz. De ander was zwart en had het fraaiste lijf dat Zadie ooit had gezien. Ze schenen het erg met hun lelijke vrienden naar de zin te hebben. Er werd gezoend en er werden handen op billen gelegd. Als een mokerslag drong het tot Zadie door dat deze vrouwen er niet over zouden peinzen zich door deze mannen te laten betasten als daar niet veel geld tegenover stond. Op dat moment kreeg een van de meisjes Jane in het vizier en knikte haar toe.

Zadie draaide zich naar Jane om. Jane knikte terug.

Eloise pakte een glas van Dani's dienblad. 'Ik doe net of het niet waar is wat er vanavond is gebeurd. Morgen zijn we allemaal weer gewoon en dan maakt het niet meer uit.'

'Spreek voor jezelf,' zei Betsy terwijl ze nog meer champagne achterover sloeg. 'Ik heb morgen barstende koppijn, maar dat kan me niet schelen. Weten jullie wel dat toen ik nog studeerde, ik niet één keer te veel heb gedronken? Wat was er met me aan de hand?'

'Helen is ook nog nooit dronken geweest,' hielp Denise haar herinneren.

'O, ik wel driehonderd keer,' zei Tut.

'Pijp je daarom acteurs op parkeerterreinen?' vroeg Betsy zonder een spoortje venijn.

'Weet je, ik dacht dat die champagne je goed deed, maar dat is niet zo. Je bent nog steeds een kutwijf,' bitste Tut.

'Dames, we zitten allemaal in hetzelfde schuitje, dus geen geruzie,' zei Denise, hoewel zij de enige was die nuchter was. Zelfs Marci en Kim zaten aan de champagne. En daardoor werd Marci loslippiger dan wenselijk was.

'De laatste keer dat ik heb gevreeën was op onze zoveelste huwelijksdag. Het duurde drie minuten. Moet ik daar nu mijn hele verdere leven naar uitkijken?'

Jane haalde haar schouders op. 'Niet als je dat niet wilt. Ik kan je wel het een en ander bijbrengen.'

Terwijl Jane haar kennis aanbood, viel het Zadie op dat Cyndi binnenkwam, het meisje met wie Paolo had afgesproken. Het was hetzelfde krengerige meisje dat ze eerder in het Mondrian had gezien. Het meisje dat op de sleutel moest wachten.

Onder tafel gaf Zadie Gilda een trap. Gilda keek op en Zadie zei dat ze naar de wc ging. Gilda kwam achter haar aan.

Eenmaal in de toiletten met het beige marmer op de vloer vertelde Zadie Gilda wat ze dacht: 'Jane is callgirl!'

'Wat?'

'Ik kan het niet bewijzen, maar alles wijst erop.'

'Ik dacht dat ze stewardess was.'

'Nou ja, wat moet ze anders zeggen?'

Gilda stond versteld. 'Waarom denk je dat ze een callgirl is?'

'Ze kent iemand in elk hotel waar we zijn geweest, en Paolo dacht dat ze voor hém kwam.'

Gilda snapte er niets van. Per slot van rekening woonde ze in Boulder. Niet een plaats waar veel callgirls werken. Goed, Zadie had te veel gedronken en ze had waanzinnig veel pulpromannetjes gelezen, maar ze was vrij zeker van haar zaak. Net toen ze wilde uitleggen dat Cyndi duidelijk een hoertje was, kwam de Cameron Diaz binnen om haar make-up bij te werken.

Zadie nam de gelegenheid te baat. 'Hoi. Hoe gaat het?'

Camerons kloon draaide zich om. 'Best, dank je.'

'Jij en je vriend zijn een leuk stel. Waar ken je hem van?' vroeg Zadie.

De vrouw fronste, onzeker of Zadie haar in het ootje nam of niet. 'Van een feestje. Vorig weekend.'

'Echt? Jij boft maar. Iemand als hij kom je niet elke dag tegen.'

De vrouw klikte haar tasje dicht en wreef haar lippenstift uit. 'Bedankt. Ik zal hem zeggen dat hij je goedkeuring kan wegdragen.' Ze wierp Zadie een boze blik toe en ging weg.

Zadie keek Gilda aan. 'Zie je nou wel?'

'Wat moet ik zien? Je deed net rot tegen iemand.'

'Ze is een hoertje.'

'Ze is geen hoertje, ze is beeldschoon!'

'Dacht je soms dat mannen er veel geld voor over hebben om het met een lelijkerd te doen?'

Daar moest Gilda even over denken. 'Dat wil nog niet zeggen dat Jane een hoertje is.'

'Hoe kent ze Cyndi anders?'

'Wie is Cyndi?'

'De callgirl die voor Paolo kwam.'

'Maar Paolo is wel zestig!'

'Welke mannen denk je dat callgirls inhuren? Kerels als Trevor?'

Helen stormde doelbewust naar binnen. 'Schiet op, jongens. De homokelner vertelde ons net over een club met mannelijke strippers!'

negenentwintig

Ze zaten weer in de limousine.

Zadie was kwader dan kwaad.

Ze had Trevor alleen gelaten om Helen veilig in bed te kunnen stoppen, en nu gingen ze naar strippers kijken? Waarom? Ze had voor niks een offer gebracht.

'Waarom laten we Helen weer uit?' vroeg Zadie.

'Ik vind het ook geen goed idee,' viel Gilda haar bij.

'Och, het zijn daar allemaal homo's. Wat kan haar gebeuren?' vroeg Denise.

Zadie keek naar Helen, die Hans nieuw leven probeerde in te blazen via zijn voet, waar geen nippeltje zat.

'Helen wil blote piemels zien,' zei Helen. Wat schattig, ze had het over zichzelf in de derde persoon.

'Ik vind het echt geen goed idee,' hield Gilda vol.

'Zolang het homopiemels zijn, maakt het niet veel uit. Misschien moet ze er maar eens eentje zien voordat ze die van Grey onder ogen krijgt,' zei Eloise. Zadie vond het walgelijk. Lag het aan het feit dat Zadie enig kind was dat ze het stuitend vond om de geslachtsorganen van je broertje te bespreken, of aan het feit dat Eloise een enorme trut was?

Zadie keek op haar horloge en toen naar Marci en Kim, die alweer een fles champagne hadden ontkurkt. 'Ik dacht dat jullie naar huis moesten, naar jullie kindertjes.'

'Die kunnen de pot op,' zei Marci. 'Het wordt tijd dat de mannen hun handen eens uit de mouwen steken.'

'De hypotheek afbetalen telt niet,' vond Kim. 'Ik word daar toch zo moe van... Ik moest een bevalling doormaken, ik voed de ettertjes op, maar ik word behandeld als een rekening die betaald moet worden. Hij kan de pot op. Als ik een sapcentrifuge wil, dan verdien ik die verdomde sapcentrifuge.'

'Tim trekt nooit door. Had ik dat al verteld?' vroeg Marci. 'Hij denkt dat hij water bespaart, maar dat is niet zo, want ik hou hem in de gaten en trek door als hij zijn pies in de pot laat liggen. Alsof ik niks beters te doen heb.'

'Roger gaat altijd door het lint omdat ik geen prijzen vergelijk voordat ik de terreinwagen vol laat gooien,' kwam Kim met haar verhaal op de proppen. 'Waarom zou ik de prijzen vergelijken? Ik heb dat spul nodig! Wat maakt het uit?'

Denise lachte naar Helen. 'Kijk, dat krijg jij ook allemaal.'

'Het is onmogelijk voor een vrouw om met een man onder één dak te wonen en niets te klagen te hebben,' zei Betsy. 'Barry laat overal zijn post slingeren. Zelfs in het washok. Het is net of hij een brief leest en die ergens neerlegt en dan nog een brief leest en die weer ergens anders neerlegt. Als het niet zo lang had geduurd voordat ik hem tegen het lijf liep, verbande ik hem naar de garage.'

Toen de limousine Santa Monica Boulevard op reed, drukten de vrouwen hun neus tegen de raampjes. Er liep een hele stoet knappe en gespierde homo's. Het soort man achter wie ze vruchteloos hadden aangelopen toen ze nog studeerden. Pas op latere leeftijd hadden ze homo's leren herkennen.

Betsy wees op een keurig verzorgde heer. 'Kijk hem nou. Hij laat vast nooit enveloppen op zijn walnoten tafel in de vestibule slingeren.'

Jerry hield halt voor een onopvallend gebouw met alleen een neonbord op de gevel. 'Hier is het. Veel plezier, dames.'

Betsy draaide zich naar hem om. 'Jerry, ik hoop dat je geen lage dunk van ons hebt gekregen.'

'Nee hoor, mijn vrouw mag hier ook komen. Niet dat ze sjans zou hebben, hoor.' Hij lachte veelzeggend.

De vrouwen stapten uit en liepen door de openstaande deur. Jane mocht de enorme entreekosten betalen.

Zadie was de laatste die naar binnen ging. 'Bedankt Jane. Ik betaal het je terug.'

Jane haalde haar schouders op. 'Hoeft niet, hoor. Ik heb een uitstekende maand achter de rug.'

Een uitstekende maand? Hadden stewardessen 'uitstekende maanden'?

Toen ze door de donkere gang in de richting liepen waar keiharde discomuziek vandaan kwam, viel het Zadie op dat Jane een dure krokodillenleren tas van Hermès bij zich had. Ze had Nancy in de lunchpauze over die tas horen doorzagen en wist nog dat die vijfduizend dollar kostte. Als Zadie een misdaad moest oplossen, had ze hier het bewijs.

Jane draaide zich om en keek haar aan. 'Kom je nog?'

'Ik loop achter je.'

dertig

Toen Zadies vriendin Dorian ging trouwen, had ze een keer de Chippendales gezien, lang geleden, toen mannen hun haar nog goed verzorgden. Maar de Chippendales hadden haar niet voorbereid op de jongens van West Hollywood. Het publiek bestond uit louter mannen, en tegen de tijd dat de meisjes een zitplaats hadden gevonden, was het nauwelijks een striptease meer, de jongens droegen alleen nog een string. Een heel kleine string. En ze hadden er geen moeite mee dat hun geslachtsorganen er niet helemaal in pasten en dat ze er de toeschouwers mee konden aanraken. Zodra Jane ging zitten, kreeg ze een indrukwekkende penis in haar gezicht.

Ze wees naar Helen en vroeg haar belager op haar te mikken. 'Zij is de aanstaande bruid, laat haar maar eens wat zien.'

Zadie dacht dat Grey het misschien niet leuk zou vinden dat er een penis in Helens oor werd gestopt, ook al was het een homoseksuele penis. Ze hoorde het hem al zeggen: 'Een pik is een pik.' Maar Eloise scheen geen bezwaar te hebben, dus waarom zou Zadie er een stokje voor steken? In dat geval zou Helen het lichaamsdeel waarschijnlijk in haar mond nemen, gewoon om haar te pesten.

Gilda boog zich naar Zadie toe. 'We hadden hier niet naartoe moeten gaan. We hadden haar in haar kamer moeten opsluiten. Het is één ding om met een opblaaspop te rollebollen, maar het is iets heel anders om in een ruimte vol blote mannen te zitten. Ik ben bang dat er ongelukken van komen. Of ze nou homo zijn of niet. Er zijn hier veel te veel pikken.'

Zou Helen inderdaad twee dagen voor de bruiloft haar maagdelijkheid aan een homoseksuele stripper verliezen? Het zou Zadie niet verbazen, niet na wat er deze avond allemaal was gebeurd. Maar deze jongens konden niet echt een gevaar betekenen. Toch? Jim was een gevaar, en hij was hier niet.

De andere dames lieten zich door het lekkers betoveren. Betsy gaf een forse fooi aan een zwarte man omdat hij zo mooi met zijn billen schudde, en Kim en Marci moedigden een man van Spaanse afkomst aan om zijn spierballen te laten rollen. Eloise likte de ober af.

Helen sprong op en voegde zich op het toneel bij een kanjer van een Italiaan die Mr. Lovepants werd genoemd. Hij stond goedmoedig toe dat ze hem betastte en gaf haar zelfs een zedig kusje. Het publiek jouwde hen uit. Ze pakte zijn pik om in de gunst te raken. Nu juichte het publiek, blij dat het ranzig werd, ook al was het een meisje die met hun lieveling op het toneel stond.

'Zie je?' zei Gilda bezorgd. 'Het gaat al mis.'

Zadie keek naar Eloise, maar die haalde haar schouders op. 'Het is een homo, dat telt niet.'

Zadie kreeg hoofdpijn. Ze stond op. 'Ik ga naar de Dames. Als die er is.'

Terwijl ze op het toilet zat, hoorde ze de deur opengaan. 'Zadie?'

Ze duwde het deurtje van het hokje open. Daar stond Gilda, ze zag er ontzet uit.

'Wat is er?'

'Ik had het je eerder moeten zeggen, maar Helen heeft me geheimhouding laten zweren.'

Had Helen een duister geheim? Dat wist Zadie niet. Helen had een smetteloos verleden, iets wat Zadie al jaren een doorn in het oog was.

'Dit is niet de eerste keer dat Helen dronken is.'

Zadie fronste. Ze begreep er niets meer van. Helen dronken? Niet de eerste keer? Dit was te moeilijk voor haar door tequila benevelde brein.

'Toen we nog studeerden, gingen we in de krokusvakantie een keer naar Cancún.'

'Dat weet ik nog,' zei Zadie. 'Toen ze terugkwam, stak ze hele verhalen over ruïnes van de Maya's af.'

'Nou ja, die hebben we niet zelf gezien.'

Zadie wist dat er iets schokkends zou komen. 'Wat hebben jullie dan wel gezien?'

'Ik zag Helen het met drie mannen doen, ik zag haar iemands nek breken, een diamanten ketting jatten, en karaoke doen op Lionel Richie.'

eenendertig

Zadies woede omdat ze Trevor had moeten achterlaten, haar ergernis vanwege Helens relatie met Grey, en het feit dat er geen wc-papier was, dat alles balde zich samen tot een grote verwarring die algauw omsloeg in razernij.

'Bedoel je daarmee dat Helen helemaal geen maagd meer is?'

'Absoluut niet,' zei Gilda.

'Helen is met iemand naar bed geweest?'

'Het was maar één keertje. Ze bezwoer me dat ze nooit meer zou drinken. En dat heeft ze ook niet gedaan. In ieder geval niet totdat ze afstudeerde. Ik weet niet wat er daarna is gebeurd omdat ze toen hierheen is verhuisd. Maar van wat ik van haar begrijp, leeft ze als een soort heilige. Ik denk dat dat nachtje in een Mexicaanse gevangenis haar echt bang heeft gemaakt.'

'Helen heeft in de cel gezeten?'

Niet alleen had Helen tegen Zadie gelogen en net gedaan of ze perfect en vrij van zonde was, waardoor Zadie zich als slecht en een echte zondaar beschouwde, maar ze had ook Grey voorgelogen. Grey dacht dat hij met een onschuldig meisje ging trouwen. Niet dat hij erop uit was om met een maagd te trouwen, maar hij was zeker niet op een huichelaar uit. Waarom had ze het niet gewoon opgebiecht? Waarom had ze een vette, ergerlijke, vrome leugen van zichzelf gemaakt?

Zadie kon begrijpen dat Helen oma Davis liet geloven dat ze een maagdelijke trut was die bruidssuikers poepte, maar waarom had ze tegen Denise gelogen? En waarom tegen Zadie? Zadie en Denise hadden vaak een fles soldaat gemaakt terwijl ze het over Helen hadden. Hoe kon Helen zo puur blijven terwijl zij op drank en mannen gesteld waren? En dat was aldoor al een leugen geweest. Zadie voelde zich verraden.

Gilda keek schuldbewust. 'Ik heb haar beloofd het niemand te vertellen, maar ik maak me zorgen over wat er vanavond allemaal kan gebeuren. Ik heb niet genoeg geld bij me voor de borgsom.'

Zadie zou nooit gedacht hebben dat ze misschien nog eens een borgsom nodig zou hebben om Helen uit de gevangenis te krijgen. 'Heeft ze echt iemands nek gebroken?'

'Het was zelfverdediging.'

'En die ketting?'

'Daarvoor draaide ze de gevangenis in, maar het was een groot misverstand. Ze mag alleen Mexico niet meer in.'

Helen was *persona non grata* in Mexico?

'Wat waren dat voor lui?'

'De eerste was hogerejaars aan de Universiteit van Texas, de tweede was op huwelijksreis en de derde was een ober uit ons hotel.' Een man die op huwelijksreis was? Jezus, Helen was niet zomaar een sletje.

'Waar gebeurde dat allemaal?'

'Zijn kamer, onze kamer en de hotelkeuken.' In de keuken, waar het eten werd bereid? Zadie nam zich voor nooit meer guacamole te bestellen.

'En die gebroken nek?'

'Dat was op straat. Een gozer probeerde haar te ontvoeren en Helen trok het portier dicht met zijn hoofd ertussen.'

Zadie wist niet wat ze moest zeggen. Met open mond staarde ze Gilda aan. 'Dus als ik je goed begrijp is mijn nichtje een gewelddadige hoer en dievegge?'

Gilda beet op haar lip. 'Nou ja, dat is een beetje sterk uitgedrukt, maar het was een wilde nacht. Toen we weer thuis waren, voelde ze zich er erg rot over. De ober werd ontslagen. Een paar weken lang stuurde ze hem geld, maar daarna liet ze het achter zich.'

Zadie gaf maar geen commentaar op het feit dat Helen zich vooral schuldig over die ober voelde.

'En wanneer besloot ze erover te liegen?'

'In het vliegtuig naar huis. Ze zei dat ze met een schone lei wilde beginnen. Ik beloofde dat ik er niemand over zou vertellen, maar ik ben bang dat ze haar toekomst met Grey op het spel zet als iets dergelijks zich vanavond herhaalt.'

'Eh ja... Ik denk niet dat Grey het op prijs stelt als ze vanavond met een heel stel kerels het bed in duikt.'

'Dus moet ze hier weg. Nu meteen.'

Dat was Zadie met haar eens. 'Kom.'

Toen ze de zaal weer in liepen, kon het hun niet ontgaan dat Helen op het toneel de string van Mr. Lovepants met haar tanden probeerde uit te trekken. Het publiek ging uit zijn dak, ze joelden en klapten en deden ranzige voorstellen.

Eloise keek er met een naïeve en onschuldige blik naar, ze dacht dat Helen hier niets kon gebeuren. Betsy juichte zelfs, ze vond het zeker een vrolijke boel. Kim en Marci giechelden nog om de Spaanse kanjer. Tut en Hola keken verveeld, wetend dat niemand hier met hen wilde rampetampen. Jane en Denise hadden een man op schoot. Zadie hoopte dat ze nooit meer een zwangere vrouw een schootdans zou zien krijgen, maar ze had nu geen tijd om dat allemaal te verdringen. Er lag een taak voor haar.

Ze marcheerde naar het toneel en trok Helen er bij haar haar af. 'We gaan. Nu.'

'Au! Dat doet pijn!'

'Maakt me niet uit. We gaan.'

Het publiek jouwde haar uit. Iemand gooide een olijf naar haar, maar dat kon haar niet schelen. Ze wilde dat de bruiloft van haar beste vriend doorging, dat was belangrijker dan zich druk maken over het misnoegde publiek.

'Waarom doe je zo flauw?' klaagde Helen.

'Ik weet alles over Cancún. Dus hou je bek en loop als een braaf meisje met me mee, anders vertel ik het de anderen.'

Onmiddellijk hield Helen op met jammeren. 'Oké.'

Toen ze langs hun tafeltje liepen, keken de anderen Zadie beschuldigend aan. Ze verpestte alles.

'Wat is er?' vroeg Eloise.

'We gaan. Naar de auto.'

Betsy begreep er niets van. 'Waarom?'

Gilda nam het voor Zadie op. 'Omdat Helen naar bed moet. Nu.'

Haastig gaf Jane haar schootdanser een fooi en kwam achter hen aan. 'Die gozer is homo, er kan toch niks gebeuren?'

'Ik wil geen enkel risico lopen,' reageerde Zadie.

Terwijl de anderen voor hun drankjes betaalden en afscheid van hun naakte mannen namen, duwde Zadie Helen ruw de limousine in. Gilda volgde. Helen keek haar boos aan.

'Je hebt het haar verteld! Zie je wel, ik had je niet moeten uitnodigen.'

'Ik heb het voor jou gedaan, om je uit de nesten te halen. Eigenlijk zou je me dankbaar moeten zijn.'

Voordat Zadie Gilda erop kon wijzen dat dronken vrouwen die op het rechte pad worden teruggebracht zelden dankbaar zijn, draaide Helen zich naar haar om en keek haar vol haat aan. 'Als je het Grey vertelt, ontken ik alles. Hij zal de pest aan je krijgen omdat je een wig tussen ons probeert te drijven.'

Zadie staarde haar aan. Als ze beter tot denken in staat was geweest, had ze vast wel iets gevats kunnen bedenken, iets met: leugenachtige hoer of zo. Maar ze was teut en in de war door wat Gilda had onthuld, dus keek ze Helen alleen maar aan en schudde haar hoofd. 'Ik ken je zo niet.'

De anderen stapten in voordat Helen nog iets kon zeggen.

'Gelukkig gaan we hier weg,' zei Tut. 'Wat een walgelijke tent.'

'Echt ranzig,' was Hola het met haar eens.

Betsy schoof aan. 'Onzin. Als het hetero's waren, lagen jullie nu naakt op de motorkap.'

'Oké, vanaf nu wil ik niets meer van je horen,' zei Tut. 'Tegen jou kan ik geen beleefdheid meer opbrengen.'

'Dat snap ik. Ik heb immers geen pik,' reageerde Betsy.

Zadie keek haar aan, ineens vol respect voor deze nieuwe Betsy.

Jane stapte in. 'Marci en Kim hebben het daar zo naar hun zin, ik denk niet dat we hen daar weg krijgen.'

Denise stak haar hoofd naar binnen. 'Zou het niet geinig zijn als ik weeën kreeg van dat schootdansen?' Ze klom over iedereen heen om dicht bij het raampje te kunnen zitten, voor het geval ze weer misselijk werd. 'Zien jullie het al voor je, dat ik Jeff vertel dat de vliezen braken terwijl de een of andere gozer met zijn ballen tegen me aan wreef?'

Marci en Kim stapten giechelend in. 'Hebben jullie die Javier gezien? Wat een stuk!' zei Kim.

'Een haarloze caramel met spierballen,' zei Marci.

'Ik heb zijn telefoonnummer gekregen,' zei Kim. 'Ik neem hem als oppas in dienst. Waarom mag ik geen sexy oppas om naar te kijken? Roger kijkt altijd alsof hij het in zijn broek doet als hij die stomme cheerleader naar huis moet brengen. En dat klotewijf eet al mijn yoghurtjes op.'

Eloise was de laatste die instapte. Ze was erg van streek. 'Ik hoop dat er een goede reden is waarom we hier weggaan, ik weet zeker dat ik de ober had kunnen bekeren.'

Het feit dat de minst aantrekkelijke vrouw in de auto er zeker van was dat ze van een homo een hetero kon maken, was de druppel. Als ze niet gauw weggingen, ontplofte Zadie nog.

Ze boog zich naar de chauffeur toe. 'Jerry, naar het hotel graag.'

'Waarom?' jammerde Helen.

Zadie draaide zich om en keek Helen minachtend aan.

'Omdat je gaat trouwen.'

tweeëndertig

Eenmaal terug in het Beverly Hills Hotel liet Helen zich door Zadie en Gilda naar haar kamer brengen, ook al vond ze dat duidelijk niet prettig. Het was pas halftwee. Over een halfuur gingen de cafés dicht, ze moest dus veel missen.

Zadie hield haar stevig bij haar elleboog vast toen ze in de lift stapten. 'En ik voelde me schuldig omdat ik na het derde afspraakje al met Jack naar bed ging... Hoe kon je zo hooghartig doen terwijl jíj met drie kerels op één nacht hebt liggen vozen?'

'Dat telt niet, ik was toen dronken.'

'Ik ook!'

Helen haalde haar schouders op. Ze stoorde zich duidelijk niet aan haar hypocriete gedrag. Of misschien zat het haar toch dwars, want ze vroeg: 'Je gaat het hem vertellen, hè?'

'Grey? Nee, ik ga het hem niet vertellen! Jezus, denk je nu echt dat ik degene wil zijn die hem op de hoogte brengt van het feit dat je schijnheilig bent? Dat mag je zelf doen.'

'Het is al zeven jaar geleden. Daar heeft hij toch niks mee te maken?'

'Niet als je niet zo veel poeha over normen en waarden had. Helen, je houdt iedereen voor de gek. En Grey houdt niet van mensen die iedereen voor de gek houden.'

De liftdeur schoof open en ze stapten uit op de vijfde verdieping. Ze zetten koers naar de bruidssuite.

'Dus je denkt dat hij het uitmaakt als hij erachter komt?'

'Dat heb ik niet gezegd.'

Helen leek in de war te zijn. 'Maar waarom moet ik het hem dan vertellen als jij het hem toch niet vertelt? Kunnen we hem niet gewoon in de waan laten?'

Zadie was niet voor logica in de stemming. 'Ga naar je kamer en ga slapen. En probeer niemand te vermoorden en ook niks te jatten.'

Helen keek Gilda aan. 'Heb je haar álles verteld?'

Gilda haalde haar schouders op. 'Ik probeerde je ergens voor te behoeden.'

Helen keek naar Zadie en toen weer naar Gilda. 'Weet ze ook van...'

Zadie bedekte haar oren met haar handen en viel haar gauw in de rede. 'Als je "Lionel Richie" wilde zeggen, wil ik het niet horen.'

Helen keek berouwvol en deed er verder het zwijgen toe. Wie weet wat voor gruwelijk geheim ze koesterde.

Zadie zocht in Helens tasje. 'Waar is de sleutel?'

'Weet ik niet.'

Geërgerd kreunde Zadie. Ze kreeg Helen die hotelkamer in, al moest ze er de deur voor openbreken.

Nadat ze naar de receptie hadden gebeld en Helen in de bruidssuite hadden gekregen, weigerde die haar nachtpon aan te trekken. Ze wilde per se slapen met de sluier met de hoorntjes op en de dildo over haar yogapakje. Zadie wilde daar niet moeilijk over doen, dus stond ze het toe. Ze zette drie flesjes mineraalwater uit de minibar op het nachtkastje en zette de roestvrijstalen prullenbak naast het bed voor het geval Helen moest overgeven. En dat was heel goed mogelijk, gezien de grote hoeveelheden drank die Helen naar binnen had gegoten.

Zadie keek Gilda aan. 'Heeft ze in Mexico moeten overgeven?'

'Vreselijk.'

Zadie legde een nat washandje op het nachtkastje, naast de flesjes water. Ze wist niet waarom ze zo aardig was, afgezien van het feit dat ze zich tegenover Grey schuldig voelde omdat ze Helen zo veel had laten drinken. 'Als je moet overgeven, doe het dan hierin, en je kunt je mond hiermee afvegen.'

Helen kreunde, al half buiten westen nu ze in bed lag.

Zodra Zadie en Gilda op de gang stonden, durfde Zadie te ontspannen. Ze liet zich langs de muur op de grond glijden, waar ze bleef zitten.

'Het is ons gelukt. Ze ligt in bed.'

Gilda schudde haar de hand. 'Gefeliciteerd. Dat was daadkrachtig optreden.'

'Als je eens iemand nodig hebt, sta ik voor je klaar.'

'Grey is je vast heel dankbaar.'

Zadie zuchtte. 'Als ze vannacht met een man tussen de lakens was beland, zou hij daar moeilijk overheen komen. Het zou zijn dood zijn.'

'Het is niet zeker dat het zo zou zijn afgelopen, maar ik vond dat we beter geen risico konden nemen,' zei Gilda.

'Drie mannen op één avond?' Zadie kon het nog steeds niet geloven.

'Had ik je al verteld dat ze er platjes van had opgelopen?'

Zadie glimlachte. Vanaf nu zou ze zich nooit meer als de mindere van Helen beschouwen.

drieëndertig

Toen Zadie en Gilda terugkwamen in de Polo Lounge, waren de anderen net bezig te betalen. Het was sluitingstijd, ze waren de enigen in de bar, op de barman na.

'Slaapt ze?' vroeg Betsy.

'Ze is bewusteloos. Ze ligt te snurken,' antwoordde Zadie.

'Zoals jij haar van het toneel sleurde...' zei Eloise. 'Ze zou je een proces kunnen aandoen voor grof lichamelijk geweld.'

'Ik deed het voor Grey. Hij zorgt er wel voor dat er geen proces komt.'

Zadie keek om zich heen. Het viel haar op dat ze met minder waren. 'Waar is Cassandra?'

'Die volgt haar roeping,' zei Jane.

'Wat bedoel je daarmee?' vroeg Hola kwaad. 'Jezus, ze zit gewoon met een man te praten. Ik snap niet dat jullie daar zo veel heisa over maken. Jullie staan al te giechelen sinds ze daar naartoe ging.'

Jane glimlachte, geheimzinnig als immer.

Betsy lichtte Zadie en Gilda in. 'Ze zit in Paolo's limousine. Om hem te leren kennen. Ik weet zeker dat ze daar haar mondje bij zal gebruiken.'

'Ik krijg twintig procent,' zei Jane met een knipoog naar Zadie. 'Bemiddelingskosten. Hij is vaste klant, dit is een zoethoudertje.'

'Ik wist het wel!' reageerde Zadie.

'Twintig procent van wat?' vroeg Kim.

'Ja, ik snap het ook niet. Hoezo vaste klant?' vroeg Marci.

Zadie kreeg een gevoel van triomf toen Jane alles onthulde.

'Dames, ik ben callgirl.'

Ze staarden haar aan zonder het te begrijpen.

'Nee, je bent stewardess,' zei Betsy.

'Dat was ik vroeger. Totdat ik merkte dat er makkelijker manieren zijn om aan geld te komen. Kom op, hoe denk je dat ik me anders deze kleren kon veroorloven?' Ze gebaarde naar haar dure kleding en dure tasje.

'Wacht eens,' zei Hola. 'Bedoel je dat je Cassandra hebt opgezet om met die kerel te vozen?'

'Zeg eens, hij bulkt van het geld. En ze had hem toch wel versierd. Ik heb haar een gunst bewezen.'

Hola snoof alsof ze wilde zeggen dat het niet waar was, hoewel ze heel goed wist dat het wel zo was.

Geweldig. Tut zat in een limousine met een man die haar er straks geld voor ging geven. Zadie had graag haar gezicht gezien.

'Zeg eens...' zei Eloise. 'Hoe ben je daarin verzeild geraakt?'

Natuurlijk, Eloise wilde het naadje van de kous weten voor het geval ze ook van loopbaan wilde veranderen. Maar Zadie kon zich niet voorstellen dat iemand bereid was met geld over de brug te komen om Eloise te nemen. Hoewel, misschien zo iemand die het met knuffelbeesten deed...

Gilda keek Zadie aan. 'Dan had je dus toch gelijk!'

Betsy kon het niet uitstaan dat iemand het eerder had geweten dan zij. 'Wist je dat?'

'Ik had zo mijn vermoedens,' zei Zadie.

Jane haalde haar schouders op. 'Ik schaam me er niet voor. Ik wist alleen niet zeker of jullie er wel tegen konden.' Ze keek Zadie aan. 'Wat heeft me verraden?'

'Paolo, Cyndi en je tasje.'

Jane hief het glas op Zadie, onder de indruk.

Marci en Kim staarden Jane alleen maar aan, het was nog niet goed tot hen doorgedrongen. 'Wacht eens, ben je soms prostituee?' vroeg Kim geschokt.

'Ik tippel niet, hoor, ik heb een lijstje met klanten die ik om de beurt afwerk.'

'Wat verdien je?' vroeg Marci.

'Vijfhonderd per uur.'

Iedereen floot, slaakte een gilletje of keek geschokt. Ze waren allemaal diep onder de indruk.

'Dat is meer dan ik verdien, en ik ben accountant en meester in de rechten,' zei Eloise.

Jane haalde haar schouders op. 'Kwestie van vraag en aanbod. Ik krijg drieduizend voor een hele nacht.'

Meer kreetjes.

Hola was hevig geïnteresseerd. 'Wacht eens, bedoel je dat Cassandra nu vijfhonderd dollar van die man krijgt?'

'Cassandra krijgt driehonderd. Ik heb hem korting gegeven omdat ze nieuw is.'

'Dus je bent ook hoerenmadam?' vroeg Betsy.

'Vanaf vanavond pas. Ik had er eerder nooit aan gedacht, maar die meid is ervoor in de wieg gelegd.'

Hola snoof afkeurend.

Eloise keek of ze nog nooit zo jaloers was geweest. 'Je hebt nog steeds niet verteld hoe je erin bent gerold.'

'Net als Cassandra. Ik was met een stel vriendinnen uit, vriendinnen die meer te besteden hadden dan je van secretaresses verwacht, en voordat ik het wist had ik tien vaste klanten.'

'Maar wat moet je allemaal dóén?' vroeg Kim, nog erg in de war.

'Hetzelfde wat jij doet. Alleen word ik ervoor betaald.'

'En moet je daarna aanhoren dat ze met de deur open zitten te poepen?' vroeg Marci.

Jane fronste. 'Dat zou ik extra in rekening brengen.'

'Weet Helen ervan?' vroeg Betsy.

Jane schudde haar hoofd. Zadie was dankbaar dat Helen al in bed lag. Ze zou in haar conditie in staat zijn geweest Tut uit de auto te sleuren en zelf met Paolo aan de gang te gaan. En daar een goede reden voor hebben. Driehonderd dollar was niet te versmaden als je een dure receptie moest geven.

Gilda klonk met Jane. 'Op mijn eerste callgirlvriendin.'

'Ik vind het maar ranzig,' zei Hola.

Betsy keek haar eens aan. 'Je bent alleen maar pissig omdat ze jóu niet naar Paolo in zijn auto heeft gestuurd.'

'Dat ik mooi ben, wil nog niet zeggen dat ik een slet ben,' kwam Hola voor zichzelf op.

Net op dat moment kwam Tut weer binnen. Doodgemoedereerd. Er was geen spoor te bekennen van een innerlijke worsteling met normen en waarden. Ze kwam bij hen zitten.

'Is de laatste ronde al geweest?'

Ze staarden haar aan.

'Wat nou?'

Jane was de eerste die iets zei: 'Vond je Paolo aardig?'

'Ja hoor, best.'

De anderen wachtten erop dat ze ging uitweiden. Ze begon zich al ongemakkelijk te voelen.

'We hebben gewoon een tijdje rondgereden. Hij is veel te oud om mijn vriend te zijn, maar ik zei wel dat ik nog wel eens met hem uit wil.'

'Dat geloof ik graag,' zei Jane.

'Laat het geld eens zien?' vroeg Betsy.

Tut verschoot van kleur. 'Wat?'

'We weten allemaal dat hij je er driehonderd dollar voor heeft betaald,' zei Gilda. 'Doe dus maar niet zo onschuldig.'

Met trillende hand dronk Tut de cocktail van Hola op. 'Ik weet niet waarover je het hebt.'

Janes mobieltje ging. Met een glimlach las ze het sms-je. 'Paolo zei dat je geweldig was en dat hij al uitkijkt naar jullie afspraakje van volgende week.'

Tut lachte trots, maar toen drong het tot haar door dat ze erbij was. Ze trok Hola aan haar hand op. 'Wij gaan naar huis.' Tegen de anderen zei ze: 'Als jullie niet binnen vijf minuten in de limousine zitten, vertrekken we zonder jullie.' Ze liepen weg op wat zij vast een hooghartige en verontwaardigde manier vonden.

'Ik bel je nog,' riep Jane haar na. 'Ik ken een man die in Encino huisarrest heeft, hij zou helemaal weg van je zijn.'

Gilda keek de anderen om de beurt aan. 'Logeren we hier niet allemaal? Voor het etentje vooraf van morgen?'

Onwillig stonden Marci en Kim op. 'Wij niet,' zei Kim. 'Wij hebben koters en mannen om voor te zorgen. Morgenavond zien we elkaar weer.'

Kim keek Marci aan. 'Nog een uur met die twee in de auto... Als ze op de crèche wisten dat ik met callgirls omga, zouden ze me eruit trappen.' Tegen Jane zei ze: 'Ik hoop dat je je niet beledigd voelt.'

'Nee hoor,' reageerde Jane diplomatiek.

Toen ze allemaal opstonden om weg te gaan, kwam Denise uit de damestoiletten. 'Heb ik iets gemist?'

vierendertig

Opgelucht liep Zadie door de lobby. De avond was voorbij. Haar taxi stond te wachten. Ze had het overleefd. En ze had ook nog nieuwe vriendinnen gemaakt, ze wist de waarheid over haar brave nichtje, en ze had ervoor gezorgd dat dat nichtje Greys hart niet had gebroken, iets wat zeker zou zijn gebeurd als Helen zich in de armen van een handelsreiziger in vloerbedekking of van een mannelijke stripper had gestort. Over het geheel genomen was het een succes geweest.

Net toen ze bij de deur was gekomen, hoorde ze achter zich een vertrouwde stem.

'Hoi.'

Langzaam draaide ze zich om, want ze wist maar al te goed wiens stem dat was. Daar stond hij weer, met een brede grijns, in al zijn reclame-voor-Gap-glorie.

'Je vriendin zei dat jullie hier overnachtten, dus dacht ik maar een kansje te wagen.' Hij tutoyeerde haar nu.

'Trevor.'

Meer kon Zadie niet uitbrengen. Ze was niet meer zo van slag als op de dansvloer, maar ze vond hem nog steeds razend aantrekkelijk.

Hij kwam op haar toe. 'Ga je naar huis?'

Ja. Ja, ze ging naar huis. Ze kon Trevor onmogelijk meenemen, dat druiste in tegen de normen en waarden die ze zich nog vagelijk herinnerde.

Gelukkig kwamen Jane en Gilda uit de damestoiletten en liepen door de lobby. Ze begroetten Trevor alsof hij een vriend was die ze lang geleden uit het oog waren verloren.

'Trevor! We hoopten al dat je zou terugkomen.' Jane knipoogde naar Zadie.

Gilda omhelsde hem en keek toen Zadie aan. 'Gaan jullie naar huis?'

Zadie stamelde moeizaam: 'Ik... ik...'

Jane gaf haar de sleutel van haar kamer. 'Ik ga nog even met Gilda babbelen, dus kom ik voorlopig niet op mijn kamer. Hier, de sleutel.'

En daar stond ze. Met Trevor en de sleutel voor een hotelkamer, en een meisje dat haar aanmoedigde van beide gebruik te maken. Wat moest ze?

Het tochtje met de lift naar de vijfde verdieping was een marteling. Zij leunde tegen de ene wand en hij tegen de andere. Hij lachte naar haar.

'Ben je kwaad omdat ik ben gekomen?'

'Waarom zou ik daar kwaad om zijn?'

'Omdat je me eerder vanavond liet staan, en meestal is dat een aanwijzing dat het meisje je niet ziet zitten.'

Het enige woord dat tot haar doordrong, was 'meisje'. Het deed haar goed.

'Echt, je zou het niet leuk hebben gevonden waar we daarna naartoe gingen.'

'Waar waren jullie dan? Zijn jullie naar mannelijke strippers gaan kijken?'

'Hoe weet je dat?'

'Zeg, het was toch een vrijgezellenfeestje? Dan horen strippers erbij. Ik hoop alleen dat je niet je buik vol van naakte mannen hebt.'

Plotseling drong het tot haar door dat ze op het punt stond Trevor naakt te zien. Ze wist geen gevatte reactie. Ze keek hem alleen maar aan en grijnsde, in afwachting van de vreugde die haar te wachten stond.

'Mag ik je kussen?' vroeg hij.

Ze knikte. Waarom niet? Jane liet zich voor geld naaien. Eloise stond toe dat haar cliënten video's maakten van haar in bed. Marci moest aanhoren dat haar man zat te poepen. Kennelijk was zijzelf geen haar beter.

Hij zette een stap in haar richting en omvatte haar achterhoofd. Hij hield haar haar vast terwijl hij haar kuste. Ongelooflijk, ze stond met Trevor te zoenen. In de lift. Op weg naar een hotelkamer. Hij smaakte naar bier. Zijn tong was warm. Ze voelde hem stijf worden tegen haar aan. Voor de eerste keer in zeven maanden voelde ze zich weer mens.

Het belletje van de lift weerklonk en ze stapten uit. Zadie keek naar het nummer op de sleutelhanger en vond algauw Janes kamer. Drie deuren verder dan die van Helen. Ze stak de sleutel in het slot en wachtte op het groene lichtje. Het ging meteen goed. Een goed teken. Trevor had zijn handen op haar billen gelegd. Daarna liet hij ze naar boven glijden, om haar middel.

'Niet te geloven dat ik hier met je sta,' zei hij. 'Hier heb ik al zo lang van gedroomd.'

Zadie dacht even na over de ironie van het geval, toen duwde ze de deur open. Trevor had fantasietjes over haar. Jammer dat ze dit niet op cassette kon opnemen, voor later.

Het was een suite, heel smaakvol in aardetinten en met donkerrode gordijnen. Jane had zeker een paar klanten voor de hele nacht gehad dat ze zich deze suite kon veroorloven. Of ze kreeg als callgirl korting. Zadie schopte haar sandaaltjes uit en plofte op de roomkleurige bank neer, toch wel een beetje zenuwachtig. Trevor begreep het en ging naar de minibar.

'Hé, ze hebben hier Corona.' Hij maakte een flesje open en keek haar aan. 'Ook een?'

Zadie zag een klein flesje José Cuervo staan en dacht dat ze dat misschien nodig had om in staat te zijn haar lichaam te geven waarnaar het verlangde, maar wat haar brein nog niet helemaal goedkeurde. 'Tequila graag.'

'Met ijs?' vroeg hij.

'Geef me het flesje maar.' Ze nam een teug en zette het flesje neer. Ze had er citroen noch zout bij. Hij kwam naast haar op de bank zitten. 'Je beseft toch wel dat we dit aan niemand, maar dan ook niemand mogen vertellen?' zei ze.

Hij trok zijn T-shirt over zijn hoofd. 'Ik zweer dat ik het niemand zal vertellen.' Hij boog zich naar haar toe om haar nog eens te kussen. Deze keer liet hij zijn beide handen in haar haar wegzinken. Waarom was dat zo sexy? Dat wist ze niet, maar ze ging er nu niet over nadenken.

Hij knoopte haar bloesje los en legde zijn handen op haar borsten. Eerst raakte hij ze vluchtig aan, daarna omvatte hij ze. Alsof hij niet kon geloven dat ze zo vol waren. Gelukkig had ze een goede beha aangetrokken. Trevor mocht niet weten dat ze meestal goedkope, versleten beha's droeg. Maar dit was er eentje van Victoria's Secret, van satijn, en die duwde haar kleine borst hoger op dan haar grote. Maar zoals Trevor in ze kneep zou hij het verschil in omvang niet merken. Toen hij zijn gezicht tussen haar borsten verborg, legde ze haar hoofd tegen de rugleuning van de bank en zuchtte diep. God ja, neuken...

'Wat is dit?' Hij haalde een stukje paarse penisconfetti van tussen haar borsten te voorschijn.

'O jezus...' Stilletjes vervloekte ze Denise. 'Vraag maar niet verder.'

Trevor keek ernaar en lachte, toen wierp hij het weg om haar borsten nog meer te aanbidden. Hij keek naar haar op. 'Ze zijn geweldig.'

Ze kon er zich niet toe brengen zijn gulp open te ritsen. Dat leek te veel op kinderverkrachting. Ze wachtte totdat hij haar hand in zijn kruis legde, zoals jongens van negentien doen – dat herinnerde ze zich nog uit haar jeugd – voordat ze mocht voelen aan waarvan iedereen op Sunset Boulevard zo kwijlde. O god...

Verrast trok ze haar hand terug.

'Wat is er?' vroeg hij terwijl hij haar borsten bleef kussen. Haar beha was al uit.

'Niets.' Ze probeerde het hoofd koel te houden. Ze mocht hem niet laten merken dat ze nog nooit zo'n enorme pik in handen had gehad. Jack was fors geschapen, maar Trevor was bijna obsceen. Geen wonder dat hij liever oudere vrouwen had. Een meisje van zestien zou na één blik gillend wegrennen. Zadie had altijd aangenomen dat de mannelijke modellen op reclameborden een opgerolde sok in hun broek stopten. Niet dus.

'Gaat het?' vroeg hij.

'O ja. Prima.'

Hij trok zijn broek uit en zij liefkoosde hem terwijl hij haar broek losmaakte en uit deed. Even raakte ze in paniek toen ze zich probeerde te herinneren welk slipje ze aanhad, maar toen ze keek, kon ze weer ontspannen. Het was een zijdezacht bikinislipje dat ze nog over had van haar 'uitzet'. Het leek wel of het universum wílde dat ze met Trevor naar bed ging. Ze voelde zich niet schuldig meer. Dit was kennelijk door een hogere macht zo voorbestemd. Het was de bedoeling dat dit gebeurde. Waarom anders droeg ze haar mooiste ondergoed?

vijfendertig

Na afloop liet Zadie zich van hem af glijden en zonk ze terug in de kussens van de bank. Drie keer. Nooit eerder had ze het drie keer achter elkaar gedaan. Tijdens de tweede keer had hij gezegd dat hij van haar hield. Dat nam ze niet echt serieus, maar ze kon het wel waarderen.

Trevor liet zijn hoofd tegen de armleuning rusten en probeerde op adem te komen. 'Allemachtig.'

Precies. In één keer waren alle twijfels uitgewist die Zadie over haar eigen begeerlijkheid had. Maanden van therapie hadden niets voor haar gedaan, maar een halfuur met Trevor en ze had weer zelfvertrouwen. Ze was sexy en begeerlijk.

'Weet je nog, die keer bij de cola-automaat?'

Zadie kwam uit haar roes en dacht na over zijn vraag. Had hij het over die keer dat ze fantaseerde dat ze hem in zijn hals zoende?

'Ik draaide me om en je stond direct achter me,' zei hij. 'Ik stond op het punt je te gaan zoenen, maar ik durfde niet.'

Had Trevor haar bijna gezoend? Op school?

'Dan was je zeker geflipt, hè? Ik ben blij dat ik tot vanavond heb gewacht.'

'Daar ben ik ook blij om,' reageerde ze. Ze probeerde zich Trevor voor te stellen die haar bij de cola-automaat zoende, en Nancy die net de hoek om kwam en hen betrapte. Uit zo'n scenario kon weinig goeds voortkomen. Het leidde eerder tot jaloezie, beschuldigingen, ontslag, werkloosheid. 'We mogen elkaar nooit en te nimmer op school aanraken. Dat weet je toch, hè? Als iemand erachter komt, word ik subiet ontslagen.'

'Weet ik. Gaaf.' Hij keek haar aan, lachte en kwam op haar liggen om haar nog eens te kussen. Er kwam toch geen vierde ronde? Zadie wist niet of ze dat wel kon opbrengen. Dat hij het kon opbrengen, was evident.

Ze kuste hem terug en schoof toen weg, zodat ze weer tegenover elkaar op de bank zaten. 'Ik ben bang dat ik uitgeput ben.'

Hij grijnsde van trots. 'En, was het fijn?'

Om de waarheid te zeggen was de theorie prettiger dan de praktijk. Het neuken was prima. Prima, maar snel. Helaas was hij niet zo goed in het voorspel. Ze was niet klaargekomen. Niet dat ze dat had verwacht, ze herinnerde zich nog het negentienjarige vriendje uit de tijd dat ze nog studeerde. Bij hem zaten er tussen de eerste kus en het moment van penetratie een paar seconden. Maar Zadie was hier niet voor de techniek. Ze had naar lichamelijk contact verlangd. Trevors naakte huid tegen de hare aan. De gedachte daaraan had haar door de eerste moeilijke maanden geholpen en de realiteit ervan stelde haar niet teleur.

Maar het na afloop gezellig babbelen was een beetje ongemakkelijk. Daar had ze nooit bij stilgestaan, daarover had ze niet gefantaseerd. In haar fantasietjes verdween hij onmiddellijk na afloop zodat zij nog tijd genoeg had om naar *The Daily Show* te kijken.

Ze liet haar hand over zijn prachtige, gespierde schouder glijden. 'Ja, het was fijn.' Een schouder als deze zou in brons moeten worden gegoten, vond ze. Of in marmer uitgehouwen. Toen ze in haar laatste studiejaar nog een semester naar Italië was gegaan, was ze onder de indruk geraakt van de beelden in het Vaticaan van Antonius, de knappe vriend van keizer Hadrianus. Kennelijk had Hadrianus hem tot god verheven en vele kunstenaars de opdracht gegeven beelden van hem te vervaardigen om hem in al zijn sexy glorie vast te leggen, en die beelden waren overal in het keizerrijk geplaatst. Zadie zou wel zo'n beeld van Trevor in de woonkamer willen om haar aan deze avond te herinneren. En een kopie voor in Jacks voortuin met een gevat opschrift erbij.

'Dat dacht ik al. Je deed lekker mee.' Opgelucht stopte hij een lok haar achter zijn oor. 'Je maakte meer lawaai dan de andere meisjes met wie ik het heb gedaan.'

Zadie bloosde. Waarschijnlijk had ze het halve hotel wakker gemaakt.

Hij keek op zijn horloge. 'Ik kan maar beter gaan. Mijn ouders gaan door het lint als ik na drieën thuiskom.'

De gedachte aan zijn ouders maakte een eind aan eventuele gevoelens van begeerte. Ze voelde nog een laatste keer aan zijn wasbordje en keek terwijl hij zijn broek aantrok. Toen hij eenmaal veilig was aangekleed, keek hij haar aan en boog zich over haar heen voor nog een kus.

'Dit was de tofste avond ooit.' Hij keek zo vol warmte in haar ogen dat ze er bijna van moest huilen. Ze kon niets terugzeggen. Ze gaf hem een kus en streelde zijn bakkenbaarden. Hij was een gift van de goden, op aarde gekomen om haar te helen. Dr. Reed zou trots op haar zijn. En Dorian... Dorian deed het in haar broek als ze het haar zou vertellen.

Hij stond op en trok zijn T-shirt over zijn hoofd. 'Eh... mag ik je bellen of zo?'

'Tuurlijk.' Zadie verstarde bij de gedachte alleen al. Uitgesloten.

Hij grijnsde. 'Eh... mag ik dan je telefoonnummer?'

'Daar hebben we het dinsdag wel over. Maar niet op school. Ik verzin wel iets.'

Ze trok haar spijkerbroek weer aan en knoopte haar bloesje dicht. Hij keek naar haar terwijl ze dat deed.

'Ik wilde maar dat ik Jared kon vertellen hoe sexy je zonder kleren bent, maar maak je niet druk, dat doe ik niet.'

Nu raakte Zadie toch echt in paniek. De ouders van Jared Blair zaten in de oudercommissie. Als Trevor en Jared high waren, kon Trevor verklappen dat hij zijn pik in haar had losgelaten, en dan raakte ze haar baan kwijt. En ze kreeg zeker geen ronkende aanbevelingsbrieven. 'Zadie Roberts? O ja, die doet het met leerlingen.'

'Trevor, ik kan niet genoeg benadrukken dat het heel belangrijk is dat je er met niemand over praat. Ik zou een dakloze zwerver worden. En als ik in een kartonnen doos onder een brug woon, kun je me niet bellen.'

'Oké, dat snap ik. Maak je niet druk.'

Ze deed haar sandaaltjes aan en pakte haar tasje, toen liepen ze samen naar de deur. Hij tilde haar gezicht bij de kin op en kuste haar nog een laatste keer voordat hij de deur opendeed. Een heel tedere kus.

'Sorry,' zei hij. 'Dat moest nog even.'

Als Zadie zich ondertussen niet had drukgemaakt over de mogelijkheid dat ze haar baan kon verliezen, zou ze in zwijm zijn gevallen. In plaats daarvan legde ze haar handen op zijn billen toen hij haar omhelsde. Als ze haar ondergang tegemoet ging, dan maar met een voldaan gevoel.

zesendertig

Toen Trevor in de lift stapte, gebaarde Zadie naar de gang.

'Ik moet nog even bij mijn nichtje kijken om te checken of ze niet in haar eigen braaksel stikt of zo.'

'Oké. Tot ziens op school.' Hij grijnsde betekenisvol naar haar, waarschijnlijk om aan te geven dat hij haar zich tijdens de les naakt zou voorstellen.

Terwijl de liftdeur dichtgleed, draaide Zadie zich om en zette koers naar Helens kamer. Ze fronste haar wenkbrauwen. Wat had die herrie te betekenen?

Ze drukte haar oor tegen de deur en hoorde het onmiskenbare gekreun van vrijende mensen. Een vrouwenstem: 'O god, o god!' En een mannenstem: 'Verdomme, je bent de ideale vrouw!' Een zuidelijk accent. Jim. Dat wist ze zeker. Haar angsten werden bewaarheid toen ze hem hoorde zeggen: 'Zo hebben we ze niet in Atlanta.'

Jezusmina!

In het halfuurtje tot drie kwartier dat ze met Trevor bezig was geweest, had Jim Helens kamer gevonden en nu lag hij met haar tussen de lakens. Helen had hem in de Deep zeker de sleutel gegeven... Verdomme! Wat moest ze doen? Ze kon moeilijk op de deur bonzen, dat had geen zin meer. Ze waren al te ver gegaan.

Shit!

Grey vermoordde haar nog. Het was allemaal háár schuld. Ze had bij Helen moeten blijven met de deur op slot. Ze wist toch dat Helen straalbezopen was? Ze wist toch dat Helen stiekem een sloerie was? En toch had ze haar alleen gelaten, al was het in een afgesloten hotelkamer. Ze had Helen de gelegenheid gegeven herenbezoek te ontvangen.

Shit!

Ze bleef daar nog even staan terwijl ze zich afvroeg wat ze moest doen. Toen ze Jim hoorde zeggen: 'Nu omdraaien, dan doen we het van de andere kant', liep ze weg.

Ze had gefaald. Grey had haar gevraagd ervoor te zorgen dat Helen het leuk had, en ja, kennelijk had Helen het te gek, maar niet zoals Grey het had bedoeld. Die arme Grey zat thuis en stelde zich voor dat Helen ranja dronk met een stukje kwarktaart erbij. Niet dat ze met een handelsreiziger lag te rollebollen.

Ze liet de portier een taxi bellen en terwijl ze op een auto wachtte, drentelde ze over de oprijlaan. Ze had Jane niet eens de sleutel teruggegeven. Ze wist dat als ze een andere feestvierder tegenkwam, ze het haar moest vertellen, en ze vond het beter dat er verder niemand op de hoogte was. Ze wist nog niet wat ze Grey moest zeggen. Ze schrok er al voor terug hem over Cancún te vertellen, en dat was niks vergeleken bij wat Helen nu uitspookte.

Toen haar taxi voorreed, stapte ze in en vertelde de Armeense chauffeur waar ze naartoe wilde. Hij draaide zich naar haar om en vroeg: 'Gaat het een beetje?'

Omdat hij zich bezorgd maakte en Engels sprak, maakte ze van de gelegenheid gebruik om naar een oplossing voor haar probleem te vissen. 'Als uw beste vriend over twee dagen ging trouwen en u net zijn verloofde in bed met een ander had betrapt, wat zou u dan doen?'

'Ik zou het mijn vriend vertellen,' antwoordde de chauffeur. 'Ik zou willen voorkomen dat hij met een snol trouwde.'

'En als die snol uw nichtje was?'

De chauffeur floot, toen zuchtte hij diep. 'Dat wordt moeilijk. Wie is u het dierbaarst?'

'Mijn beste vriend.'

'De bruidegom, hè?'

'Ja.'

'Dan moet u het hem vertellen.'

'Maar krijgt hij dan geen hekel aan me omdat ik hem het slechte nieuws breng? En krijgt hij geen hekel aan me omdat ik er geen stokje voor stak dat ze dronken werd en de een of andere gozer de sleutel van haar hotelkamer gaf?'

De chauffeur draaide zich weer om en keek haar aan. 'U bent geen goede vriendin.'

Zadie zuchtte diep. Hij had gelijk, ze was geen goede vriendin.

Shit.

zevenendertig

Toen Zadie wakker werd, had ze een hoofdpijn die zich kon meten met barensnood. Dat dacht ze tenminste. Haar lichaam was zo uitgedroogd dat het leek of haar keel van schuurpapier was gemaakt. Ze kon echt nooit meer uit bed komen. Ze was levenslang aan dit bed gekluisterd. Ze moest maar lesgeven via een gesloten radiocircuit.

Gelukkig was het zondag, dus hoefde ze niet op te staan. En toen herinnerde ze het zich.

Het etentje vooraf stond voor vanavond op het programma. Ze had om twaalf uur 's middags met Grey afgesproken, ze zou hem helpen de cadeautjes voor de getuigen af te halen. Grey. Om twaalf uur. Shit.

Ze probeerde te gaan zitten, maar haar lijf werkte niet mee. Niet alleen had ze een kater, ze was ook beurs, iets wat alleen kon worden toegeschreven aan rampetampen met iemand met een buitenformaat penis. Bestond daar nou niks tegen, geen enkel typisch vrouwelijk product voor de dagelijkse hygiëne?

Eenmaal in de badkamer gekomen, keek ze in de spiegel om te worden geconfronteerd met een wezen met een bleke huid en een schuldbewuste blik. Nadat de chauffeur haar tijdens het ritje van een kwartier de les had gelezen, had ze nog een uur door de kamer geijsbeerd terwijl ze overdacht wat ze Grey moest zeggen. Het was een ongelukje. Gewoon een misverstand. Een stomme fout, zo kon je het ook zeggen. O, heeft Helen je nooit over Cancún verteld? Een grappig verhaal, hoor.

Tegen de tijd dat ze bewusteloos in bed lag, had ze nog steeds niets bedacht waarmee ze Greys gevoelens kon sparen en toch de waarheid zou vertellen. Er is geen makkelijke manier om iemand te laten weten dat het meisje met wie hij op het punt staat in het huwelijk te treden net met een ander naar bed is geweest. Ze dacht terug aan het overweldigende verdriet toen Jack niet op de bruiloft was komen opdagen. Niemand had de bittere pil verguld. Hoe konden ze ook? Ze zeiden gewoon: 'Hij is niet gekomen.' Misschien moest ze Grey ook zoiets zeggen. Maar de gedachte dat Grey ook onder zo veel verdriet gebukt moest gaan, was onverdraaglijk. Dat wenste ze niemand toe. Ze kon het hem onmogelijk vertellen.

Maar stel dat Helen er een gewoonte van maakte? Stel dat ze geen spijt had en weer het lieve, brave meisje ging spelen, het zonnetje in huis? De Helen die Grey kende, kon zijn verdwenen. Door het hem te vertellen, bespaarde ze hem misschien iets ergers dan een paar maanden hartenzeer.

Waar ze zich het meest voor schaamde, was dat zij met Trevor lag te rollebollen terwijl Helen Jim binnenliet. Eigenlijk had Zadie de wacht moeten houden in plaats van zich over te geven aan vleselijke lusten. Dan was er niets gebeurd wat Grey ervan kon weerhouden dit weekend welgemoed te trouwen. Goed, er was Cancún, maar dat was niets vergeleken bij Jim die het van de andere kant wilde doen.

Nadat ze had gedoucht en een T-shirt en spijkerbroek had aangetrokken, gooide ze een paar vitamine C-bruistabletten in een glas water en dronk dat op. Ze sneed zelfs een citroen in tweeën en wreef daarmee haar oksels in, omdat ze in de *Cosmo* had gelezen dat dat tegen een kater hielp. Ze probeerde na te gaan hoe veel margarita's ze achterover had geslagen, maar bij twaalf wist ze het niet meer. En dan was er nog de champagne...

Tegen de tijd dat ze haar auto bij Barneys had opgehaald en bij Grey aankwam, was het halfeen. Grey had de pest aan mensen die te laat kwamen. Ze wist dat ze de wind van voren zou krijgen.

'Waar heb je gezeten?' Hij zag er gespannen uit. 'We moeten vandaag nog waanzinnig veel doen.' Hij stopte zijn portemonnee in zijn broekzak en pakte de autosleuteltjes.

'Kom,' zei ze, blij dat er genoeg te doen was om hem af te leiden van de treurige staat waarin ze zich bevond. Hij had nog niets gemerkt. Gelukkig zijn mensen die bijna gaan trouwen geneigd nogal in zichzelf op te gaan.

'Eerst moet ik de cadeautjes voor de getuigen ophalen, daarna moeten we filmrolletjes kopen en zonnebrandcrème,' zei hij. De zonnebrandcrème was voor op Turtle Island in Fiji. Helen had dat eiland in *Blue Lagoon* gezien en was ervoor gevallen. Sindsdien droomde ze van dat eiland. Grey had Zadie bijna honderd keer op internet laten kijken en Zadie moest toegeven dat het er geweldig uitzag. Privé-stranden waar je de hele dag in je uppie kon zijn – naakt, champagne binnen handbereik, kreeft op je bord, beetje vrijen... Het was het soort oord waar ze Jack nooit mee naartoe zou kunnen krijgen omdat er geen casino was. En je kon echt niet ergens vakantie vieren als je niet in vijf minuten duizend dollar lichter kon worden.

Eenmaal in de auto voelde Zadie zich misselijk. Daar had ze altijd last van als ze mee reed, en het werd erger als ze een kater had.

'En, hoe was het vrijgezellenfeestje? Helen zei dat het geweldig was.'

'O ja?'

'Ja, ze zei dat jullie overal waren geweest. Shoppen, yoga, theedrinken.'

'Ja. Ja, dat hebben we gedaan.'

'Ze zei ook dat jullie naar de Hustler-winkel waren geweest en leuke dingen voor op huwelijksreis hadden gekocht.'

Zadie hoopte dat Helen daarmee niet op de blauwe dildo doelde.

Grey keek haar grijnzend aan. 'Ik zou jullie dolgraag hebben gehoord toen jullie haar daar naartoe wisten te krijgen. Dat was zeker ná de champagne.'

'Heeft ze je over de champagne verteld?' Zadie fronste. Wat wist hij allemaal? Kennelijk niet álles, maar Zadie wist niet wat ze moest zeggen – wist hij dat ze van bar naar bar waren getrokken? Had hij Eloise al gesproken?

'Twee glazen en ze was al teut. Ik hoop dat ze tijdens de huwelijksreis ook drinkt. Ik zou haar graag een beetje aangeschoten willen meemaken.'

Zadie sloeg haar blik ten hemel en hoopte dat de bevolking van Fiji voorbereid was op een dronken Helen. Ze had gehoord dat de mensen daar fors waren, dus misschien konden ze haar in toom houden.

'Ik probeerde gisteravond niet al te veel te drinken,' zei Grey. 'Omdat ik dacht dat ze me zou vermoorden als ik tijdens het etentje een kater had.'

O ja, Grey had gisteren ook een vrijgezellenfeest. Misschien had hij het met een stripper gedaan! O lieve god, laat hij het met een stripper gedaan hebben...

'Was het leuk?'

Grey haalde zijn schouders op. 'Biefstukken en sigaren bij Mastro, toen naar de Crazy Girls voor schootdansen en suffe drankjes.'

'Hebben ze bij je op schoot gezeten?'

'Dat probeerde ik te verhinderen, maar dat valt niet mee als je de bruidegom bent. Ik heb vijf dames op schoot gehad.'

Prima. Vijf halfnaakte dames die zijn kruis opwarmden stond gelijk aan wat Helen had uitgespookt totdat Jim zijn opwachting in haar hotelkamer maakte.

'Vond je het fijn?'

'Niet echt. Ik heb je al verteld dat ik altijd bezorgd ben om het meisje op schoot. Er moet iets tragisch zijn gebeurd dat ze zich daarvoor leent. Ik bedoel, de meisjes die aan Wellesley afstuderen worden niet allemaal voor de grap strippers.'

'Kom op, zeg nou niet dat het je niks deed.'

Hij haalde zijn schouders op. 'Nou ja, het derde meisje was wel sexy. Als ik een schoft was, had ik het met haar wel willen doen.'

'Maar dat heb je niet gedaan?'

Ongelovig keek hij haar aan. 'Natuurlijk niet! Ik ga trouwen, weet je nog?' O ja, dat wist ze nog. Jammer dat het de bruid was ontschoten.

'Trouwens, ik heb het zo geregeld dat jij met Mike over het middenpad loopt. En voordat je met bezwaren komt, hij woont in San Diego. Niet te ver voor een relatie, maar ver genoeg om hem te dumpen als je hem niet ziet zitten.'

Normaal gesproken zou Zadie van het onderwerp zijn afgestapt. Maar op een dag dat ze zich toch al rot voelde omdat ze hem had teleurgesteld, kwam ze hem tegemoet.

'Is dat de Mike van USC die met kauwgom in zijn mond een meisje befte, waarbij de kauwgom in haar schaamhaar terechtkwam?'

Hij keek haar aan. 'Had ik je dat verteld?'

'Ja.'

'Nou ja, neem het hem maar niet kwalijk. Hij was toen eerstejaars. Ik denk dat hij sindsdien technisch gezien wel vooruit is gegaan.'

'Is hij advocaat?'

'Niet iedereen is advocaat.'

'Maar is hij dat?'

'Ja.'

'Waarom is hij nog single?'

Ongelovig keek hij haar aan. 'Zei je vorig weekend niet dat je razend werd omdat de een of andere gozer dat aan jou had gevraagd?'

'Daarom wil ik het ook weten.'

Grey liet de wagen op het parkeerterrein van Saks achter. Toen ze naar binnen liepen, zei hij: 'Besef je wel dat je me vragen over Mike stelt? Alsof je erover denkt een afspraakje met hem te maken.'

'Ik weet pas of ik dat wil als ik hem heb gezien.'

'Anders zeg je altijd meteen dat ik mijn mond moet houden als ik iets voor je probeer te regelen.'

'Nou, misschien sta ik er nu ietsje meer voor open.'

Met een grijns gaf hij haar een por in haar ribben. 'Geïnspireerd door mijn bruiloft?'

Nee, het lag eerder aan haar schuldgevoelens. Dat, en aan het feit dat ze de vorige avond was sufgeneukt. Normaal gesproken zou ze hem daarover hebben verteld, maar alles was anders omdat Helen hem diezelfde avond had bedrogen. De schuldgevoelens wonnen het van de opgetogen gevoelens.

Bij de afdeling voor mannelijke cadeaus verloor Grey zich in lederen heupflessen met zilveren doppen. Zadie liep naar de kristallen tumblers en keek of er nog een sms-je was gekomen. Ze verwachtte half en half dat Helen haar excuses zou maken, of misschien met bedreigingen zou komen. Maar er waren geen nieuwe berichten. Waarschijnlijk stond Helen onder de douche Jim van zich af te wassen. Zou ze heel onschuldig komen opdraven voor het etentje en net doen of er niets was gebeurd? Want Helen wist natuurlijk niet dat iemand haar had gehoord. Misschien liep het voor haar toch nog allemaal goed af.

Grey betaalde voor de acht heupflessen en ging toen zijn smoking afhalen. Die had hij gekocht en laten vermaken omdat hij dacht dat hij de komende jaren met Helen in Orange County talloze gelegenheden moest aflopen waar een smoking vereist was. Ook al trok ze bij hem in in Westwood, ze kon zich moeilijk terugtrekken uit haar sociale kringen. Grey vond het best om haar te escorteren.

De kleermaker, een bejaarde Koreaan die zijn haar over zijn kale kruin kamde, liet Grey nog een laatste keer passen om er zeker van te zijn dat de zoom goed was. Hij keek naar Zadie. 'Zuster?'

Grey knipoogde lachend naar haar. 'Ja, zij is mijn zuster.'

Nu kon ze het hem écht niet meer vertellen.

Bij de drogisterijafdeling keek Zadie weg toen ze langs de condooms kwamen. Stel dat Jim geen condoom had gebruikt? Helen kon wel iets vreselijks hebben opgelopen. Op zijn minst dronken toeristenplatjes.

Ze concentreerde zich dus maar op een zonnebrandcrème met een hoge beschermingsfactor, geschikt voor Greys Iers-Duitse huid. Terwijl ze de flesjes in het mandje legde, waarschuwde ze: 'Vergeet op het naakstrand je bilspleet niet. Ik ben ooit naakt op mijn buik liggend op mijn balkon in slaap gevallen. Nog een hele week zag ik eruit of ik luieruitslag had.' Dat Jack haar uitlachte wanneer ze aloë vera-gel in haar bilspleet smeerde, maakte het er niet beter op.

Toen ze terug waren in Greys huis, liet hij haar het pak zien dat hij die avond voor het etentje wilde dragen. 'Vind je dit wat?'

Ze keek hem aan. 'Nog nooit sinds ik je ken heb je naar mijn mening over je kleding gevraagd.'

'Weet ik, maar deze keer is het belangrijk voor me.'

Gezien het feit dat Grey zich beter kleedde dan Zadie, schreef ze het toe aan de zenuwen. Hij was vast zenuwachtig omdat hij verliefd was en met het meisje van zijn dromen ging trouwen. Dat zich had ontpopt als een achterbakse sloerie.

Ze keek naar het pak. 'Prima.'

Hij ging op de rand van zijn bed zitten. 'Over vierentwintig uur heb ik een echtgenote. Trouwens, nog bedankt.'

'Waarvoor?' vroeg Zadie.

'Als ik jou niet hadden leren kennen, had ik Helen ook niet leren kennen. Dan zag mijn leven er nu heel anders uit.'

Ja, dacht ze, hij had verloofd kunnen zijn met een aardig meisje dat hem niet bedroog en een beste vriendin kunnen hebben die niet zo stom deed.

Hij kneep in haar hand. 'Ik ben je heel wat verschuldigd.'

Zadie kneep terug. 'Nee hoor.'

achtendertig

Zadie was rond vier uur weer thuis. Ze had dus nog een uur om een dutje te doen voordat ze zich moest klaarmaken voor het etentje vooraf en de details van de huwelijksvoltrekking zou doornemen. Aangezien ze pas om halfvijf 's ochtends in bed had gelegen en om elf uur wakker was geworden, was dit geen overbodige luxe. Ze had een dutje hard nodig. Zonder dutje kon ze niet verder.

Maar moe als ze was, kon ze alleen maar liggen, gebukt onder wat ze wist. Als ze met Trevor in de lift was gestapt en niet nog even had gekeken of met Helen alles in orde was, zou ze nooit hebben geweten dat Jim bij haar was. Dan zou ze gedacht hebben dat Helen gewoon een leugenaar was en voorheen ook een slet. Daarmee kon ze leven.

Toen de wekker ging, had ze haar ogen nog open. Ze stond op, douchte nog een keer om het katterige zweet af te spoelen, en trok een gekleed zwart jurkje aan omdat Helen dat graag wilde. Ze durfde echt niet ongehoorzaam te zijn aan de vreselijkste bruid op aarde.

Bij het Beverly Hills Hotel gekomen liet ze haar auto wegzetten door dezelfde man die om drie uur 's ochtends een taxi voor haar had gebeld. Hij grijnsde vriendelijk naar haar. Waarschijnlijk vermoedde hij wel dat ze zich niet helemaal lekker voelde. Hij reed haar auto naar de garage om die zo ver mogelijk van de Bentleys te parkeren.

Ze ging naar de tuin, waar de bruiloft zou worden gehouden. Overal hingen witte lampionnetjes. Er bloeiden witte bloemen. Er was vast ook ergens een witte zwaan in de buurt.

Toen Zadie de tuin in liep, slaakte Gilda een gilletje en omhelsde haar. 'Hoe was het?'

Eerst snapte Zadie niet wat ze bedoelde. Door schuld overmand herinnerde ze zich niet meer dat ze de laatste keer dat ze Gilda had gezien, onderweg was naar een hotelkamer. Met Trevor.

Zadie lachte blozend, opgelucht dat ze er met iemand over kon praten. 'Net wat ik nodig had.' Een ober kwam met een dienblad langs, hij bood een glaasje champagne aan. Dat zou hen goed doen. Gretig zetten ze het glas aan hun lippen.

Jane kwam op hen toe en stelde meteen vragen: 'Was hij net zo lekker als hij eruitziet?'

'Hij was inderdaad bijzonder smakelijk,' antwoordde Zadie. Ze voelde zich een beetje schuldig om in dat soort vernederende termen over Trevor te spreken, maar omdat ze vermoedde dat hij ergens op een surfplank zijn maten over 'dat lekkere mokkel' zat te vertellen, tilde ze er niet te zwaar aan.

Ze keek om zich heen en zag Betsy met Helens ouders praten. Denise en haar man probeerden oma Davis duidelijk te maken dat een gardenia in haar decolleté niet echt nodig was.

'Heeft iemand Helen gezien?' vroeg Zadie.

'Ze staat met de dominee te praten,' zei Jane.

Als er iemand op dit moment met een zielzorger moest praten, was het Helen wel. Zadie voelde zich een beetje gerustgesteld; misschien kon hij de duivel uitbannen.

Ze zag Grey bij het prieeltje. Eloise stond druk tegen hem te fluisteren. Ging het over de Deep? Over de mechanische stier? En over Mr. Lovepants? Als Grey van alle ranzige details op de hoogte werd gebracht, kon hij Helen wel eens dumpen, en dan hoefde Zadie hem niet ook te vertellen dat Helen hem had bedrogen. Yes!

Toen Zadie op Grey en Eloise toe liep, kon ze het gesprek opvangen.

'Wacht maar tot je ziet wat Helen voor de huwelijksnacht heeft gekocht,' zei Eloise. 'Je gaat vast uit je dak.'

Eloise spoorde niet.

Zadie kwam erbij staan. 'Hoi. Hoe is het?'

Eloise keek haar veel betekenend aan. 'Ik vertelde Grey net over Helens nieuwe lingerie.'

'O ja.' Zadie knikte. 'Pikant.' Ze keek Eloise aan. 'Wil je even met me mee naar het damestoilet? Ik ben bang dat het bandje van mijn beha is geknapt, ik heb je hulp nodig.'

Normaal gesproken zou Eloise de laatste zijn die Zadie om hulp zou vragen bij een geknapt behabandje, maar ze wist dat Grey er niets achter zou zoeken als ze onder het mom van een vrouwenprobleempje de koppen bij elkaar staken.

'Oké,' zei Eloise. 'Kom maar mee.'

Zodra ze in de Dames waren en Zadie zeker wist dat ze niet werden afgeluisterd, vroeg ze: 'Heb je hem over gisteravond verteld?'

'Nee, ik heb Helen vanochtend gesproken en ze zei dat ze zich er nauwelijks meer iets van herinnert en dat het nooit meer zal gebeuren. Wat er op het vrijgezellenfeestje gebeurde, was eenmalig.'

Zadie fronste. Dit was niet wat ze wilde horen. Ze had gedacht dat Eloises neiging om te roddelen en te overdrijven voor deze ene keer goed van pas zou komen.

'Weet je wel dat we het over het toekomstige geluk van je broer hebben? Ga je dat op het spel zetten vanwege een soort verkeerd begrip van vrouwen voor vrouwen?'

'Jij hebt het hem anders ook niet verteld.'

'Ik hoopte dat jij dat zou doen. Jij bent zijn zuster.'

'En jij bent zijn "beste vriendin".'

Shit. Even dacht Zadie erover haar van Jims bezoekje aan Helens hotelkamer te vertellen. Zou Eloise dan meteen op hoge poten op Grey af stappen? Of zou ze Zadie er op de een of andere manier de schuld van geven? Hoe dan ook, Zadie vond het onverdraaglijk dat Grey dit alles ter ore zou komen.

'Bovendien heeft ze niet echt iets heel ergs gedaan,' ging Eloise verder.

Nee hoor. Afgezien van het op zijn hondjes doen met een handelsreiziger.

Terug in de tuin werd Zadie aangehouden door haar ouders. 'Hoe was het avondje met de meisjes?' vroeg haar moeder.

'Eh... leuk.'

'Je ziet er goed uit, kindje.' Haar vader kuste haar op haar wang.

'Dank je, pap.' Ze stonden elkaar aan te kijken, de onvermijdelijke stilte werd pijnlijk.

'Het was vast fijn weer eens het huis uit te zijn,' zei Mavis. 'Misschien moet je eens wat meer vriendinnen krijgen die single zijn, dan kunnen jullie samen uit.' Zadie wist dat haar moeder dat niet zei omdat ze wilde dat ze haar vriendinnenkring uitbreidde, maar omdat ze wilde dat Zadie vaker op mannenjacht ging.

'Zadie, dit is Mike.'

Ze draaide zich om en zag Grey en Mike achter zich staan. Mike was knap. Meer dan knap. Hij had jukbeenderen, mooie jukbeenderen. En goudbruine ogen met Italiaans lange wimpers. Om de een of andere reden kwam hij haar bekend voor. Toen hij zijn hand uitstak, besefte ze dat hij de man met de brede schouders en het groene overhemd was die ze op het verlovingsfeest had gezien. De man die ze toen niet wilde benaderen.

'Grey zei dat ik met jou over het middenpad moet lopen. Ik doe mijn best je niet te laten struikelen.'

'En ik doe mijn best niet te vallen.' Oké, niet erg gevat, maar beter dan niets. Verdomme, ze had wel iets anders aan haar hoofd.

'Zadie is lerares Engels,' zei Grey tegen Mike. 'Misschien kan zij je eindelijk eens leren wat de correcte uitspraak van "requisitoir" is.' Tegen Zadie zei hij: 'Hij zegt altijd rekwisitwaar in plaats van rekwisitoor.'

Mike lachte naar haar. 'Is het jou ook opgevallen hoe irritant Grey kan zijn?'

'Vaak,' reageerde Zadie. Ze lachte terug.

'Nou jongens, gaan jullie maar gezellig een beetje babbelen,' zei Mavis. Ze knipoogde naar Zadie en trok Sam met zich mee.

Eloise, die had gemerkt dat er een knappe man aanwezig was die geen aandacht aan haar besteedde, kwam er gauw bij staan en stelde zichzelf voor. 'Hoi, ik ben Eloise. Ken je me nog? We zagen elkaar op het afstudeerfeest van Grey.'

Mike fronste nadenkend, toen keek hij ineens geschrokken bij de herinnering. 'O ja... Ja, ik herinner me je nog goed.'

De dominee gebaarde dat iedereen op zijn of haar plaats moest gaan staan om te repeteren.

'Daar gaan we dan...' zei Grey. Hij zag er gespannen uit.

Mike keek Zadie aan. 'Tot straks.'

Terwijl de mannen wegliepen, fluisterde Eloise in Zadies oor: 'Doe geen moeite, hij is homo. Ik probeerde hem op Greys feest te versieren, maar hij moest niks van me weten.'

En meteen rees Mikes ster tot grote hoogten.

negenendertig

Ze namen hun plaatsen in om te oefenen hoe ze over het middenpad moesten lopen. Zadie stond zesde van voren. Voor haar stonden Eloise, Jane, Gilda, Marci en Kim. Betsy kwam achter haar, en Denise was allerlaatst. Gelukkig waren Tut en Hola er niet. Die waren alleen voor het vrijgezellenfeest uitgenodigd omdat ze collegaatjes waren.

Betsy boog zich naar Zadie toe en fluisterde: 'Ik voel me rot. En jij?'

'Nog rotter,' zei Zadie.

'Hoe kan Helen er na zo'n nacht mooi uitzien?'

'Ze is een mutant.'

'Eigenlijk moet ik je bedanken,' zei Betsy. 'Eerst was ik tegen al dat drinken, maar weet je? Het was echt een waanzinnige avond.'

Zadie deed achterstevoren een high five met Betsy, toen hurkte ze om het enkelbandje van haar pumps goed te doen. Net op dat moment werd Pachelbels *Canon in E* ingezet.

Helen liep over het middenpad, stap, stilstaan, stap, stilstaan. Grey stond bij het altaar van roze rozen en eucalyptusblad. Hij straalde. Hij had niet door dat zijn aanstaande bruid nog raarder liep dan anders.

Eindelijk konden ze gaan eten op het terras buiten de Polo Lounge, dezelfde Polo Lounge waar Tut een nieuwe carrière was begonnen. Helen kwam op Zadie af.

'Je vindt me vast vreselijk na alles wat er gisteravond is gebeurd, en ik stel het op prijs dat je Grey niets hebt verteld.'

Helen wist niet wat Zadie om drie uur 's nachts door de deur van de bruidssuite had gehoord. Ze had het over andere ranzige voorvallen.

'Helen, ik heb je al gezegd dat je het hem zélf moet vertellen.' Zou ze Helen zo onder schuldgevoel gebukt kunnen laten gaan dat ze alles opbiechtte?

'Misschien doe ik dat ooit. Maar dit is daar niet het moment voor.' Ze pakte Zadies handen en keek haar smekend aan. 'Je weet hoe veel ik van Grey hou. Ik zweer dat ik hem nooit zal kwetsen. Wat er in Cancún is gebeurd, is nu niet van belang. Wat er gisteravond is gebeurd, is ook niet van belang. Wat wel van belang is, is dat ik mijn leven voor Grey zou willen geven. Echt waar, voor hem zou ik me gewoon opofferen. Ik wil dat je dat weet.'

Helen verdiende een rol in *Days of Our Lives.* Ze deed het echt geweldig. Mierzoet en toch uit het hart. Ze kon Jack met gemak wegspelen.

'Daar hou ik je aan,' zei Zadie. 'Als je hem verdriet doet, mag ik je vermoorden. Dat we familie zijn, doet er niet toe.'

'Dat respecteer ik nou in jou. Je bent een goede vriendin voor hem.'

Ja hoor. Zo'n goede vriendin dat ze Grey met een vrouw liet

trouwen die waarschijnlijk nog sperma van een ander ergens in haar lijf had zitten. Zadie was de beste vriendin ooit.

Toen iedereen ging zitten om van de zalm of de boeuf stroganoff te genieten, plofte Zadie op de stoel naast die van Mike neer. Ze hoopte dat een beetje onschuldig flirten haar kon afleiden van het feit dat ze een door en door slecht mens was.

Hij draaide zich naar haar toe en lachte. 'Heb ik je op de juiste manier mijn arm aangeboden? Dat heb ik weinig kunnen oefenen.'

'Je bedoelt dat je nog nooit eerder over het middenpad hebt hoeven lopen?'

'Een keer of zes, zeven, maar dat is niet genoeg om het onder de knie te krijgen.'

'Van mij krijg je een zeveneneenhalf.'

'Fijn!'

'Zeg, hoe was jullie vrijgezellenfeest? Ik heb gehoord dat er vrouwen waren die het niet zo nauw nemen.' Dat gold ook voor sommige dames op hún vrijgezellenfeestje, maar daar deed ze maar niet moeilijk over.

'Er waren er een paar die zich niet voor hun naakte lichaam schaamden, dat is waar.'

'Heb je nog zo iemand op schoot gehad?'

Mike bloosde. 'Ik mag niet liegen. Ja, twee stuks. En nu vind je me walgelijk, dus schuif ik wel op om bij de andere verloederde personen te gaan zitten.'

'Ik kan er wel tegen. Blijf maar.' Ze lachte naar hem. Hij lachte terug. Hij had bruine krulletjes die ze graag eens had willen aanraken. 'Hoe was het eten bij Mastro? Daar zijn jullie toch als eerste naartoe gegaan?'

'Je bedoelt die tent waar ze garnalen zo groot als je hand hebben?

Gewoonweg obsceen. Gastronomische decadentie. Veel perverser dan wat er in de Crazy Girls plaatsvond. En jullie? Wat hebben jullie allemaal uitgespookt?'

'We hebben ons keurig gedragen. Je weet toch hoe wij meisjes zijn?'

Hij keek haar aan, er kennelijk niet van overtuigd dat ze zo keurig was. 'Mag ik dat betwijfelen?'

Zadie wist niet of het lag aan het feit dat ze na het avontuurtje met Trevor meer zelfvertrouwen had, of omdat ze wanhopig afleiding zocht voor de huwelijkse ramp die zich op het punt stond te voltrekken – en waaraan ze zelf ook schuldig was – maar ze vond het best dat hij haar als ondeugend beschouwde. Ze maakte het zelfs nog erger.

'Misschien moet je straks maar bij me op schoot gaan zitten, als tegenwicht voor al dat brave.'

'Daar komen vast ongelukken van, maar als je dat wilt, kan ik aardig op de maat van *Purple Rain* met mijn kont draaien.'

Zadie lachte. Dit was een gezond potje flirten met een beloftevol persoon. Dat had ze al heel lang niet meer gedaan. Hij had de juiste leeftijd, hij had een goede baan, zijn uitspraak was beschaafd, en uit niets bleek dat hij vond dat er iets mis met haar was omdat ze nog niet 'bezet' was. En het had Greys goedkeuring. Ze konden met zijn vieren uitgaan. Dan kon Zadie makkelijker vergeten dat Helen eigenlijk een duivelin was, als ze zich hen tijdens een jazzconcert voorstelde in de Hollywood Bowl waar ze samen uit een picknickmand aten, en Mike haar turks brood en olijven voerde.

'Ik waag het er maar op,' zei ze.

De ober zette de borden op tafel. Ze kregen allebei zalm. Was het soms voorbestemd? Hè, dit was al de tweede keer in twee dagen dat het woord 'voorbestemd' in haar opkwam. Ze was niet zo'n meisje dat alles als voorbestemd beschouwde. Dat was maar een voorwendsel om je slecht te gedragen, zoals haar gisteravond was overkomen. Wat zou Mike wel van haar denken als hij wist dat ze gisteravond met een jongen van negentien van bil was gegaan? Het zou hem diep schokken.

Zadie veegde haar mondhoeken met haar roze servetje af. 'Mag ik je iets vragen, Mike?'

'Tuurlijk.'

'Wat is het ranzigste dat jij ooit hebt gedaan?'

'Heb je de hele nacht de tijd?' vroeg hij.

'Misschien.'

'Nou...' Hij dacht lang na. 'Ik heb een keer zeventien hardgekookte eieren achter elkaar naar binnen gewerkt, maar dat was omdat we *truth or dare* speelden. Anders had ik moeten opbiechten dat ik met de hartsvriendin van mijn zusje naar bed was geweest.'

'Dat is niet echt ranzig,' vond Zadie.

'Het was op hun eindexamenfeest.'

'Was jij daar haar partner?' vroeg ze.

'Nee, ik was hun chauffeur. Eerst bracht ik haar partner naar huis, daarna vergreep ik me aan haar. Begrijp me niet verkeerd, zij wilde het ook, maar...'

'Hoe oud was je toen?'

'Vijfentwintig.'

Op dat moment begreep Zadie pas echt de betekenis van 'voorbestemd'.

veertig

Toen Grey opstond om een toast uit te brengen, verstarde Zadie. Ze wist dat hij wilde klinken op een meisje dat niet bestond.

'Oké iedereen, dan nu het moment waarop ik sentimenteel word.' Iedereen viel stil, ze wachtten op de liefdevolle gemeenplaatsen die Grey voor deze gelegenheid had bedacht. 'Jullie weten allemaal dat ik Helen een halfjaar geleden op Denises bruiloft heb leren kennen.' Hij knikte naar Denise en Jeff, die onenigheid hadden over of Denise ook zíjn toetje mocht hebben. 'Natuurlijk was ik meteen diep onder de indruk van haar schoonheid.' Helen lachte blozend. 'Maar toen ik haar beter leerde kennen, raakte ik ook onder de indruk van haar innerlijke schoonheid. Nog nooit had ik iemand ontmoet die zo puur was, zo goed en zo vol liefde voor iedereen in haar omgeving.'

Wist hij maar hoe vol liefde ze voor Jim was geweest, dacht Zadie.

'Toen ik haar vroeg met me te trouwen, sprongen de tranen haar in de ogen, waardoor die nog meer glansden, en ze zei ja op een prachtige manier. Dus vraag ik jullie het glas te heffen op mijn onvoorstelbare geluk.'

Onmiddellijk snikte Helen het uit. Ze stond op en omhelsde Grey, toen kuste ze hem zedig en toch ongelooflijk romantisch.

Iedereen hief het glas en feliciteerde Helen en Grey. Zadie was blij dat ze niets had gezegd. Grey hield echt van Helen. Dat geluk mocht ze hem niet ontnemen.

Na een poosje ging iedereen naar de lobby om afscheid te nemen. De volgende dag zagen ze elkaar allemaal weer, want dan vond de bruiloft plaats. Ineens sloeg het Zadie koud om het hart.

'Helen, mag ik je even spreken?'

Het was Jim. Hij zat op een van de met roze fluweel beklede stoeltjes onder een gigantische kroonluchter en zodra hij Helen zag, stond hij op.

'Shit,' zei Zadie.

Mike keek haar aan. 'Wat is er?'

Zadie liep dichter op hem toe. Ze hoopte door haar aanwezigheid de situatie luchtiger te maken.

In verwarring gebracht keek Helen Jim aan, toen herkende ze hem en zei geërgerd: 'Jim?'

Hij pakte haar hand. 'Voordat je morgen gaat trouwen, wil ik je zeggen dat ik gisteravond een echte band met je voelde. Ik zou het mezelf nooit vergeven als ik niet een laatste poging waagde.'

Jim had wel lef, dat moest Zadie hem nageven. Maar ze liet hem niet zomaar zijn gang gaan. 'Je kunt beter vertrekken,' zei ze.

De anderen was het opgevallen dat er iets gaande was. Er werd gefronst en gefluisterd.

Met een frons zei Gilda: 'Is dat niet...'

'Volgens mij wel,' zei Jane.

Toen Eloise hem zag, liep ze rood aan van woede. 'Wat doe jij verdomme hier?'

Betsy stapte vastberaden op hem af. 'Zeg, hadden we jou gisteravond niet gedumpt? Is het nou nog niet tot je botte kop doorgedrongen? Helen gaat morgen trouwen, ze is niet in je geïnteresseerd.'

'Dat wil ik van haarzelf horen.'

Grey kwam erbij staan. Daarvoor moest hij Helens moeder midden in een zin onderbreken. 'Wie is dat?' Niemand gaf antwoord. Hij keek Zadie aan. 'Nou, vertelt iemand me nog wie dat is?'

'We hebben hem gisteren leren kennen,' zei Zadie. 'In een bar.'

'Wat moet hij hier?'

Jim keek Grey aan. 'Neem me niet kwalijk, maar ik ben gisteren verliefd op de bruid geworden en ik móést weten of het tussen ons niet iets kan worden.'

'Je zou een schop voor je hol moeten krijgen.' Grey zag paars. Zadie had hem nog nooit zo razend gezien. Zijn maten – allemaal advocaten die niet graag zouden zien dat Grey wegens mishandeling werd aangeklaagd – hielden hem vast terwijl Jim het probeerde uit te leggen.

'Ik heb het nog nooit zo fijn met iemand gehad. Het spijt me, ik móést het gewoon weten.'

Betsy duwde hem in de richting van de deur. 'Stalker!'

Helens vader zocht met zijn blik de bewaking. 'Kan iemand deze man verwijderen? Ik betaal dit hotel een fortuin voor de bruiloft van mijn dochter en nu wordt ze door een idioot lastiggevallen.'

Jim liet het van zijn kouwe kleren af glijden. 'Ik ben gewoon verliefd.'

'Je bent gewoon walgelijk,' reageerde Eloise.

Grey vroeg Helen: 'Wat bedoelt hij, dat hij het nog nooit zo fijn heeft gehad?'

Zadie verstarde, op het ergste voorbereid. Maar Helen keek of ze er niets van snapte. 'Ik heb in de Sky Bar een kwartiertje met hem gepraat. Ik weet niet waarover hij het heeft.'

'In de Deep hebben we gedanst. En zeg nou niet dat je dat bent vergeten,' zei Jim.

Grey begreep er niets meer van. 'Zijn jullie in de Deep geweest?'

Helen keek Jim kwaad aan. 'Nou en? Ja, ik heb met je gedanst. Geeft dat je het recht mijn bruiloft te verpesten?'

Jim keek Helen recht aan. 'Je kunt alles nou wel ontkennen, maar ik ben verliefd op je,' zei hij heel zakelijk.

Helen keek naar Grey. 'Ik weet echt niet waarover hij het heeft. Ik heb hem gisteren leren kennen en we hebben alleen maar gepraat en gedanst.'

'Weet ik.' Beschermend sloeg Grey zijn arm om haar heen.

De familieleden fluisterden driftig. Hoe kon die lieve Helen zoiets ranzigs gebeuren?

Toen de bewaking eindelijk verscheen om Jim af te voeren, waagde hij nog een laatste poging. 'Als je niks met me wilt, waarom gaf je me dan de sleutel van je hotelkamer?'

Er viel een diepe stilte. Zelfs de bewaking wist niet wat te doen. Zadies maag kromp samen van angst.

'Dat heb ik niet gedaan!' zei Helen.

'Ik heb hem hier, in mijn portemonnee.'

'Leugenaar!' riep Helen uit.

'Hier is het bewijs,' zei hij. Hij haalde de sleutel tevoorschijn. Iedereen kon het zien toen hij die omhoog hield.

Er klonken geschokte kreetjes, gevolgd door een diepe stilte. Betsy was de eerste die bij haar positieven kwam. 'Dat kan wel de sleutel van iedere willekeurige kamer hier zijn.'

'Daar komen we gauw genoeg achter.' Hij liep naar de receptie en vroeg het personeel daar de kaart te checken.

De receptionist keek beschaamd op. 'Bruidssuite.'

Het gonsde in Zadies hoofd. Grey moest hier weg. Ze wilde niet dat hij dit hoorde.

'Hij kan hem hebben gestolen,' opperde Denise. 'Op de dansvloer hield hij zijn handen niet thuis.' Marci en Kim knikten bevestigend.

'Hij betastte haar overal,' zei Marci.

'Hij heeft hem uit haar broekzak kunnen vissen toen hij aan haar billen zat,' zei Kim.

Helen was in tranen. 'Waarom overkomt mij dit nou?'

Grey zag bleek. 'Wil iemand me alsjeblieft vertellen wat er allemaal aan de hand is?' vroeg hij. Hij keek Zadie aan alsof zij uitkomst kon bieden.

Ze wist dat ze met een grappig verhaal moest komen om uit te leggen hoe deze idioot aan Helens sleutel kwam, dan konden ze er allemaal om lachen en was er verder geen vuiltje meer aan de lucht. Maar ze kon geen grappig verhaal bedenken. Ze moest alles opbiechten. Ook al wilde ze nog zo graag Greys gevoelens ontzien, ze kon niet toestaan dat Helen tegen hem loog terwijl de waarheid zo voor de hand lag. Met een zucht kwam ze naar voren.

'Hij kwam haar kamer in nadat we haar in bed hadden gestopt. Om een uur of drie 's nachts stond ik in de gang en hoorde hen vrijen.'

'Wat?' gilde Helen. 'Nietes!'

'Ik had het ook liever niet gehoord.'

Iedereen was zo van de kaart dat ze niet eens verschrikte gilletjes slaakten. Ze keken Zadie aan alsof ze net had onthuld dat Helen lid van Al Qaida was.

In verwarring gebracht schudde Grey zijn hoofd. 'Helen was om drie uur vannacht bij mij. Om een uur of twee nam ze een taxi vanaf het hotel.'

Nu was Zadie in verwarring gebracht. 'Wie lag er dan op haar kamer met Jim te vozen?'

Eloise stak haar vinger op. 'Dat was ik. Ik kwam hem in de gang tegen en nou ja, van het een kwam het ander.' Beschaamd haalde ze haar schouders op, maar niet beschaamd genoeg. Jezus, haar ouders stonden erbij! Die gingen bijna door de grond.

'Dus als ik het goed begrijp,' zei Grey met een boze blik op Jim, 'kwam je om mijn verloofde te neuken, maar deed je dat toen maar met mijn zuster.'

'Ik geef het niet graag toe, maar ja, daar komt het wel op neer. Ik ben een warmbloedig man en de gelegenheid deed zich nu eenmaal voor.'

'Rot op man, ik regel dit zelf wel.' Typisch Eloise om zichzelf tot middelpunt te bombarderen.

Jim draaide zich naar Helen om. 'Ik vind het rot voor je dat je dit moest horen, Helen. Ik kwam voor jóu.'

Greys vrienden hadden Jim graag in elkaar geslagen. Bill knikte naar de bewaking dat het tijd was om Jim eruit te gooien. Terwijl ze hem naar de deur sleurden, schreeuwde hij: 'Het komt omdat ik verliefd op je ben, Helen!'

Nog steeds verward keek Grey Helen aan. 'Je liet je door hem betasten en gaf hem toen de sleutel?'

'Nee!' bracht ze snikkend uit. 'Ik bedoel, ik herinner me niet álles meer, maar dat heb ik vast niet gedaan... Waarom zou ik?' Ze zweeg en keek Zadie toen kwaad aan. 'Als Zadie er niet op had gestaan dat we aan de alcohol gingen, was dit allemaal nooit gebeurd.'

Shit. Waar Zadie al bang voor was, was gebeurd. Zij kreeg van alles de schuld. Hoewel ze opgelucht was dat Helen zich niet door Jim had laten nemen, maakte het haar woedend dat zij de schuld van alles in haar schoenen kreeg geschoven.

'Ik heb hem je sleutel niet gegeven, dat deed jíj...' zei Zadie. Misschien niet erg tactvol, maar de situatie was toch al uit de hand gelopen. Ze wist dat Mike en haar ouders dit allemaal hoorden en haar nu minachtten, maar dat was op dit moment wel de minste van haar zorgen.

Helens vader kwam naar voren en zocht met zijn blik de rest van de familie. 'Kom, we gaan naar de bar om er eentje te nemen. Dat hebben we wel nodig. Ondertussen zoeken de kinderen het maar uit.'

De ouderen gingen zo snel mogelijk naar de bar, alleen de jongeren stonden nog in de lobby. Helen wees naar Zadie en keek naar

Grey. 'Ze zei dat jij wilde dat ik de teugels een beetje liet vieren. Dat je me niet leuk genoeg vond. Dus heb ik me bezat.' Ze keek Zadie recht aan. 'Ben je nou gelukkig?'

O ja, Zadie was dolgelukkig. Ze barstte bijna van trots. Haar beste vriend was tot in zijn ziel gekwetst en haar nichtje kon alleen nog maar huilen. Dit was een dag om de vlag uit te steken.

'Ja, dat is zo,' zei Eloise. 'Zadie moedigde haar aan.'

'Dat deden we allemaal,' zei Jane met een boze blik op Eloise.

Grey sloot zijn ogen en probeerde het te begrijpen. 'Dus twee dagen voordat we gaan trouwen geef je de sleutel aan de een of andere hufter?'

Helen kon alleen maar huilen. 'Ik herinner me er niets meer van.'

'Hoe veel heb je gedronken?'

'Veel,' antwoordde Betsy voor haar.

Grey keek Helen eens aan. 'Jezus, misschien heb je onderweg naar mijn huis ook nog met een paar kerels liggen rollebollen en kun je je dat ook niet meer herinneren.'

Denise legde haar hand op zijn arm. 'Rustig nou maar, we moeten allemaal tot bezinning komen.'

'Ze gaf die hufter haar sleutel!' brulde Grey. Voordat hij wegliep keek hij Zadie aan. 'Bedankt dat je ervoor hebt gezorgd dat Helen lol had.'

eenenveertig

De bruiloft werd afgeblazen. De boeketten lelies werden teruggestuurd. Er werden geen hapjes met tonijn rondgedeeld. De kurk bleef op de champagneflessen.

Grey kon er niet over uit dat Helen haar deugd op het spel had gezet terwijl de bruiloft zo kort erna zou plaatsvinden. En hij kon er ook niet over uit dat Zadie de hand in het beschaamde vertrouwen had. Hij beantwoordde haar telefoontjes niet. Haar vele, vele telefoontjes. Op de dag dat de bruiloft had moeten plaatsvinden belde ze hem zeker vijftig keer, maar er werd niet opgenomen. Ze reed langs zijn huis, maar daar was hij niet. Ze reed zelfs naar Bolsa Chica om hem op de golven te zoeken, maar ze vond geen spoor van hem.

Ze had Helen ook een paar keer gebeld, maar die weigerde haar te spreken.

Zadie voelde zich bijzonder rot.

Ze was een vriendin van niks. Ze was een nichtje van niks. Ze was een docent van niks. In één avond had ze haar wereld op zijn kop gezet.

Dinsdag handelde ze op school als een soort automaat; ze luisterde naar Nancy's verslag van haar zaterdagavond met Darryl, ze ruilde haar mueslireep voor een chocoladereep van Dolores. Ze gaf een schriftelijke overhoring over Joyce Carol Oates. Het was allemaal heel normaal, totdat Trevor het zesde uur het lokaal in liep en vooraan ging zitten.

'Hoi.' Hij grijnsde naar haar.

Zadie verstijfde zodra ze hem zag en staarde naar het bureaublad. 'Dag Trevor. Hoe gaat het?' Nu ze haar daden onder fel neonlicht onder ogen moest zien, schaamde ze zich dood. Hij was haar leerling. Ze gaf hem les. En ze had hem in zich gelaten.

'Prima,' zei hij. Ze wist niet of hij het over zijn humeur had of over zijn seksueel vermogen. Even keek ze op en zag dat hij haar sexy aankeek, hij probeerde haar te herinneren aan de geneugten die hij haar had laten proeven en die hij haar weer kon laten ondergaan.

De bel ging, de andere leerlingen kwamen het lokaal in. Zadie leunde tegen haar bureau. 'Heeft iedereen een prettig Memorial Day-weekend gehad?' De leerlingen mompelden wat, van 'jezus ja,' tot 'rotweekend.' Het viel haar op dat Trevor naar haar knipoogde. Ze deed of het haar niet opviel en had het verder over de sociale omgangsvormen in *Pride and Prejudice.* Toen de bel het einde van de les aankondigde en de leerlingen het lokaal uit schuifelden met een glazige blik omdat ze haar les niet goed had voorbereid, zag ze dat Trevor een propje op haar bureau wierp. Zodra de laatste leerling het lokaal uit was, vouwde ze het open. Het nummer van zijn mobieltje stond erop.

Vorige week zat ze met het probleem dat ze met Trevor wilde vrijen. Nu zat ze met het probleem dat ze niet met Trevor wilde vrijen. Het feit dat ze haar fantasietje had verwezenlijkt, was al beschamend genoeg, hoewel ook heel bevredigend. Maar het mocht niet weer gebeuren. Een dronken slippertje tijdens een moeilijke avond was één ding, maar om haar vleselijke lusten weer te bevredigen was ondenkbaar.

En om de waarheid te zeggen wilde ze helemaal niet meer met Trevor naar bed. De fantasie was werkelijkheid geworden. Ze had er geen zielenknijper bij nodig om te beseffen dat ze door hem geobsedeerd was geweest omdat hij geen echte optie was. Ze kon onmogelijk een relatie met Trevor hebben.

Ze keek naar het telefoonnummer en fronste. Wilde hij hiermee zeggen: laten we nog eens vrijen? Of: wil je mijn vriendin zijn? Trevor dacht toch zeker niet dat het áán was, hè? Dat zou pijnlijk zijn. Heel pijnlijk.

Na de laatste les ging ze naar de meisjestoiletten. Meestal maakte ze geen gebruik van de toiletten voor de leerlingen, maar de cola light die ze had gedronken wilde er per se uit. Terwijl ze haar handen aan het wassen was, hoorde ze in een van de hokjes een meisje huilen. Ze wachtte even en klopte toen op het deurtje.

'Is er iets?' Stomme vraag. Natuurlijk was er iets.

Bij wijze van antwoord kreeg ze wat gesnuffel en toen een zacht: 'Nee.'

Zadie fronste. 'Amy?'

'Wat?'

'Ik ben het, mevrouw Roberts. Gaat het een beetje?'

Amy duwde het deurtje open. Ze zat op de deksel van de wc en snikte in een prop toiletpapier. 'Ik ben kapot.'

'Wat is er dan gebeurd?'

Amy zuchtte en veegde toen met de mouw van haar voetbalshirtje de tranen af. 'Vrijdagavond, op het feest van Belinda Matthews, heb ik eindelijk met Trevor gezoend.'

O god. Zadie wist al wat er zou komen.

'Ik ben al eindeloos lang verliefd op hem, echt, ik wil best met hem trouwen en na vrijdag dacht ik dat het helemaal aan was. Hij zei dat hij me deze week zou bellen en zo. En in de lunchpauze zegt hij ineens dat er een ander is.' Weer barstte Amy in snikken uit en snoot haar neus in de gigantische prop.

Zadie verbleekte. Het was te erg voor woorden dat Trevor vanwege háár Amy's hart had gebroken.

Ze scheurde schoon toiletpapier van de rol en gaf Amy een nieuwe prop. 'Misschien heeft hij even het hoofd verloren en gaan jullie straks verder waar jullie waren gebleven.'

'Dat denk ik niet. Hij klonk of hij stapelverliefd op haar was.'

'Vast niet,' zei Zadie. 'Je moet hem even de tijd geven.'

Amy keek naar haar op, niet goed begrijpend hoe Zadie op de hoogte van Trevors zielenroerselen kon zijn. 'Ik hoop dat u gelijk hebt, want ik hou echt van hem.'

Zadie hield het deurtje van het hokje open terwijl Amy haar rugzak oppakte en eruit liep. Ondertussen veegde ze haar ogen droog. 'Ik hoop dat het niet zo'n hoerig type is dat zaterdag naar zijn optreden kwam kijken. Ze wilden helemaal vooraan staan om hem te kunnen aanraken. U had hen moeten zien... Ze droegen van die glittertopjes en hoge hakken – ze zagen er echt hoerig uit.'

Tut en Hola. Het kostte Zadie grote moeite om er niet uit te flappen: 'O, maar die ene is nu echt prostituee.' Gelukkig wist ze zich daarvan te weerhouden, en ze was blij dat Amy háár niet had gezien. Een gevecht met nageltjes uit was precies wat ze nog nodig had om de ramp compleet te maken.

Bij de auto gekomen keek ze op haar horloge. Halfvier. Nog tijd genoeg om naar Greys kantoor te gaan. Ze had zijn assistente in de lunchpauze aan de lijn gekregen en wist dat hij naar zijn werk was gekomen, maar dat hij erg uit zijn humeur was. Dat sprak vanzelf. Zadie dacht dat als ze naar zijn kantoor ging, hij niet al te erg tegen haar tekeer zou gaan. Het was lafhartig, maar ja, ze wilde hem nu eenmaal spreken.

Toen ze wegreed, werd er op de ruit gebonkt. Ze schrok er zo van dat ze hard op de rem trapte. Het was Trevor, die op zijn skateboard naast de auto rondjes draaide.

Ze draaide het raampje naar beneden. 'Ik had je kunnen aanrijden, hoor.'

'Nee hoor.' Hij grijnsde breed.

'Ik moet weg. Naar iemand die het moeilijk heeft.'

'Wie? Je vriendin die bestolen is?'

Zadie snapte er niets van. Welke vriendin was bestolen? Wanneer?

'Dat meisje met de dildo. De een of andere man zat in haar tasje te neuzen toen jullie in de Deep tegen haar stonden te schreeuwen. Voordat ik iets kon doen, was hij in de menigte verdwenen. Ik had het willen vertellen toen ik je later weer tegenkwam, maar het kwam er niet meer van.'

Jim. Dat moest Jim zijn. Hij had de sleutel dus gestólen... De rotzak!

'Een forse kerel met een rood aangelopen gezicht?'

'Ja. Met een kapsel uit het jaar nul.'

Ze moest zo snel mogelijk naar Grey.

'Tot morgen, oké?' Ze schakelde. 'En bedankt. Omdat je me dat hebt verteld. Dat helpt een hoop problemen uit de wereld.' Ze zwaaide en reed weg. Hij stond alleen op het parkeerterrein en keek haar na.

In de auto belde ze Helen op. 'Je hebt hem de sleutel niet gegeven. Hij heeft hem gestolen. Trevor heeft het gezien.'

'Met wie spreek ik?'

'O, sorry, tante Carol. Met Zadie. Mag ik Helen even spreken?'

'Ze wil je niet spreken, Zadie.'

'Wel als u haar van de sleutel vertelt.'

'Wacht.'

Na een halve minuut kwam Helen aan de lijn. Haar stem trilde hoopvol. 'Heeft Trevor hem de sleutel zien stelen?'

'Dat heeft hij me net verteld. Ik ga nu naar Grey.'

'O god... Denk je dat hij me nog wil?'

'Dat weet ik niet. Ik wilde je alleen even vertellen dat je die provinciale hufter geen onbetamelijk voorstel hebt gedaan.'

'Bel je me als je Grey hebt gesproken?'

'Doe ik.'

Zadie verbrak de verbinding en draaide Sunset op, op weg naar Century City. Ze kon Trevor wel zoenen omdat hij haar dit goede nieuws had verteld.

Maar dat zou ze natuurlijk niet doen.

tweeënveertig

Greys kantoor bevond zich op de twaalfde verdieping van een kantoorkolos. De lobby bood uitzicht op de letters HOLLYWOOD tegen de heuvel in de verte. Op dagen zonder smog kon je in de verte de met sneeuw bedekte bergtoppen zien. Zulke dagen kwamen misschien drie of vier keer per jaar voor.

De receptioniste, die liever fotomodel had willen zijn, vroeg haar op de bruinleren bank te wachten terwijl zij meneer Dillon belde om te kijken of hij haar te woord kon staan. Na een paar tellen hing ze op en zei tegen Zadie: 'Het spijt me, hij is in bespreking.'

'Kunt u hem nog eens bellen en zeggen dat ik een getuige heb die heeft gezien dat de sleutel uit het tasje van de bewuste persoon werd gestolen?'

De receptioniste pakte de hoorn op en belde Grey nog eens. Ze gaf de boodschap door. Daarna hing ze op en zei tegen Zadie: 'Meneer Dillon komt zo bij u.'

Even later liep Grey de lobby in. 'Wat kom jij hier nou doen?'

Zadie gebaarde naar de receptioniste. 'Dat heeft ze je net verteld.'

'Kom mee naar mijn kantoor, waar niemand ons kan zien wanneer ik koffie over je heengiet.'

Zadie stond op om achter hem aan te lopen. Ze durfde er iets onder te verwedden dat hij geen warme dranken meer over haar wilde uitgieten als hij het hele verhaal had gehoord.

Zodra ze in zijn met kersenhouten meubilair met koperbeslag ingerichte kantoor waren, trok hij de deur dicht. 'Waar heb je het in godsnaam over?'

'Zeg, waar zat je toch? Ik heb je wel honderd keer gebeld. Ik ben zelfs helemaal naar Bolsa gereden.'

'Ik was een beetje van slag, Zadie. Dat krijg je wanneer je bruiloft niet doorgaat. Weet je nog?'

Ja, dat wist ze nog goed. Maar zij had de dagen na de 'bruiloft' huilend en kotsend bij Grey doorgebracht. Ze voelde zich rot omdat ze hem niet ook zo'n arrangement had kunnen aanbieden. Maar hij was natuurlijk razend op haar en dat maakte alles anders.

'Jij hoort nou niet bepaald tot de personen die ik op dit moment graag zie,' ging hij verder. 'Toen ik zei dat ik wilde dat Helen lol had, bedoelde ik niet dat ze het met andere kerels moest aanleggen.'

'Ze heeft hem de sleutel niet gegeven. Die heeft hij uit haar tasje gestolen. Ik heb daar een getuige van.'

'Wie dan? Betsy zeker. Daar trap ik niet in. Ze vertelde me dat zíj de sleutel aan die klojo had gegeven, in de hoop dat ik het dan weer goedmaakte met Helen.' Wauw, dacht Zadie, die Betsy is echt een goede vriendin.

'Het is Betsy niet, het is Trevor.'

'Wie is Trevor, verdomme?'

'Een leerling van mij.'

Grey fronste niet-begrijpend. 'Die jongen met wie je het zo graag wilt doen?'

Het was nu niet de tijd om daarop voort te borduren, dus ging ze maar niet op de details in. 'Hij was daar ook. Hij heeft gezien dat Jim in Helens tasje neusde en de sleutel eruit pakte.'

'Heeft hij je dat verteld?'

'Ja, nu net, na school.'

'Dus die hufter probeert haar de hele avond te versieren en jat dan de sleutel uit haar tasje?'

'Ja.'

'Ik vermoord die man!'

'Ik help je wel.'

'En die handen op haar billen en dat betasten?'

'Dat is ook gebeurd. Maar mag ik je in herinnering brengen dat jij vijf dames op schoot hebt gehad? Zíj hoefde niet te betalen voor het betasten.'

Daar moest Grey even over nadenken. 'Daar heb je een punt.' Hij ging op een hoekje van zijn bureau zitten. 'Ik kan het nog steeds niet geloven. Zo ken ik Helen niet. Ik heb het gevoel dat ik haar sowieso niet meer ken.'

'Nou, achteraf gezien is je verloofde toch niet helemaal perfect. Maar ze houdt nog steeds van je, ook al zette je haar de dag voor de bruiloft aan de dijk.'

'Ik dacht dat ze die klojo de sleutel had gegeven! Jezus, en jij dacht dat ze met hem naar bed was geweest! Erger nog, jij en ik waren de hele dag samen en je vond het niet nodig me dat te vertellen!'

'Nou, dat is dan maar goed ook, want het blijkt niet zo te zijn.'

'Dat wist je toen niet.'

Zadie zuchtte eens. 'Ik moest er de hele dag aan denken, dat ik het jou moest vertellen. Maar je was zo opgewonden en zo verliefd, ik wilde het niet voor je verpesten.'

'Dus als ik had gedacht dat Jack de avond voor de bruiloft een stripper had geneukt, had je liever gehad dat ik je dat niet vertelde?'

'Nou, gezien waar het op uitdraaide, had het weinig uitgemaakt, toch?'

'Geef antwoord!'

Zadie pakte een presse-papier van Greys bureau. Die had de vorm van een filmrol. 'Een anoniem briefje had volstaan.'

'Dus je had het wél willen weten.' Het klonk alsof zij voor de rechter stond en hij bij de jury scoorde.

'Nee, ik had het níet willen weten. Wie wil dat nou weten?'

'Dus je had me met een meisje laten trouwen – een meisje dat je niet eens mag – terwijl je wist dat ze de avond daarvoor met een ander naar bed was geweest?'

'Dat blijkt. Totdat ik haar zonder blikken of blozen tegen je hoorde liegen – tenminste, ik dácht dat ze loog – wilde ik niks zeggen. Ik wilde je hart niet breken. Goed, misschien is dat egoïstisch van me, misschien was het laf, misschien heb je nu een enorme hekel aan me, maar ik was bereid dat risico te nemen om je te behoeden voor het verdriet dat je onvermijdelijk zou doormaken.'

Grey staarde naar de grond. Zadie wist niet of hij het met haar eens was dat ze een vriendin van niks was, of dat hij begreep waarom ze hem niet op de hoogte had gebracht. Ineens keek hij op. 'Wat is er die avond allemaal gebeurd?'

'Het ergste weet je al. We hebben mannelijke strippers gezien, maar dat waren homo's. Volgens je zuster dan, dus dat telt niet.'

'Geweldig, Helen heeft dus een stel kerels naakt gezien?'

Met een zucht keek Zadie hem aan. 'Als je jaloers bent op Mr. Lovepants, heb je een groter probleem dan ik dacht.'

Grey reageerde daar niet op. Hij plofte op de bank neer. 'Het is allemaal zo snel gegaan... De hele relatie... Toen ik erachter kwam dat ze niet was wie ik dacht, leek alles één grote leugen.'

'Daar kan ik in komen,' zei Zadie. Ze had geweten dat hij het zo zou opnemen. Dat was heel normaal. Toen zij erachter kwam dat Jack een onnadenkende lul was in plaats van een toegewijde verloofde, had dat alle fijne momenten uitgewist. 'Ga met haar praten en kijk of je met deze Helen kunt leven. Ik weet dat je nog van haar houdt. Kom op, voordat je van de dildo's en de vertegenwoordiger wist, vond je het leuk dat ze zich een stuk in de kraag had gezopen.'

'Dildo's?' vroeg Grey geschrokken.

Zadie fronste. Ze was vergeten dat hij dat nog niet wist. 'Een opblaasbare dildo. Die hoorde bij een opblaaspop. Die hadden we in de Hustler-winkel gekocht toen ze daar lingerie paste.'

Grey kalmeerde al een beetje. 'Heb je haar nog gesproken?'

'Voordat ik hierheen ging. Ze heeft twee dagen in bed liggen huilen.'

'Echt?'

Ongelovig keek ze hem aan. 'Wat dacht je dan?'

'Kweenie... Misschien de hort op met Meneer Het Was Zo Fijn.'

Allemachtig, wat waren mannen toch onnozel. 'Ja Grey, zodra je het hotel was uit gestormd, viel Helen in zijn armen en sindsdien leven ze er in de bruidssuite vrolijk op los. En allemaal op jouw rekening.'

Hij keek haar vermanend aan, toen haakte hij een paar paperclips in elkaar. 'Misschien moet ik haar eens bellen.'

'Ja, dat zou je eens moeten doen.'

Hij keek op van de paperclips. 'Waarom doe je dit allemaal? Waarom probeer je ons weer bij elkaar te brengen? Je hebt nooit gewild dat we gingen trouwen.'

'Dat heb ik niet gezegd.'

'Niet hardop, maar...'

Hij had gelijk. Ze had het vervelend gevonden dat ze zich hadden verloofd, ze had het niet goed kunnen hebben, en nu probeerde ze hen weer bij elkaar te brengen. 'Omdat ik wil dat je gelukkig bent, Grey. En toen je nog met Helen was, was je gelukkig.' Zie je wel? Misschien was ze toch niet zo heel erg egoïstisch. Anderen helpen het geluk te vinden was bevredigender dan stil te blijven staan bij haar eigen gebrek aan geluk. Het was beter een heilige te zijn dan een martelaar. 'En trouwens, toen Helen bezopen was, vond ik haar af en toe echt aardig.' Ze stond op om te gaan. 'Ik ga nu weg, dan kun je haar rustig bellen.'

'Ik was trouwens in San Diego. Bij Mike. Hij vond je leuk. Hij wil graag een keer met je afspreken.'

Zadie haalde haar hand van de deurknop en draaide zich geïnteresseerd om. 'Echt?'

'Ik zei dat je een klotewijf was en dat hij geen moeite moest doen.'

'O, oké.' Ze trok de deur open.

Grey riep haar nog na: 'Geintje. Ik zei dat ik te kwaad op je was om het nu over je te hebben en dat hij het onderwerp nog maar eens ter sprake moest brengen wanneer ik je niet langer wilde vermoorden.'

'Nou, laat me het dan maar weten, wil je?'

Toen Zadie de parkeergarage uit reed, belde ze meteen Helen op. 'Heeft hij al gebeld?'

'Hij zit nu op de andere lijn.'

'Je moet me één ding beloven. Vertel hem over Cancún. Niet nu meteen, maar je moet het wel doen.'

Helen klonk verschrikt. 'Waarom?'

'Helen...'

'Oké, ik vertel het hem wel.'

Zadie hing op. Als ze een nieuwe start maakten, moest Grey van Cancún weten. Want er zat nog een spoortje Cancún in Helen, dat was wel duidelijk.

drieënveertig

Toen Zadie weer thuis was, vond ze dat ze iets te vieren had. De liefde was weer opgebloeid. Een goed excuus voor een glaasje wijn. Ze ontkurkte een fles pinot noir en toetste Dorians telefoonnummer in.

Na drie keer overgaan nam Dorian op. 'Ik ben aan het koken. Mijn eten brandt aan.'

'Ik ben met iemand naar bed geweest en ik heb een man leren kennen met wie ik een afspraakje kan maken.'

'Zijn dat twee verschillende zaken?' vroeg Dorian.

'Ja.'

'Wacht, ik trek een fles wijn open. Hier moeten we op drinken.'

'Ik heb al ingeschonken,' zei Zadie.

'Over welke man wil je me het eerst vertellen?'

'Die van het eventuele afspraakje. Hij heet Mike en is advocaat.'

'Klinkt goed. En wie was degene met wie je een wip hebt gemaakt?'

'Trevor.'

'En wil je me misschien nog iets meer over die Trevor vertellen?'

'Hij is fotomodel.'

'Ga door...'

'Dat is het wel zo'n beetje. Het was eenmalig.' Zadie ging op de bank zitten waar geen kattenpootjes meer op stonden sinds ze op haar glazen deur een papier had geplakt met DEUR DICHT!!!, zodat ze dat niet meer kon vergeten.

'Hoe weet je dat het maar eenmalig is?' vroeg Dorian.

'Omdat ik niet meer met hem naar bed ga.'

'Is dat jouw beslissing of de zijne?'

'De mijne.'

'Mag ik vragen waarom?'

'Nee.'

'Klein piemeltje?'

Niet echt... 'Hij is negentien,' zei Zadie in de veronderstelling dat ze het haar beste vriendin wel kon vertellen omdat Gilda en Jane toch ook op de hoogte waren.

'Jezus, Zadie... Het is toch wel een leerling van je, hè? Dan bel ik straks Lifetime, zodat ze het kunnen verfilmen.'

'Jíj vertelde me dat Dan het met zijn lerares had gedaan!'

'Allemachtig, hij ís een van je leerlingen! Geweldig!'

Het verbaasde Zadie dat haar morele verdorvenheid door al haar vriendinnen zo werd toegejuicht. Wat zei dat over hen? Natuurlijk had ze haar publiek goed uitgekozen. Ze wist zeker dat haar psycholoog, haar moeder en de schooldirectie heel anders zouden reageren.

'Je moet geheimhouding beloven. Als iemand er tegen mij over begint, vertel ik je nooit meer een sappige roddel.'

'Kom op, zeg, ik mag het Dan toch wel vertellen?'

'Waarom zou Dan het moeten weten?'

'Omdat hij van mij nooit iets spannenders hoort dan dat Josh een snotneus had. Toe, laat me het hem vertellen. Dan hebben we een week lang iets om over te praten,' zei Dorian.

'Je misbruikt mijn seksleven om je huwelijk op te peppen?'

'Waarom denk je anders dat ik met je omga?'

'Oké,' zei Zadie. 'Vertel het hem maar. Ik zou jullie geen intiem moment van huwelijksvreugde willen ontzeggen. Nu kunnen jullie fijn lachen omdat ik zo verdorven ben.'

'Was het lekker?'

'Waarom vraag je niet naar Mike?'

Er werd op Zadies deur geklopt. Ze fronste haar wenkbrauwen. Wie kwam er op een donderdagavond nou bij haar langs? Zou Trevor soms haar adres hebben achterhaald? Of was het Grey die kwam vertellen hoe het gesprek met Helen was verlopen?

'Wacht, er staat iemand voor de deur.' Ze stond op en liep naar de deur om door het kijkgaatje te kijken. Wat moest ze doen als het Trevor was? Het was echt karma als hij het was, net nu ze het over hem had.

Ze keek door het kijkgaatje. Subiet trok het bloed uit haar hoofd weg. 'Dorian, ik bel je straks terug.' Ze hing op, liep op de automatische piloot naar de deur en deed open.

Het was Jack.

Met een roos.

Hij lachte.

'Hoi,' zei hij, welbespraakt als immer.

'Jack.' Meer kon ze niet uitbrengen. Wat had ze ook moeten zeggen? Ze probeerde zich al die bitse opmerkingen te herinneren waarop ze zo had geoefend, maar er kwam niets in haar op.

'Ik begrijp dat ik ongelegen kom, maar ik hoopte dat we eventjes konden praten. Mag ik binnenkomen?'

Ze staarde hem aan, toen ging ze opzij en zwaaide de deur helemaal open, zodat hij naar binnen kon. Ook al wist ze dat het haar niets moest kunnen schelen, ze wilde dolgraag horen wat hij haar te zeggen had.

Hij gaf haar in het voorbijgaan de roos. Ze legde die op de aanrecht. Ze zette de roos expres niet in water. Hij kon de pot op met zijn roos!

'Je hebt een nieuwe bank. Leuk,' zei hij voordat hij erop ging zitten en zijn voeten op de salontafel legde. Hij had geen leren broek aan, maar wel een strak T-shirt van Gucci en een spijkerbroek die minstens honderd dollar moest hebben gekost. Hij had ook aan fitness gedaan, er zat geen onsje vet op. En zijn tanden waren witter.

Zadie duwde zijn voeten van haar tafel en ging op de stoel tegenover hem zitten. 'Niks zeggen... Je bent met een therapie in twaalf stappen bezig en komt nu je excuses aanbieden.'

Jack fronste. 'Nee... Wat moet ik met een therapie in twaalf stappen?'

'Waarom ben je hier dan?'

'Omdat ik vond dat we het een en ander te bespreken hadden.'

'Daar kom je na zeven maanden pas achter?' Ze kon nauwelijks geloven dat ze hem tegemoet kwam, maar ergens had ze gehoopt dat hij haar zijn excuses kwam aanbieden. Niet dat hij mocht weten dat ze daarop hoopte, hij mocht niet weten dat ze zo zielig was.

'Ik moet toegeven dat ik je niet erg netjes heb behandeld,' zei hij.

'Heeft je persagent je dat ingefluisterd?'

'Waarom doe je zo sarcastisch?'

Jezusmina. Voor de tweede keer die dag vroeg ze zich af hoe mannen toch zo achterlijk konden zijn. Misschien moest ze inderdaad een relatie met Trevor beginnen. Hij was nog jong, ze kon hem nog vormen. Ze kon misschien voorkomen dat hij ook zo werd. 'Je hebt gelijk, Jack, er is geen enkele reden waarom ik je vijandig zou moeten bejegenen.' Dat was toch niet sarcastisch?

'Ik spreek regelmatig een therapeut, hij helpt me met sommige dingetjes.'

Zadie nam een slokje wijn om zich moed in te drinken. 'Zoals waarom je niet op je eigen bruiloft kwam opdagen? Of waarom ik sindsdien nooit meer iets van je heb gehoord? Dat zijn geen kleine dingetjes, Jack. Ik hoop dat je je blauw aan hem betaalt.'

Jack klikte de sluiting van zijn horloge open en dicht en probeerde oogcontact te vermijden. 'Ik had hier niet hoeven komen, Zadie.'

'En ik had je niet hoeven binnenlaten.' Wat deed die lul daar eigenlijk op haar bank? Die bank had ze gekocht van het geld dat ze voor haar trouwring had gekregen.

'Het spijt me. Het spijt me dat ik dat heb gedaan. Zo goed?'

'Geweldig, kon niet beter. Je excuses komen recht uit je hart. Hebben ze je dat zo tijdens die acteerlessen geleerd?'

Met een zucht sloot Jack zijn ogen en liet zijn hoofd op de rugleuning rusten. 'Ik kan best begrijpen dat je kwaad bent.'

'Ja?'

'Ik neem het je niet kwalijk. In jouw plaats zou ik ook kwaad zijn.'

Was hij echt zo zelfingenomen? Ze schonk haar glas nog eens vol om zich ervan te weerhouden hem te slaan. Haar handen trilden en ze knoeide.

'Ik had meteen nadat ik uit Las Vegas kwam met je moeten praten,' zei hij.

'Je had op de bruiloft moeten komen.'

Hij staarde naar de grond. 'Ik was nog niet klaar voor het huwelijk.'

'Nou, dat heb je me op een geweldige manier duidelijk gemaakt.'

'Dat besef ik nu ook. Maar toen wist ik niets anders.'

'Misschien had je kunnen bellen? Voordat ik me in die jurk had gehesen en naar de kerk was gegaan? Dan was het misschien minder hard aangekomen.'

Hij begon te huilen. Zadie wist niet hoe ze daarop moest reageren. Ze had hem nog nooit in het echt zien huilen, alleen op tv. Acteerde hij nu ook om haar gunstiger te stemmen?

'Dat ik je zo diep heb gekwetst... Ik hield van je!'

Zadie slaakte een zucht en keek uit het raam. Er lag een kattendrol in de pot van de cactus. 'Je hield niet van me, Jack. Als je van me had gehouden, zou je me niet zo veel verdriet hebben gedaan. Dat was nog het ergste, dat ik erachter kwam dat het je geen fluit uitmaakte hoe ik me voelde.'

Meteen kreeg ze spijt dat ze zich zo had blootgegeven. Hij verdiende het niet haar gevoelens te kennen.

'O ja, ik hield wel van je, echt, ik zweer het. Ik kon er alleen niet mee overweg. Er veranderde zo veel in mijn leven, ik wist niet meer wat echt was en wat niet.' Hij hield op met huilen en veegde zijn tranen af. 'Maar zoals ik al zei, ik ben in therapie en heb veel nagedacht.'

Zadie fronste haar wenkbrauwen. 'Waarover heb je nagedacht?'

'Ik weet nu dat ik echt van je hield. Ik was gewoon bang.'

Zadie keek hem aan. 'Wat moet ik daarmee, Jack? Juichen om deze onthulling? Want weet je, daar voel ik me nou niet echt beter door. Je hebt me nog steeds bij het altaar in de steek gelaten. Je bent nog steeds de klojo die mijn hart heeft gebroken.' Verdomme, ze ging niet huilen. Ze ging *níet* huilen.

'Je hoeft niets te doen, ik wil alleen dat je erover nadenkt.'

Het leek wel alsof haar hoofd op het punt stond te ontploffen. 'Nadenken waarover?'

Jack boog zich naar haar toe en pakte haar hand. 'Mijn therapeut vindt dat we het nog eens moeten proberen.'

Ze staarde hem aan.

Misschien dat ze dit in een zwak moment had willen horen. Misschien was ze een week geleden nog tot moord in staat om dit te mogen horen. Niet dat ze op zijn aanbod zou ingaan, maar gewoon om ervan te genieten, van de ironie dat *híj* het goed wilde maken en *zíj* onverschillig tegenover hem stond. Maar de Zadie van nu had hier geen zin in. Ze vond het alleen maar irritant. Ze rukte haar hand los. 'Ik neem het terug, ik hoop niet dat je je blauw betaalt aan die therapeut. Het is wel duidelijk dat hij goed achterlijk is.'

Ze had hoofdpijn, ze wilde dat hij opstapte. Nu meteen.

Jack was duidelijk in de war, hij kon zich zeker niet voorstellen dat ze zijn aanbod om het weer met hem te proberen niet met beide handen aangreep, buiten zichzelf van geluk. 'Heb je een ander?'

Het werd nu echt belachelijk.

'Ja Jack, ik heb een ander, een therapeut die zegt dat jij de baarlijke duivel bent. Mijn vriendinnen zeggen dat ik je had moeten laten vierendelen. Op straat zie ik mannen die heel wat meer waard zijn dan jij. Door al die mensen om me heen ben ik steeds meer gaan beseffen dat je een klootzak bent, dus ga van mijn bank af, stap in je Porsche en rij naar je therapeut. Zeg hem maar dat hij er helemaal naast zit. Je verdient het niet het nog eens te proberen, het enige wat jij verdient, is een klap voor je kop.'

'Jezus, je bent écht kwaad.'

'Ga van mijn bank af, Jack.'

Hij stond op en liep naar de deur. 'Dit is het dus? We laten het erbij zitten?'

'Jij liet me zeven maanden geleden zitten. In tegenstelling tot jou ben ik zo beschaafd je persoonlijk te zeggen dat ik je niet moet.' Ze deed de deur open en gebaarde dat hij weg moest.

Hij liep naar buiten en draaide zich nog één keer om. 'Ik hield echt van je.'

'Ach, rot toch op.'

Ze sloeg de deur dicht en plofte op de bank neer. Ze pakte haar glas wijn op en belde Dorian.

'Waar waren we gebleven?'

vierenveertig

Het was Zadie gelukt Trevor te ontlopen. Dat lukte haar tot vrijdag, toen ze het parkeerterrein bij school op reed. Hij stond haar op te wachten.

'Wat doe je hier? Dit is waar de docenten hun auto parkeren.' Ze pakte haar tasje, smeet het portier dicht en keek om zich heen of iemand hen kon zien.

'Waarom heb je me niet gebeld?'

'Waarom heb jij Amy niet gebeld?'

Hij keek haar aan of ze stoned was. 'Waar heb je het over?'

'Amy is zeer op je gesteld.'

'Dat zal wel.'

'Ik vind dat je haar niet zomaar aan de kant moet zetten.'

Hoofdschuddend keek hij haar aan, toen zuchtte hij geërgerd. 'Is dat je manier om me duidelijk te maken dat het niet nog eens gebeurt?' Hij zag er gekwetst uit, en meteen voelde Zadie zich schuldig.

'Het spijt me Trevor, maar ik vind het geen goed idee. Het was een geweldige avond en ik vind dat we het daar maar bij moeten laten.'

'Maar je zei dat je het fijn vond.'

'Dat vond ik ook. Echt, heel fijn. En je krijgt in je leven nog massa's meisjes die het ook fijn vinden – net als ik. Maar ik kan je vriendin niet zijn. Je bent mijn leerling.'

'Over twee weken ga ik van school. Dan ben ik je leerling niet meer, dan kan het wel.'

Terwijl Zadie naar een antwoord zocht, kwam Nancy in haar Miata aanrijden. Zadie gebaarde dat Trevor weg moest, en hij zette zijn skateboard neer en stepte weg. Terwijl hij rondjes over het parkeerterrein reed, keek hij beschuldigend achterom, alsof hij haar de meest harteloze vrouw ter wereld vond.

Nancy stapte uit en keek Zadie aan. 'Wat deed Trevor op het gedeelte voor docenten?'

'Hij wilde iets over zijn cijfer weten.'

'Nou, als hij extra punten nodig heeft, weet hij wat hij daarvoor moet doen...' Nancy porde haar in de ribben, alsof het heel gewoon was seksueel beladen grapjes over Trevor te maken. 'Geintje. Kun je het je voorstellen? Ik zou mijn gezicht hier nooit meer kunnen laten zien. Jezus, ik zou me nérgens meer kunnen vertonen.'

Zadie vertrok haar gezicht. Ze kon het zich maar al te goed voorstellen.

Grey kwam in de lunchpauze langs. 'Wist jij van Cancún?'

Ze zat met Nancy, Dolores en meneer Jeffries de gymleraar in de docentenkamer. Ze besloot dat ze beter met Grey aan de picknicktafels op het schoolplein kon praten. Ze stond op, excuseerde zich en ging met Grey naar buiten.

'Ik kwam er tijdens het vrijgezellenfeestje achter. Gilda vertelde het me in het toilet van de tent met de strippers. Toen heb ik Helen aan haar haren meegesleurd en naar het hotel gebracht.'

'Drie kerels op één avond?'

'Wanneer heeft ze je dat verteld?'

'Gisteravond.'

Zadie had zich al afgevraagd hoe lang Helen ermee zou wachten. Ze had Grey elke dag gebeld om van het verzoeningsproces op de hoogte te blijven. Tot nu toe ging het van een leien dakje. Ze praatten veel, Helen was al twee keer blijven slapen. En toen was daar Cancún.

'Dus dat maagdelijke, dat "ik heb nog nooit alcohol gedronken..." is allemaal maar onzin. Ze is totaal nep,' zei hij.

'Blijkbaar.'

'Wie doet zoiets nou?'

'Jouw vriendin.'

'Als ze niet zo'n heisa had gemaakt over haar maagdelijkheid, maakte het me verder niet uit. Maar zij heeft een persoonlijkheid geschapen die helemaal niet bestaat. Waarom dat liegen? Waarom het niet gewoon laten rusten?'

'Misschien probeerde ze zichzelf ergens van te overtuigen.' Zadie zag dat Trevor haar vanaf de overkant van het schoolplein in de gaten hield. Hij was met een stel jongens aan het basketballen, maar hield zijn blik op Zadie gevestigd.

Grey ging op een bankje zitten en leunde met zijn ellebogen op zijn knieën. Zadie kwam naast hem zitten, maar ze hield Trevor goed in de gaten. 'Kennelijk schaamde ze zich voor wat er was gebeurd, daarom besloot ze opnieuw te beginnen met een nieuwe Helen.'

'Ja, zoiets zal het wel zijn,' zei Grey.

'Heeft ze jou daarmee schade berokkend?'

'Nee.'

'Jij bent met ten minste dertig vrouwen naar bed geweest. Vind je het dan echt zo schokkend dat zij met drie mannen heeft gevreeën, nog voordat ze jou kende?'

'Het zou prettig zijn als dat niet allemaal op één avond...'

'Je zei dat je graag wilde dat ze de teugels een beetje liet vieren...'

'Moet je jezelf eens horen!' viel hij haar in de rede. 'Je lijkt wel een bemidddelaar!'

'Ik probeer alles in perspectief te zetten.'

Grey keek op en tuurde uit over het schoolplein. 'Waarom staart dat joch ons zo aan?'

'Dat is een lang verhaal.'

'Is dat jouw fotomodel?'

'Ja. Kijk niet zo.'

'Volgens mij heeft hij het van jou te pakken. Hij kijkt naar me of hij me graag in elkaar zou willen slaan.'

'Zoals ik al zei: "Het is een lang verhaal".' Ze stond op. 'Kom, we gaan naar binnen.'

Ineens lachte Grey. 'Jezus, je bent met hem naar bed geweest.'

Zadie gebaarde dat hij niet zo hard moest praten. 'Ik ga het daar op de werkplek niet over hebben.' Ze trok hem van het bankje af en duwde hem naar het parkeerterrein voor bezoekers.

'Wanneer was dat? Nadat jullie in de Deep waren geweest?'

'Dag Grey.'

'Toe...'

'Een andere keer.'

Ze kwamen bij zijn auto en hij piepte het portier open. 'Maar wat moet ik nu met Helen?'

'Dat weet je al.'

'Ja?'

'Dag Grey.' Ze liep terug naar het schoolgebouw in de veilige wetenschap dat Helen en Grey bij elkaar bleven. Ook al was ze er nog zo lang tegen geweest, nu deed ze haar best het tussen hen weer goed te maken. Ze wist zelf niet eens precies waarom. Ze wist alleen dat hoe minder perfect Helen was, des te aardiger ze haar vond. En dat ze liever een gelukkige Grey zag dan een intens verdrietige.

Het zesde uur brak aan. Trevor ging op de achterste rij zitten en keek somber voor zich uit. Na de les riep ze hem bij zich. Gespeeld onverschillig slenterde hij naar haar bureau.

'Dat was mijn vriend Grey, hij gaat met mijn nichtje Helen trouwen. Die met de dildo.' Het feit dat Helen nu voor eeuwig zou worden omschreven als 'die met de dildo' was een bron van vermaak voor Zadie.

'O. Gaaf.' Hij lachte naar haar. Hij dacht zeker dat hij nog kans maakte.

'Ik heb iets voor je.' Ze gaf hem een envelop. Daarin zat de aanbevelingsbrief voor Stanford die Betsy had geschreven. Ze had Betsy op kantoor gebeld en haar de brief laten faxen nadat ze haar eerst van de laatste verwikkelingen rond Helen en Grey op de hoogte had gebracht. Betsy wilde Jim laten opsporen en een aanklacht tegen hem indienen, maar ze wisten zijn achternaam niet meer.

Trevor scheurde de envelop open en las de brief snel door. 'Tof! Echt geweldig. Helemaal top!' Hij stopte de brief in zijn agenda en keek haar toen aan voordat hij zachtjes zei (hoewel er verder niemand in het lokaal was): 'Kunnen we vanavond iets afspreken?'

Met een zucht keek ze naar hem op. Ze wist dat ze dit niet moest doen. 'Er is nog iets wat ik altijd al met je heb willen doen.'

vijfenveertig

Zadie trok zich op tot een zittende positie en schudde het haar uit haar gezicht. Ze hadden het al een paar keer gedaan en nu moest ze even uitrusten.

'Ik vond je meer iemand voor een korte plank.'

Trevor zat naast haar op zijn plank van 9'0. 'Niet met zulke golven.'

Het was een perfecte middag in Malibu. Tenminste, perfect voor Zadie. De golven waren niet te hoog, zodat er geen echte professionals waren, maar hoog genoeg voor haar om ze te kunnen pakken. Het water was warm genoeg om de wetsuit te dragen die tot haar knieën kwam. Trevor had ervoor gekozen de oceaan in shorty tegemoet te treden, zodat iedereen zijn torso kon bewonderen, waarmee hij in één fotosessie waarschijnlijk meer verdiende dan Zadie in een halfjaar.

'Je bent er goed in. Heb je wel eens aan een wedstrijd meegedaan?' vroeg ze.

'Nee, dat is zo'n gedoe. Ik doe het liever voor de lol.'

'Goede reden.'

'U bent ook niet zo slecht voor een beginneling. Maar u bent dan ook lenig, dat helpt natuurlijk ook mee.' Hij lachte naar haar. Hij vond het zeker slim van zichzelf dat hij het onderwerp weer op seks had gebracht.

'Trevor...'

'Ik snap niet waarom we het niet nog één keertje kunnen doen. Eén keertje maar.'

'Omdat ik me een vies oud wijf voel.'

'Maar we hebben het toch al gedaan?'

'Jawel, maar nu ben ik niet dronken.'

'We kunnen onderweg naar huis een fles Cuervo kopen.'

Er kwam een golf aanrollen. Ze wees ernaar en zei: 'Nu!'

Trevor bleef lang genoeg zwijgen om te kunnen gaan liggen en te peddelen. Hij pakte een prima golf die hem helemaal naar de pier bracht. Zadie pakte de volgende, maar een ouwe vent viel op haar en ze moest uitwijken naar de rand van de golf, zodat ze flink de tijd kreeg om een smoesje voor Trevor te verzinnen terwijl ze terug peddelde.

'Ik weet wat,' zei ze toen ze weer naast elkaar zaten te dobberen. 'Als ik nog single ben tegen de tijd dat jij afstudeert, word ik jouw vriendin.'

'Maar als ik je dan niet meer zie zitten?' vroeg hij plagerig.

'Dan heb ik pech.'

'Hoe oud ben je dan?'

'Vijfendertig.'

Hij deed of hij daarover nadacht, toen haalde hij zijn schouders op. 'Dus tot die tijd moet ik al je vriendjes vermoorden?'

Zadie spetterde water in zijn richting. 'Waarschijnlijk kom je na de zomer terug uit Europa met een topmodel als vriendin.'

'Dat denk ik niet. Wat moet ik met een vriendin in Europa?' Hij was altijd zo nuchter, dacht Zadie. Haar leven zou veel gemakkelijker zijn als zij ook over die eigenschap beschikte.

Ze tuurde in de richting van het strand. Ze zag een klein kind gillend van pret door de golven rennen. 'Een paar dagen geleden kwam mijn ex langs.' Waarom vertelde ze hem dat? Ze had het aan niemand verteld, zelfs niet aan Dorian, die ze meteen daarna had teruggebeld. Het was iets waarmee ze eerst zelf in het reine moest komen voordat ze het erover kon hebben. Misschien was het makkelijk het Trevor te vertellen omdat hij het minst op de hoogte was van wat er allemaal was gebeurd.

Hij fronste. 'En toen?'

'Hij wilde het goedmaken.'

'Nadat hij je op de huwelijksdag had gedumpt? Wat een lul!'

'Dat vond ik nou ook.' Ze keek naar het kind op het strand dat zand naar een onfortuinlijke hond gooide.

'Dus toen zei je dat hij de pot op kon?'

'Ik heb het denk ik wat sterker verwoord, maar daar kwam het wel op neer.' Er kwam weer een golf aanrollen, maar ze bleven op hun plank zitten en lieten die voorbij gaan.

'Gaat het een beetje?' vroeg hij.

'Ja hoor. Het was volslagen belachelijk. Net alsof ik hem op tv zag of zo.'

'Ik heb hem wel eens een keer gezien toen ik stoned was. Hij was vreselijk. Ik denk niet dat je in de toekomst een Oscaruitreiking misloopt.'

Dat was de eerste keer dat iemand haar om Jack had laten lachen. Nee, dat was niet helemaal waar, Grey had Jack nagedaan die zijn postpakketje vol hondendrollen openmaakte. Helen had het bijna in haar broek gedaan. Maar toch, wat Trevor had gezegd, deed haar deugd.

'Je bent de enige aan wie ik het heb verteld. Dat hij langskwam.'

'Hoezo?'

'Dat weet ik niet.' Ze lachte naar hem. 'Misschien vertel ik je voortaan al mijn geheimen.' Onder water wreef ze even met haar voet over de zijne. Hij grijnsde naar haar.

'Het spijt me dat ik op school zo rot tegen je deed, maar...'

'Dat geeft niet,' viel hij haar in de rede. 'Het is best tof. Ik zou niet willen dat je werkeloos moest blijven totdat ik je over vier jaar kom halen.' Er zat een stukje zeewier in Trevors riem. Zadie maakte het voorzichtig los.

'O jee, ik bedenk me ineens iets,' zei ze. 'Stel dat je band ineens beroemd wordt? Dan zie ik er naast al die groupies zo oud uit.'

'Tegen die tijd verdien ik genoeg om een plastisch chirurg te kunnen betalen.'

Ze duwde hem bijna van zijn plank af. Ze peddelden naar de volgende golf en die bereden ze samen.

zesenveertig

Toen Zadie bij Greys huis aankwam, stonden er al een stuk of tien mensen in de achtertuin: Bill, de vennoot van Grey, Betsy en haar man, Denise met een na acht maanden zwangerschap wel erg dikke buik en haar man Jeff, Marci en Kim en hun stuurse echtgenoten, Jane, nog drie collega's van Grey wiens namen Zadie niet kende, en natuurlijk Helen, die helemaal straalde.

De bomen in de tuin waren met witte lampionnetjes versierd, en op het gazon stonden fakkelhouders van bamboe die lekker stonden te walmen. Grey gaf haar een glas wijn. 'Welkom op het verlovingsfeest.' Zadie kuste hem op zijn wang en keek toen om zich heen. Grey merkte het. 'Maak je geen zorgen, Mike komt zo.'

'Weet ik.' Ze lachte.

Na de officiële verzoening had Mike Zadie gebeld om haar te complimenteren met haar overredingskracht. Ze hadden drie uur zitten praten. En al die tijd had hij niets gezegd waaraan ze zich ergerde. Sindsdien had hij nog vier keer gebeld. Ze had zelfs haar moeder over hem verteld. Mavis was zo van slag geweest dat ze de hoorn bijna uit haar hand had laten vallen.

Zacht zei Grey: 'En als je niet aardig tegen hem bent, zeg ik hem dat je de voorkeur aan mooie jongetjes zonder baardgroei geeft.' Zadie gaf hem een stomp tegen zijn arm. Nadat ze weer gewoon op donderdag naar Barney's Beanery gingen, was Zadie haar belofte nagekomen en had ze Grey álles over Trevor verteld. Ook over hoe vaak en hoe groot.

'Niet lachen. Als het met Mike op niks uitloopt, moet je over vier jaar met mij en Trevor uit.'

'Waarom zou ik wachten? Misschien mag ik roadie bij zijn band worden. Misschien kan ik hen helpen met het aanleggen van het bierinfuus.'

Zadie liet hem zijn gang gaan. 'Toe maar, gooi het er maar uit. Lucht je hart maar voordat Mike er is.'

Hij kreeg Mike in het oog en liep naar hem toe om hem te begroeten, en op dat moment kreeg Helen Zadie in de gaten en stormde op haar af om haar te omhelzen. 'Niet te geloven, hè? Ik heb hem alles verteld en toch gaan we trouwen!'

'Dat verbaast me niks,' reageerde Zadie. 'Hij houdt van je.'

Helen hief haar glas champagne. 'Maak je geen zorgen, één glaasje maar.'

'Geen striptease vanavond?'

'Misschien een privé-striptease.' Ze knipoogde en keek even naar Grey, daarna pakte ze Zadies hand.

'Ik sta bij je in het krijt.'

'Dat weet ik,' zei Zadie. 'Maar ik hou me aan mijn woord: als je hem verdriet doet, vermoord ik je.'

Lachend sloeg Helen nogmaals haar armen om haar heen. 'Als ik geen zuster had, mocht jij mijn getuige zijn.'

Zadie beantwoordde de omhelzing. 'Weet je nog al die verjaardagscadeautjes die je nooit van me hebt gekregen?' Ze knikte in Greys richting. 'Nu staan we quitte.'

'Weet je, ik was altijd zo jaloers op je,' zei Helen. Ze lieten elkaar los en Zadie keek haar verbaasd aan. Was Helen jaloers op háár? 'Je was altijd zo recht door zee. Gewoon jezelf... Je vroeg je nooit af wat anderen van je vonden. Mij lukte dat niet, maar nu wel.'

Eloise kwam erbij staan. Ze had een absurd kapsel en een even afzichtelijke bril op. 'Hou op, jullie. Het is veel te vroeg voor serieuze gesprekken.'

Helen gaf Eloise een haastige kus op de wang en liep weg om de hapjes te keuren. Zadie bleef alleen met Eloise achter.

'Zadie. Hoe gaat het.' Het klonk niet als een vraag, dus Zadie gaf maar geen antwoord. 'Je hebt vast al gehoord dat ik een nieuwe vriend heb.'

Nee, dat had Zadie nog niet gehoord. In tegenstelling tot wat Eloise altijd aannam, had niemand het ooit over haar.

'Een miljardair.'

'Dat geloof ik graag,' zei Zadie.

'Hij is geweldig in bed.'

'Daar twijfel ik niet aan.'

'Waarom doe je zo vervelend?' vroeg Eloise achterdochtig.

'Waarom niet?'

Eloise keek haar kwaad aan en liep weg. Zadie stond versteld dat ze zo bofte. Jane kwam eraan met een drankje in haar hand en bekeek Zadie van top tot teen. 'Je ziet er geweldig uit.'

'Bedankt,' zei Zadie. Ze droeg een strak, gebreid topje en een zwart rokje. Het was de eerste keer sinds maanden dat ze zich sexy had gekleed.

'Wil je een baantje voor de zomer?' vroeg Jane.

'Dank je voor het aanbod, maar nee,' antwoordde Zadie.

Toen Mike de patio op liep, keek hij zoekend om zich heen. Dat gaf haar de kans haar haar goed te doen en rechtop te gaan staan. Zodra hij haar zag, lachte hij naar haar en liep op haar af.

'Oké, ik was dus niet dronken toen op het etentje vooraf. Je bent nog steeds sexy.'

Zadie trok een wenkbrauw op.

'Ik dacht dat ik eerst maar met een weerzinwekkende opmerking moest komen,' ging hij verder. 'Dan kan het de rest van de avond alleen maar beter worden.' Hij drukte een kus op haar wang en stak zijn hand naar Jane uit. 'Ik ben Mike. Grey en ik deelden een kamer op USC.'

'Ik ben Jane. Ik ken Helen nog van de middelbare school.'

Mike keek van de een naar de ander. 'En, denken jullie dat ze deze keer het wandelingetje naar het altaar halen?'

'Ik geef ze meer kans als Helen de avond daarvoor lekker thuis blijft,' antwoordde Jane. Ze zag Betsy aan de andere kant van het gazon naar haar zwaaien. 'Sorry, maar volgens mij wil Betsy een preek tegen me afsteken.'

'Misschien staat je wel een verrassing te wachten,' zei Zadie. 'Ik denk dat ons avondje uit haar heeft veranderd. Misschien wil ze wel advies van je.'

'Als ze maar niet voor me wil werken...'

Toen Jane naar Betsy liep, vroeg Mike aan Zadie: 'Is ze makelaar of zoiets?'

'Zoiets,' zei Zadie. Ze lachte naar hem. Hij zag er net zo leuk uit als ze zich herinnerde. Donker haar dat erom vroeg aangeraakt te worden. Goudbruine ogen. Kuiltjes in zijn wang. Brede schouders. Blauw overhemd op een spijkerbroek. Goede schoenen – er was geen teen zichtbaar. 'Hoe lang heb je erover gedaan om hier te komen?'

'Een uur en drie kwartier.'

'Dan heb je als een oud omaatje gereden.'

'Eén van mijn goede eigenschappen.'

Toen ze elkaar door de telefoon hadden gesproken, was Zadie erachter gekomen dat hij in een atelierwoning in het Gaslamp Quarter woonde en lopend naar zijn werk ging. Dat hield in dat hij niet te moe kon zijn om in het weekend naar LA te komen. Een groot pluspunt. Ze was er ook achter gekomen dat hij beter kon surfen dan Grey, dat hij drie langdurige relaties had gehad en dat hij nog steeds met zijn exen bevriend was. En hij had nog nooit naar *Days of Our Lives* gekeken.

'Dus je hebt nu drie maanden lang niets om handen?' vroeg hij.

De laatste schooldag was al een week geleden geweest. En ze had ervoor gezorgd dat bij de diploma-uitreiking Amy naast Trevor kwam te zitten.

'Ja. Weet jij iets?'

'Ik hoor dat er een vacature bij de Crazy Girls is.'

'Je bent me trouwens nog een schootdans schuldig,' zei ze.

'Dat weet ik nog niet, hoor... Ik hoor dat je niet zo scheutig met fooien bent.'

'Alle waar naar zijn geld,' plaagde ze hem.

'Heb je een kwartje?'

Niets innemender dan een man die over zo veel zelfvertrouwen beschikte dat hij zichzelf durfde af te kammen. 'Een dollar als je echt ondeugend bent,' reageerde ze.

'Afgesproken. Ik drink eerst een paar glazen cabernet, daarna trekken we ons in de garage terug. Bij mijn act hoort gereedschap.'

Zadie vond hem echt heel leuk. Dat hij zijn hand in het holletje van haar rug had gelegd, maakte hem nog aantrekkelijker. Ze hield wel van een man die niet terugschrok voor een aanraking. Net toen ze dacht dat hij best wel haar volgende vriend kon zijn, ging Grey op het trapje van de patio staan en vroeg om aandacht. Stralend stond Helen naast hem.

'Sommigen zullen zich afvragen waarom we jullie hier hebben uitgenodigd, aangezien we de laatste keer dat jullie ons zagen in de lobby van het Beverly Hills Hotel ruzie stonden te maken.'

'Grey!' Helen gaf hem een por. 'Daar hebben we het niet meer over.'

Grey haalde zijn schouders op. 'We zijn jullie een verklaring schuldig, want jullie hebben allemaal een smoking gehuurd en smaakvolle schoentjes gekocht voor bij de bruidsmeisjesjurken.'

Iedereen juichte.

'Maar...'

Er klonk boegeroep.

'Deze keer nemen we er de tijd voor. Zoals jullie misschien wel weten, duurt het een tijdje voordat je iemands achtergrond goed kent.'

Weer gaf Helen hem een por, en iedereen lachte.

'Ik vertrouw erop dat we aan het eind van dit jaar echt een bruiloft kunnen vieren. Dus als jullie oudejaarsavond vrij kunnen houden, krijgen jullie een groot feest om naartoe te gaan.'

Zadie lachte. Eindelijk een oudejaarsavond die de moeite waard was om je mooi voor te maken.

Mike fluisterde in haar oor: 'Oké, het is kort dag, en ik weet dat we allebei ons steentje aan de bruiloft zullen bijdragen, dus we hoeven niet echt een afspraakje te maken, maar ik ben van plan je de mijne te maken, dus doe voor die tijd niets doms.'

Ze gaf hem een por in zijn ribben, en keek toen naar Grey en Helen die elkaar zoenden. Iedereen hief het glas.

Liefde was iets moois.

Dankwoord

Dank aan Josh Bank natuurlijk, omdat hij briljant is en omdat zonder hem dit boek niet zou bestaan. Les Morgenstein en Claudia Gabel voor hun leuke bijdragen. Jennifer Weis omdat ze zo enthousiast was en dit boek heeft aangekocht. Seth Jaret voor al zijn steun. Mike Bender, Tom O'Neal en Reggie Hayes omdat wanneer ik leuke mannen beschrijf, ik altijd iets van hen probeer te lenen. Dana Guilfoyle en Selma B. voor hun inspirerende herinneringen aan hun vrijgezellenfeestjes. Alle geweldige en wilde vrouwen met wie ik in de loop der jaren woeste avonden vol losbandige uitspattingen heb beleefd. Al mijn vrienden met wie ik veel langer aan de telefoon hang en roddel dan met mijn vriendinnen. Mijn echtgenoot Walter omdat hij zo aardig was op onze bruiloft aanwezig te zijn. Mijn ouders Lanny en Darlene, van wie ik mijn grillige fantasie heb. En natuurlijk dank aan de fabrikanten van penisconfetti.